Читайте романы
примадонны иронического детектива
Дарьи Донцовой

Сериал «Любительница частного сыска Даша Васильева»:

1. Крутые наследнички
2. За всеми зайцами
3. Дама с коготками
4. Дантисты тоже плачут
5. Эта горькая сладкая месть
6. Жена моего мужа
7. Несекретные материалы
8. Контрольный поцелуй
9. Бассейн с крокодилами
10. Спят усталые игрушки
11. Вынос дела
12. Хобби гадкого утенка
13. Домик тетушки лжи
14. Привидение в кроссовках
15. Улыбка 45–го калибра
16. Бенефис мартовской кошки
17. Полет над гнездом Индюшки
18. Уха из золотой рыбки
19. Жаба с кошельком
20. Гарпия с пропеллером
21. Доллары царя Гороха
22. Камин для Снегурочки
23. Экстрим на сером волке
24. Стилист для снежного человека
25. Компот из запретного плода
26. Небо в рублях
27. Досье на Крошку Че
28. Ромео с большой дороги
29. Лягушка Баскервилей
30. Личное дело Женщины–кошки
31. Метро до Африки

Сериал «Евлампия Романова. Следствие ведет дилетант»:

1. Маникюр для покойника
2. Покер с акулой
3. Сволочь ненаглядная
4. Гадюка в сиропе
5. Обед у людоеда
6. Созвездие жадных псов
7. Канкан на поминках
8. Прогноз гадостей на завтра
9. Хождение под мухой
10. Фиговый листочек от кутюр
11. Камасутра для Микки–Мауса
12. Квазимодо на шпильках
13. Но–шпа на троих
14. Синий мопс счастья
15. Принцесса на Кириешках
16. Лампа разыскивает Алладина
17. Любовь–морковь и третий лишний
18. Безумная кепка Мономаха
19. Фигура легкого эпатажа
20. Бутик ежовых рукавиц
21. Золушка в шоколаде
22. Нежный супруг олигарха

Сериал «Джентльмен сыска Иван Подушкин»:

1. Букет прекрасных дам
2. Бриллиант мутной воды
3. Инстинкт Бабы–Яги
4. 13 несчастий Геракла
5. Али–Баба и сорок разбойниц
6. Надувная женщина для Казановы
7. Тушканчик в бигудях
8. Рыбка по имени Зайка
9. Две невесты на одно место
10. Сафари на черепашку
11. Яблоко Монте–Кристо
12. Пикник на острове сокровищ
13. Мачо чужой мечты
14. Верхом на «Титанике»
15. Ангел на метле

Сериал «Виола Тараканова. В мире преступных страстей»:

1. Черт из табакерки
2. Три мешка хитростей
3. Чудовище без красавицы
4. Урожай ядовитых ягодок
5. Чудеса в кастрюльке
6. Скелет из пробирки
7. Микстура от косоглазия
8. Филе из Золотого Петушка
9. Главбух и полцарства в придачу
10. Концерт для Колобка с оркестром
11. Фокус–покус от Василисы Ужасной
12. Любимые забавы папы Карло
13. Муха в самолете
14. Кекс в большом городе
15. Билет на ковер–вертолет
16. Монстры из хорошей семьи
17. Каникулы в Простофилино
18. Зимнее лето весны
19. Хеппи–энд для Дездемоны

Дарья Донцова

Хеппи-энд для Дездемоны

роман

Метро до Африки

главы из нового романа

Советы

от безумной оптимистки Дарьи Донцовой

советы

Москва

2007

ИРОНИЧЕСКИЙ ДЕТЕКТИВ

МОЙ ДОРОГОЙ ЧИТАТЕЛЬ!

Знаете ли Вы, чем отличается детектив от криминального романа?

В детективе всегда есть загадка, которую можно разгадать самому.

А чем отличается хороший детектив от детектива?

В хорошем детективе есть загадка, которую сложно разгадать самому.

Теперь в каждом моем детективе в течение всего 2007 года Вас ждет загадка, которую нужно разгадать самому.

Разумеется, самые активные и смекалистые участники получат призы. Их (призов) у меня припасено в количестве 1001 шт. Нет, я не сказочница Шахерезада — призы самые настоящие: тысяча плюшевых собак породы МОПС (кстати, сделанных по моим эскизам) и **принадлежащий лично мне золотой кулон**. Кулон дарю в единственном экземпляре — как говорится, от сердца отрываю!

Что нужно сделать для победы? – спросите Вы. Отвечаю по порядку.

1. Внимательно читайте мой роман. Одна из его тайн так и останется нераскрытой. А на последней страницс Вас ждст вопрос, касающийся этой самой тайны.

2. До появления в продаже моей следующей книги, «Метро до Африки», (т.е. до 27 ноября 2007 г.) позвоните по телефону горячей линии: **(495) 967-90-77**. Сообщите свое имя, фамилию, город и контактный телефон (проще говоря, зарегистрируйтесь). Назовите Вашу версию ответа на загадку.

3. Дождитесь выхода книги в твердом переплете «Метро до Африки». В ней Вас будут ждать: правильный ответ, новая загадка, а также дата выхода моего следующего романа (ответ на новую загадку нужно дать именно до этой даты).

4. И так далее, и так далее, и так далее — вплоть до романа, который появится в продаже в декабре 2007 г.

В зависимости от точности ответа Вам будут начисляться баллы, суммирующиеся раз за разом. Сыщики, набравшие к концу года наибольшее количество баллов, получат обещанные призы. Самому-самому — мой золотой кулон в награду!

Я желаю Вам удачи и с нетерпением жду того момента, когда смогу поздравить победителей! Итак, загадка ждет! Ее нужно разгадать самому!

Всегда Ваша — Дарья Донцова

* * *

Советы, напутствия и ответы на вопросы, которые у Вас могут возникнуть:

- Загадки находятся только в новых романах Д. Донцовой в твердом переплете, вышедших в 2007 г.
- Для Вашего удобства на обложках книг с загадками размещен ярко-красный «флажок» с надписью «Загадки года от Дарьи Донцовой».
- Принять участие в борьбе за призы может каждый желающий. Предлагайте Ваши варианты ответов на загадки, даже если Вы проживаете в ЮАР.
- При звонках на горячую линию всегда называйте один и тот же контактный номер телефона, иначе оператор может ошибиться и не просуммировать Вам баллы.
- Операторы горячей линии не смогут ответить ни на один из Ваших вопросов — они лишь регистрируют Ваши звонки и ответы и не обладают интересующей Вас информацией.
- Операторы горячей линии подсказок и правильных ответов Вам не дадут — и не просите. Пусть все будет по-честному!
- Ваш ответ на каждую из загадок принимается только один раз.
- Если данный Вами ответ оказался неправильным, то это не значит, что Вы сошли с дистанции претендентов на призы. Продолжайте разгадывать другие загадки, звоните — у Вас все получится!
- Плюшевые мопсы действительно уникальны — таких больше ни у кого нет и не будет.
- Список призеров мы разместим в твердой новинке Д. Донцовой, которая выйдет в начале 2008 г., а также на сайте www.dontsova.ru. Кроме того, в случае Вашего выигрыша с Вами свяжутся по указанному Вами контактному телефону и доставят приз туда, куда Вы пожелаете.

С уважением,
сотрудники издательства «Эксмо»

Хеппи-энд для Дездемоны

роман

Глава 1

Никогда не следует доверять женщине, которая честно называет свой возраст. Такая особа способна на все!

Седьмого мая мне позвонила Ника Терешкина и затараторила в трубку:

— Вилка, я хочу тебе помочь!

— Да ну? — удивилась я. — У меня что, появились проблемы, о которых я еще не успела узнать?

— Не трать деньги мне на подарок, — захихикав, пояснила Терешкина. — А то ерунда получается — после каждого дня рождения я не знаю, куда девать идиотские сувениры.

Тут только до меня дошло, что у Ники скоро юбилей и она собирается позвать меня в гости.

— Девятнадцатого мне стукнет сорок, — с обезоруживающей прямотой заявила Терешкина. — Прикинь, скоро на пенсию!

— Выглядишь ты минимум на десять лет моложе, — бодро соврала я. — Если напишешь в приглашении «Жду на тридцатилетие», никто не усомнится в дате.

— Я всегда честно называю свой возраст, — возразила Терешкина. — По-моему, лгать в этом случае глупо.

— Ну-ну... — протянула я и решила сменить тему. — Ты права, лучше заранее поинтересоваться у юбилярши, чего ей не хватает — я имею в виду, из материального, — и купить необходимое, чем притаскивать всякую лабуду.

— Вот в Англии здорово придумали, — вздохнула Ника. — Идешь в крупный магазин и оставляешь там список подарков, а гостям сообщаешь: пожелания лежат, ну, допустим, в «Хэрродз». Народ бежит по указанному адресу, читает «каталог» и видит: ага, юбиляр мечтает о тостере, постельном белье, кровати, парфюмерии, пледе, фене... ну и так далее. Потом гость просто оплачивает, что ему по карману, и дело сделано. Продавцы сами запакуют и отправят подарок с твоей визитной карточкой. Супер?

— Здорово, — согласилась я. — Но раз у нас пока ничего подобного нет, придется действовать по старинке. Говори, что ты хочешь, а я куплю и принесу.

— Это сложно приобрести, — весело пропела Ника.

— Так дорого? — испугалась я.

Конечно, мы с Никой знакомы не первый год, я очень хорошо к ней отношусь, но вдруг в буйной голове Терешкиной возникло желание получить в подарок корону английской королевы? Ежу понятно, что такое, проси не проси, никто ей не подарит. Есть на свете вещи, которые никогда не станут твоими, и с этой мыслью лучше спокойно смириться.

— Ты не потратишь и копейки, — захохотала Ника.

— Объясни подробней, — еще больше насторожилась я.

— Ты ведь знаешь, где я работаю, — сказала Терешкина. — По деньгам, правда, выходит неплохо, но вставать приходится в шесть тридцать утра, иначе я не успею к началу рабочего дня.

— Жуть! — совершенно искренне воскликнула я.

— Зато домой возвращаюсь около четырех. Не каждый день, но в понедельник и четверг стабильно.

— Вот здорово!

— Конечно, — согласилась Ника. — Хотя признаюсь: работать классной дамой жуткая скука! Ладно, слушай, сейчас я объясню и про подарок, и про все остальное, только не перебивай, — щебетала Ника.

Я легла на диван и приготовилась к долгой беседе. Терешкина не остановится, пока не выплеснет бочку накопленной информации.

Ника по профессии психолог, за спиной у нее институт, есть соответствующий диплом. Но если вы думаете, что Терешкина сидит в кабинете, заставленном шкафами с книгами Фрейда, Юнга, Леонтьева и иже с ними, выслушивает откровения пациентов, лежащих на кушетках, то вы ошибаетесь. Долгое время Ника маялась в каком-то отделе кадров, работала младшим менеджером по персоналу, ничего интересного в ее службе не было, сплошная скука.

Года два назад Ника сменила поле деятельности — перешла на работу в частную гимназию, стала классной дамой. Последняя, по определению, не преподает, а в основном следит за порядком. Оклад стал выше, забот меньше, но Терешкина совершенно сникла, жизнь стала казаться ей болотом, а сама себе она напоминала черепаху Тортилу. Еще немного, и Ника запоет: «Затянуло серой тиной гладь осеннего пруда, ах, была, как Буратино, я когда-то молода. Был беспечным и наивным черепахи юный взгляд, ах, и я была такою триста лет тому назад». Впрочем, за точность цитаты не ручаюсь, а вот настроение подруги я передала верно.

Ника живет очень размеренно: дом — гимназия — дом. Она давным-давно замужем, имеет дочь, никогда не ходит от супруга налево, не увлекается шмотками, в парикмахерскую заглядывает два раза в год: в апреле, когда надо снимать с головы шапку, и в октябре, когда пора ее натягивать. Вася, муж Ники, простите за идиотский каламбур, совершенный Вася. В молодости он лихо играл на гитаре и заглядывался на девушек. Ника дико ревновала супруга и устраивала ему показательные скандалы. Один раз ее даже забрали в милицию за дебош, учиненный в кинотеатре. Да-да, был у Терешкиной привод, и я долгое время дразнила ее уголовницей.

Но теперь все эскапады остались в глубоком прошлом. Вася потерял кудри и перестал пялиться на чужие голые коленки, а за гитару он не берется уже лет десять. Лучшее времяпрепровождение для него — тихий сон у включенного телевизора, отдых после совсем не напряженного рабочего дня. Одним словом, у Васи больше не горит глаз и пыль не летит из-под копыт. Сколько в России таких супружеских пар, поженившихся по любви, а через двадцать лет брака превратившихся в мрачно бредущих рядом слонов? Не счесть! Правда, Терешкина не считала себя ни несчастной, ни пожилой, пока случайно не столкнулась в супермаркете со своей подругой Майей Филипенко.

Майка вырядилась в короткое, выше колен, ярко-красное пальтишко из лаковой кожи и белые сапоги-ботфорты. В руках она держала модную сумочку, голова ее была будто бы растрепана ветром, но на самом деле над белокурыми кудрями поработала опытная рука мастера. И морщин у Майки на лице не было совсем. Они испарились как по волшебству, хотя в роли кудесника явно выступил доктор с уколами ботокса.

Подруга приперла Нику тележкой и заорала:

— Тереша! Привет! Что с тобой случилось? Ты заболела? Мы не виделись полгода, а узнать тебя нельзя!

— Нет, — ответила Ника, — я совершенно здорова.

— Фу, — выдохнула Майка, — а я уж испугалась! Морда желтая, глаза — щелочки, сама толстая... Чего ты так разожралась?

Филипенко никогда не отличалась деликатностью. Она, не задумываясь, выдает людям в лицо все, что о них думает, и, похоже, не собирается менять скверные манеры.

Ника после такого заявления Майки хотела обидеться и быстро уйти — не встречалась с Филипенко шесть месяцев, и не надо! — но тут ее взор упал на содержимое тележки, которую толкала перед собой подруга детства. Бутылка дорогого шампанского, баночки с крабами и черной икрой, несколько пакетов замороженных овощей, импортные конфеты и печенье... Явно не набор семейной дамы. Вот у Ники грудой свалены лотки с дешевой гастрономией, килограмм мяса на котлеты, упаковка макарон, пакеты с молоком, геркулес быстрого приготовления.

Не успела Ника сделать выводы, как из-за стеллажей с минеральной водой вынырнул красивый блондин, от силы лет двадцати. Вертя на пальце кольцо с ключом от иномарки, он спросил у Майи:

— С пузырями воду брать?

— Ага, — кивнула Филипенко.

Юноша юркнул в глубь супермаркета.

— Это кто? — разинула рот Ника.

Майка захохотала.

— Тереша, ты удивительная дура! Это всего лишь Антон, мой новый любовник. Слышь, Никуся, а чего ты себя в порядок не приведешь?

— О чем ты говоришь? — мрачно поинтересовалась Ника.

Филипенко оперлась на ручку тележки.

— Даю бесплатную консультацию, по дружбе. Ты разговариваешь сейчас с одним из лучших российских имиджмейкеров, кстати, я беру немереные бабки за свою работу, но с тебя ничего не возьму за советы. Итак! Топаешь в салон, делаешь короткую стрижку, красишь волосы в светлый цвет, исправляешь форму бровей, покупаешь тональный крем, румяна, тушь, губную помаду и начинаешь всем этим пользоваться. Прекращаешь жрать макароны, переходишь на овощи и как следствие сбрасываешь пятнадцать килограммов, меняешь стиль одежды и заводишь любовника. Крэкс, фэкс, пэкс, и вот вам вместо бабушки — девочка! Усекла?

— Я замужем, — по непонятной причине начала оправдываться Ника, — дома Вася, дочка Вера, хозяйство. Плюс работа. Я же в школе сижу, белые ботфорты туда не наденешь. Тебе хорошо, семьи нет, а у меня...

— Не ной, Тереша! — оборвала Нику Майя. — Ты сама себе такую жизнь создала, теперь наслаждайся.

— Но мне она не нравится, — вдруг откровенно призналась Ника.

— Тогда действуй, — фыркнула Филипенко. — Тебя ж никто к дому гвоздями не прибивал! В качестве первого шага поменяй одежду.

— Это трудно, — вздохнула Ника.

— А тогда не жалуйся, — пожала плечами Майя. — Ладно, пока, мне пора. Кстати, перестать жрать легко. Попробуй, никаких снадобий не надо: просто прекрати бесконтрольно есть. Должно помочь!

Вымолвив последнюю фразу, Филипенко убежала, оставив после себя аромат дорогих духов.

Неделю после разговора с Майей Ника ходила сама не своя, а потом поняла: она и не жила вовсе. В очень юном возрасте выскочила замуж, родила Верку — и понеслось. Никаких романов за Терешкиной не числилось, и эпатажную обувь вкупе с вызывающе красным лаковым пальто ей натянуть слабо́. В конце концов Ника приняла решение коренным образом изменить свою жизнь.

Для начала Терешкина перестала ужинать. Потом, в ажиотаже, отменила и обеды. Может, на кого-то диеты не действуют, но Никины жиры начали таять, и теперь она весит, как в юности, шестьдесят килограммов. Затем Ника изменила прическу, одежду и манеру поведения. Она похорошела, помолодела и лишилась спокойной семейной жизни, потому что теперь Василий стал устраивать жене скандалы. Думаете, он ее ревновал? Как бы не так — Вася дергался из-за денег.

— Ты с ума сошла на старости лет, — бубнил муж, — раз в неделю в салон бегаешь! Счета видела? Маникюр, педикюр... За каким чертом? Кто тебя, кроме меня, разглядывать станет? Да и я не буду! Пальто новое купила, сапоги... Всю заначку распатронила! А если заболеем, на что будем жить?

Чем больше возмущался Вася, тем сильнее Ника ощущала себя птицей в клетке. Две недели назад Терешкина решила окончательно скинуть с себя оковы. Она заявила мужу:

— Все! Больше жить по-прежнему не хочу. К гробу багажник не приделаешь.

Онемевший от услышанного Василий притих...

— Пусть скажет «спасибо», что я не ушла от него, — шипела сейчас Ника. — Зануда!

— Ты совсем сбрендила! — ахнула я. — Вы столько лет в браке!

— Значит, тебе можно развестись, а мне нет? — окрысилась Ника. — Все станут свободными, а Терешкина тащи на горбу семейный гнет?

Я растерянно примолкла. Некоторое время назад в моей жизни произошли малоприятные события. Я уже рассказывала о них и повторяться сейчас не хочу[1], просто напомню: теперь я живу одна. Мы с Олегом официально не оформили развод, и юридически писательница Арина Виолова до сих пор считается женой господина Куприна, но фактически семьи нет.

Не скрою, мне было тяжело рвать отношения, а еще тяжелее оказалось остаться без Томочки. Подруга мне ближе, чем сестра, но и с ней пришлось рас-

---

[1] Об этом можно прочитать в книге Дарьи Донцовой «Зимнее лето весны», издательство «Эксмо».

статься. Кто прав, кто виноват, судить сложно. Первое время я была абсолютно уверена в собственной непогрешимости, теперь же понимаю: я сама допустила много ошибок. Однако содеянного не исправить. В общем, на данном этапе я живу в гордом (или не очень гордом?) одиночестве. Может быть, о своей личной жизни я расскажу в другой раз, хотя, если честно, ничего интересного со мной не происходит.

— Я не собираюсь и дальше быть ломовой лошадью! — злилась Ника. — Короче, в качестве подарка на юбилей жду от тебя помощи.

— Говори, какой, — велела я.

— Выйди завтра вместо меня в школу и поработай там неделю.

— Это невозможно!

— Почему?

— Ну... потому.

— Назови хоть одну причину, которая может тебе помешать! — взвизгнула Ника.

— Я не знаю психологии, не умею общаться со школьниками... Думаю, с лихвой хватит двух вышеперечисленных причин.

Ника засопела.

— Напоминаю, коли ты забыла: я служу не душеведом, а классной дамой. Гимназия элитная, наряду с педагогами в ней работают и воспитатели. Девятый класс — не маленькие дети, одевать, обувать их на прогулку не надо, ты легко справишься. Всего-то и требуется — следить за дисциплиной, собирать дневники, проставлять отметки... Тьфу, а не обязанности.

— Вот именно, тьфу! — обозлилась я. — Это совершенно мне не нравится.

— Ну Вилка! — хныкала Ника. — Умоляю! Всего-то семь дней.

— Извини, я не понимаю, зачем тебе это понадобилось!

— Поеду в Дубай, — зашептала Ника. — Это

можно сделать лишь сейчас, потом не получится. Понимаешь, я попросила у директора, а он, козел, уперся: «Нет, госпожа Терешкина, никакого отпуска! Иначе ищите другое место!» Только мне работу в гимназии терять не хочется. И мне повезло: директор в больницу угодил, желчный пузырь ему вырезали, а завуч, добрая тетка, согласилась на подмену. Ну, Вилка, пожалуйста! Я на неделю в Дубай, а ты со школьниками повозишься. Неужели трудно? Ведь ты не ходишь на работу!

— Я пишу книгу!

— Ну и что? Эка трудность! Притопаешь с занятий и пиши себе на здоровье. Тебе ж без разницы, когда бумагу пачкать, — захихикала Ника.

— И с кем ты намылилась отдохнуть? — поинтересовалась я. — С Васей?

— Ха, нужен он мне! С бойфрендом, — защебетала Терешкина. — Я недавно с ним познакомилась в клубе «Пи восемь».

Я онемела. Бойфренд? Учитывая, что Ника скоро отметит сорокалетие, это скорее дедфренд. И она бегает по клубам, где оттягивается толпа мальчишек и девчонок одного возраста с ее дочкой Верой? Здорово же Терешкину переклинило. Хотя ничего удивительного, эффект маятника: если он очень долго находился справа, то рано или поздно его занесет влево.

— Вилушечка! Любимая! Дорогая! Солнышко! — причитала Ника. — Подумай, как здорово: тебе не придется тратиться на подарок. И все получится шикарно — я смотаюсь в Дубай и место не потеряю. Директор-то в больнице, он и не узнает о подмене, завуч душенька, милейшая тетка.

— Почему ты выбрала в качестве спасательного круга именно меня? — сделала я очередную попытку отбиться от роли классной дамы.

— А кого еще? Остальные по графику трудятся, им со службы не удрать. Только ты, Вилка, можешь себе позволить недельку пропустить, ты круче всех устроилась, — ляпнула Ника.

— Ага, хорошо бы... — начала я возмущаться.

Но Терешкина не дослушала меня до конца. Живо приняла начало фразы за мое принципиальное согласие и завизжала:

— О! Супер! Вау! Завтра приходи к десяти. Записывай адрес... Спросишь Ирину Сергеевну Ермакову. Ты круче Бэтмена, прекраснее Белоснежки! Чмок! Чмок! Чмок!

В полнейшей растерянности, понимая, что меня вынудили на то, чего я не собиралась делать, я старательно зафиксировала название улицы и номер дома, где располагалась гимназия, и под аккомпанемент восторженных воплей Ники повесила трубку. Может, Терешкина сошла с ума? Кстати, я совсем забыла спросить, как она объяснит свое отсутствие Васе. Тот абсолютно нормальный мужик, правда, скучный до зевоты, но ведь это еще не повод, чтобы рвать многолетние отношения. Хм, Ника теперь, оказывается, носится по тусовкам, говорит на сленге подростков и намылилась с любовником в Дубай... Дивные вещи происходят иногда с людьми! От кого, от кого, но от Терешкиной подобного зигзага я никак не ожидала. Правда, мы не общались несколько месяцев, и надо же, какие сногсшибательные перемены случились с подругой.

Глава 2

К сожалению, я слишком ответственный человек. Не знаю, откуда взялось во мне это качество, но скажу прямо — оно сильно усложняет мою жизнь. Если я что-то пообещаю, то непременно сделаю. Согласитесь, намного удобнее покивать головой и через пять минут навсегда забыть об обещании. Только я так не могу.

На следующий день после шокирующей беседы с

Никой я, повздыхав пару секунд около двери с надписью «Учительская», потянула ручку и вошла в просторную комнату, где вокруг овального стола сидело довольно много народа, в основном женщины климактерического возраста. Правда, во главе расположился мужчина в сером костюме. Услышав скрип двери, он повернул голову и, пытаясь скрыть раздражение, сказал с фальшиво-вежливой улыбкой:

— У нас собрание коллектива, подождите в коридоре. А еще лучше — подойдите к педагогу после окончания уроков. Тогда учителю легче выкроить время для беседы с родителями.

Я хотела представиться, но не успела, симпатичная шатенка перебила дядьку:

— Вы вместо заболевшей Терешкиной?

Я кивнула.

— Очень неприлично опаздывать, — немедленно погасил улыбку мужчина, — садитесь. Я продолжаю! По какой причине школьники пятого «Б» зовут меня, учителя истории, уважаемого человека, Кириллом Тимуровичем?

— Это ваше имя, — спокойно пояснила дама в темно-синем костюме.

— А вот и нет! — покраснел дядька. — Мое имя Кирбальмандын Турбинкасыбарашидович, и я требую, чтобы ко мне именно так и обращались!

Над столом пролетел шепоток. Я постаралась сохранить нейтральное выражение лица, решив, что было бы неприлично начать сейчас громко смеяться.

— Да, да, Кирбальмандын Турбинкасыбарашидович, — повторил учитель. — Свое имя я ношу с колыбели и не собираюсь откликаться на дурацкого Кирилла Тимуровича!

Я с трудом сдержала смех. Интересно, найдется в Москве хоть один ребенок, способный произнести без запинки «Кирбан... Курбиль... тыр... быр...» У меня это точно не получится, хоть я давно закончила школу.

— Уж извините, — склонила голову набок приятная старушка в полосатом свитере, — я не хочу вас обидеть, но... понимаете... это немного сложно... необычно... непривычно...

— Хорошо, — смилостивился дядька, — пусть обращаются ко мне по фамилии, я не стану возражать. Могут называть меня просто: господин... или нет — профессор Бешмуркантыгданбай.

Присутствующие замерли, и некоторое время в учительской стояла тишина. Историк сел.

— Хорошо, — подвела итог симпатичная шатенка. — У кого еще возникли проблемы?

— Я хочу сказать о стульях! — вскочила с места полная блондинка. — Доколе у нас...

Я ощутила легкий тычок в бок, повернула голову влево и увидела кареглазую девушку, на коленях которой лежала газета.

— Давай познакомимся, — прошептала она. — Я Алиса, биология.

— Виола, можно просто Вилка, временно классная дама, — ответила я.

— Правда, он идиот? — хихикнула Алиса. — Быр... Тар... Беш... Господи, вот несчастные дети! Чем дураку «Кирилл Тимурович» плох?

— Не знаю, — шепнула я в ответ.

— Слушай, ты в кино разбираешься?

— Совсем немного. А что?

— Да тут в кроссворде вопрос: фильм со Шварценеггером «Красная ж...». Знаешь, о чем речь?

— Думаю, «Красная жара», — ответила я. — Название помню, но сюжет не перескажу.

— Ой, спасибочки, — заулыбалась Алиса. — А то смотрю, слово из четырех букв, первая «ж» Ну не может же быть то, что первым в голову пришло? Красная... кхм, сама понимаешь что!

Выпалив это, Алиса не удержалась и громко засмеялась.

— Турганова, — воскликнула шатенка, — у вас вопрос?

— Нет, нет, Ирина Сергеевна, — быстро ответила девушка, — я с новенькой знакомлюсь.

— Еще успеете пообщаться, — сделала замечание завуч. — Прошу всех разойтись по классам. А вы, дорогая, останьтесь, — посмотрела она на меня.

Я покорно замерла на стуле. Когда учительская опустела, дама представилась:

— Ирина Сергеевна Ермакова. Поскольку вы временно выручаете подругу, то официально представлять вас коллективу я не стану. Ваша задача — присутствовать на занятиях, следить за дисциплиной во время уроков и на перемене, отправлять детей завтракать и обедать, ходить с ними на прогулки. Вот инструкция, здесь все расписано по секундам. Удачи! Ступайте на второй этаж, в кабинет пять, у девятого «А» сейчас там военное дело.

— Разве в школах его преподают? — не сдержала я удивления.

— Мы гимназия, — гордо поправила меня завуч. — Лучший опыт советских учебных заведений мы обогатили удачными западными наработками и... Идите, идите, занятия начались.

Я пошла на рабочее место, ругая про себя Нику, которая небось уже нежится на песочке или попивает коктейль «Рай на пляже». Ну почему я постоянно оказываюсь не там, где хочется? Всегда ненавидела школу и вот теперь, пожалуйста, должна изображать из себя классную даму! Это ни в какие ворота не лезет!

Решив не стучать, я распахнула дверь и вошла в комнату, слишком просторную для десяти школьников. Они немедленно оторвались от доски, возле которой с мелом в руке стоял полный лысый дядька, и уставились на нежданную гостью.

— Опаздываем? — рявкнул педагог. — Фамилия?

— Тараканова, — автоматически ответила я.

Класс захихикал.

— Почему в джинсах? — продолжал учитель, подходя к столу и беря журнал. — Где форма?

— Разве она нужна? Никто не предупредил меня о спецодежде, — растерялась я.

Дети начали смеяться в голос.

— Разговорчики в строю! — стукнул кулаком по столешнице военрук. — Тараканова, вас нет в списке учащихся. Похоже, вы кабинет перепутали. И чем только вчера занимались? На урок опоздали, где учитесь, не помните...

— Бухала и ширялась, — пропищал чей-то тоненький голосок.

Очевидно, кто-то из учеников обладал даром чревовещателя, потому что рты у всех были закрыты.

— Ступайте вон, пожалуйста, — обозлился преподаватель, — ваш класс, вероятно, на физкультуре.

— Спасибо за комплимент, — кивнула я, — но, увы, я давно получила аттестат зрелости. Разрешите представиться: временная классная дама девятого «А» Виола Тараканова.

— Ага, — не смутился преподаватель, — тогда садитесь.

Я двинулась по проходу к свободному столу, вслед полетел тихий свист, потом кто-то произнес басом:

— Такую и трахнуть можно.

Я мгновенно отреагировала — обернулась на звук. Стало понятно, что хамское замечание отпустил подросток с лицом, усеянным прыщами, шею его обвивала толстенная золотая цепь, а из-под форменного пиджака выглядывала майка с подписью «Fuck peace».

Я шагнула назад, оперлась о парту наглеца и сделала неприличный жест рукой.

— Видал?

— Что? — откровенно растерялся школьник.

— Это по поводу трахнуть! Ни одна здравомыслящая женщина не ляжет с тобой в койку, и, судя по угрям, тебе до сих пор не удалось никого соблазнить. Поэтому молчи в тряпочку! Ты не Казанова, а так, писающий мальчик. Кстати, если ты попросишь, я подскажу, как избавиться от прыщей на твоих щеках, может, тогда ты наконец лишишься невинности. Но умолять меня тебе придется долго, я люблю выслушивать песни от коленопреклоненных хамов. Йес?

— Вы не имеете права так разговаривать с учеником! — вспыхнул подросток. — Я папе пожалуюсь.

— Ути-пути... — сделала я ему «козу». — Сколько угодно! Еще заплачь.

Глаза парня вывалились из орбит.

— Тебя как зовут? — спросила я.

— Тима, — ответил негодник.

— Супер! Сработаемся, малыш! — кивнула я и села за парту.

Я уже говорила, что не являюсь Макаренко, к тому же я не собиралась делать карьеру педагога. А теперь назовите хоть одну причину, по которой я должна была сделать вид, будто не слышала хамского заявления Тимы?

Решив забыть о неприятном эпизоде, я сосредоточилась на доске и попыталась вникнуть в тему урока. Ничего не заметивший учитель стоял спиной к классу и писал на доске пример. Он в столбик разделил 205 на 2, и в ответе у «Пифагора» почему-то получилось 104. Мне казалось, что должно быть 102,5. Но я не являюсь математическим гением, и вполне вероятно, что сейчас ошиблась.

— Андрей Владимирович, — протянул мой новый знакомый Тима, — ваще-то неверно.

— Где? — удивился военрук.

— Будет сто два с половиной, — очень вежливо подхватила девочка со второй парты.

Мне стало интересно, каким образом тупица выкрутится из щекотливой ситуации?

Андрей Владимирович поскреб пальцем лысину.

— Ну... в принципе... такая уж точность нам тут не нужна. Можно приблизительно. Сто два и пять это же примерно сто четыре. А вообще вероятность попадания ракеты по цели составляет сорок процентов. Что, Марина?

Девочка со второй парты опустила руку и задала вопрос:

— Скажите, при запуске ракеты в мишень целятся?

Андрей Владимирович величаво кивнул:

— Да. Логично предположить, что если целиться мимо, то вероятность попадания составит шестьдесят процентов.

Я стала медленно стекать под стол. Главное, сейчас не захохотать во весь голос, получится неэтично, все-таки я временно принадлежу к стану учителей и должна держать оборону на их стороне.

Тихо дремавший класс проснулся и начал откровенно хихикать. Андрей Владимирович наконец-то сообразил, что сморозил глупость, и решил исправить положение.

— Вот что я скажу, Марина, — заявил он, подняв указку, — по уставу мимо цели стрелять не положено. А сейчас хватит отвлекаться, я на доске нарисую схему, а вы ее перенесете в тетради разноцветными фломастерами, чтобы душа радовалась от аккуратности и точности, необходимой для дальнейшего понимания материала проводимого урока наглядной агитации общего направления для вашего всестороннего развития, как интеллектуальной, так и физической силы...

У меня от его красноречия закружилась голова, и остаток урока я провела в нирване, покачиваясь, словно китайский болванчик.

Не успел отзвенеть звонок, как ко мне подскочил Тима.

— Правда вы рецепт от прыщей знаете?

— Да, — кивнула я.

— И че делать надо?

— У тебя не получится, — ответила я, — можешь даже не стараться.

Подросток снисходительно ухмыльнулся.

— Мне мать купит любой крем, хоть за сто тысяч баксов.

— Небось ты уже все перепробовал? — усмехнулась я.

— Да, — нехотя признался паренек. — В институт красоты ходил, ни фига! Че тока не делал!

— Ладно, — сдалась я, — если и дорогие средства для лица тебе не помогли, значит, ты идешь в неправильном направлении. Итак, сначала садишься на диету...

— Эт-та зачем? — подпрыгнул Тима.

— Странный вопрос, — пожала я плечами. — Ясный перец, чтобы научиться ездить верхом на бегемоте.

— Но я хочу забыть об угрях, — напомнил он.

— Тогда не задавай глупых вопросов! — рявкнула я. — Запоминай: копченое, соленое, острое, сладкое не ешь. Чипсы, орехи, гамбургеры, вообще весь фастфуд — вон. Вместе с конфетами, мороженым, лимонадом и жвачкой. Курить нельзя, хотя, если уж совсем ломает, сигареты оставь, но не больше трех в день.

— А че есть-то? — испугался Тима.

— Геркулес, гречку, овощи с постным маслом, фрукты, простой кефир. Все нежирное, хлеб желательно с отрубями и никаких сосисок! Отварная куриная грудка, рыба на пару. Кофе и какао нельзя, только чай. Да не увлекайся соками из пакетов, они неполезные.

— Ага, — кивнул Тима.

— Покупаешь лосьон для лица и бутилированную воду, а еще детский крем от опрелостей, любой.

Утром умываешься, протираешь лицо лосьоном и точечно мажешь прыщи кремом. Вечером, перед сном, процедуру повторяешь. И непременно делаешь маску: берешь один белок, без желтка, и наносишь на лицо, лучше кисточкой, ждешь, пока подсохнет, затем смываешь. И ни в коем случае ничего не выдавливаешь и грязными лапами щеки и лоб не трогаешь. Через месяц и следа от прыщей не останется. Да, еще необходимо каждый день принимать душ и кого-то полюбить!

— Девочку? — напрягся Тима.

— Дома есть собака, кошка, черепашка?

— Нет.

— Купи котенка, если нет аллергии, и вырасти и воспитай его, — посоветовала я. — Прыщи исчезнут.

— Что-то не верится, — протянул Тима.

— Попробуй, — улыбнулась я. — Что ты теряешь? Диета, уход за кожей, котенок. И не надо принимать никаких лекарств, только по жизненным показаниям. Даже витамины отложи. А котика лучше взять не в элитном питомнике.

— А где же? — округлил глаза недоросль.

— Иди в любой магазин, где торгуют товарами для животных, и обратись к продавцам. Сразу получишь котенка, скорей всего уже привитого и приученного к лотку. Сотрудники подбирают их на улицах и отдают в хорошие руки.

— Мама не захочет, — протянул Тима.

— Послушай, ты спросил рецепт от высыпаний, я его тебе сообщила, остальное меня не касается.

— Спасибо, — неожиданно вежливо кивнул паренек.

— Пока не за что, — ответила я.

В урочный час класс отправился завтракать, а я решила выйти во двор подышать свежим воздухом — в гимназии, несмотря на работающие кондиционеры, стояла духота. Но не успела я сделать пару шагов, как в кармане завибрировал мобильный. «Номер неизвестен» высветилось на дисплее, и мне моментально расхотелось брать трубку. Скорей всего это кто-то из журналистов хочет получить интервью от писательницы Арины Виоловой. К сожалению, у представителей СМИ теперь мало тем для статей, никто из них не желает писать очерки о хороших людях, честно работающих на своем месте. Давненько мне не встречались беседы с многодетными семьями, в которых папа с мамой не пьют водку и не обижают ребят. Поверьте, подобные есть. Равным образом существуют на свете честные милиционеры, изобретатели-рационализаторы, талантливые ученые, дружные коммунальные квартиры и дома престарелых вкупе с хосписами, где никто не унижает ни стариков, ни умирающих. Вот только корреспонденты охотятся за жареными фактами и деталями вечеринок звезд шоубизнеса. Если у какой-нибудь малоизвестной певицы во время танца из лифчика выскочит грудь, будьте уверены, фото силиконовой прелести облетит всю страну. А об участковом, который погиб, защищая прохожих от бандитов, не сообщит никто.

Уехав от мужа, я превратилась в объект для ньюсмейкеров, желтая пресса охотится за писательницей Виоловой в надежде узнать подробности ее с супругом ссоры, но мне не хочется ничего комментировать. Поэтому сейчас я не собиралась отвечать. Просто отсоединюсь от сети, и все...

День покатился дальше. После уроков, когда я включила сотовый, он буквально взорвался сообщениями: «Принят звонок», «Прослушайте запись».

Тут только я сообразила, что могу набрать номер автоответчика и услышать голос человека, столь упорно добивавшегося меня.

— Это я, Ника... меня Василий убивает... помоги... у него молоток... о... о... — шептал женский голос.

Запись оборвалась, мне стало нехорошо. Тут же я услышала новое сообщение:

— Я... я... Вася, Вася... не убивай... не убивай... Я не виновата!

Снова тишина, и опять еле слышное:

— Здесь... я... я... Вася, Вася... а... а... а... Он меня убивает! Помогите! Вася меня убивает молотком...

Я понеслась во двор и набрала номер Терешкиной.

— Алло, — раздался незнакомый голос.

Я отсоединилась. Попала не туда, надо повторить попытку!

— Говорите! — рявкнул тот же бас.

— Можно Нику?

— Вы имеете в виду Терешкину?

— Да, да.

— Вы кто?

— Ее подруга, Виола Тараканова.

— Зачем звоните?

Вот тут у меня свело желудок.

— Что случилось?

— Откуда вы знаете о происшествии?

— Вы подошли к ее телефону, значит, Ника не способна сама ответить. И потом, она пыталась со мной соединиться, а я...

— Терешкина не подойдет, — сухо перебил мужчина.

— Можно мне приехать? — заорала я.

— Приезжайте, — снизошел незнакомец.

— Уже мчусь!

— Адрес хоть знаете?

— Господи, я не раз бывала у Ники дома!

— А кто вам сказал, что место происшествия ее квартира?

Действительно! Я прикусила губу, потом спросила:

— И куда ехать?

— Гостиница «Оноре».

— Где это?

Мент сообщил координаты. И тут же добавил:

— Но туда являться нс надо. Я жду вас в отделении, оно рядом. Долго вам добираться?

— Думаю, полчаса.

— Ну и отлично, — заметно повеселел собеседник.

Глава 3

Милиционер на входе в отделение бдительно спросил:

— Вы куда?

— Меня ждут, — запыхавшись, ответила я. — Только что я разговаривала с кем-то из ваших, кто занимается убийством в отеле «Оноре», он пригласил меня в отделение.

— Подождите, — приказал мент и схватил телефон.

Спустя минут пять из коридора вышел парень, одетый в дешевые джинсы и серо-голубой пуловер. Он приблизился к дивану, где я сидела, и мрачно представился:

— Лейтенант Федькин.

— Тараканова, — ответила я, — Виола.

— Слушаю, — сурово сказал Федькин.

— Что случилось? Где Ника? С ней можно поговорить? — занервничала я.

Лейтенант молча привел меня в свой кабинет, плюхнулся в кресло и вытащил из кармана пачку сигарет.

— С ней — нет, Терешкина вам не ответит, — заявил он.

— Почему? — испугалась я. — Ей так плохо?

— Вероника убита, — равнодушно сообщил Федькин.

— Врешь! — вырвалось у меня. — Это невозможно!

— Случается порой, — спокойно откликнулся Федькин. — Насколько я понимаю, вы были знакомы?

— Да, — прошептала я.

— Давно дружили?

— Не один год.

— Значит, вы в курсе личной жизни покойной?

Я попыталась сосредоточиться.

— Вы уверены, что Ника мертва?

— Абсолютно, — скорчив недовольную гримасу, заявил Федькин. — Так что насчет ее личной жизни?

— Ее у нее не было, — прошептала я. — Вернее, у Ники была семья: муж Вася и дочь Вера, они вполне хорошо жили, как все, тихо, спокойно. Но потом Терешкина столкнулась в магазине с подругой Майей Филипенко, и та, насколько я понимаю, сбила ее с толку. Ника решила, что время бежит быстро, скоро старость придет, а с ней ничего захватывающего не происходит, ну и пошла вразнос: похудела, поменяла прическу, стала скандалить с мужем, завела любовника.

— Имя, фамилия, отчество любовника? — ожил Федькин, выуживая блокнот.

— Понятия не имею!

— Вы с ним не знакомы?

— Нет.

— Ну ладно, — кивнул парень. — Это все?

Я протянула лейтенанту свой мобильный.

— Прослушайте сообщение на автоответчике.

Федькин приложил трубку к уху, затем поинтересовался:

— Она вам звонила несколько раз. Почему вы не отвечали?

— Сидела на рабочем месте, — после легкого колебания ответила я. Очень не хотелось сообщать ему, что я писательница и не желаю общаться с журналистами.

— Понятно, — кивнул Федькин. — Почему же потом трубку взяли? До вечера далеко.

— Я что, подозреваемая?

— Пока нет.

— Очень мило!

— Лучше сразу честно ответить на все вопросы, — вкрадчиво заявил лейтенант.

Я заморгала, но потом взяла себя в руки.

— Я не вру милиции. Номер звонившего, как видно на дисплее, скрыт. Сегодня я по просьбе Ники замещала ее на работе, сидела на уроках. Неудобно же в такой момент трепаться по мобильному. К тому же я предпочитаю не общаться с людьми, шифрующими свои координаты. Но потом я подумала, что можно прослушать автоответчик. К сожалению, не сразу догадалась о столь простом решении проблемы.

На лице Федькина появилось выражение терьера, который обнаружил прямо перед своим носом жирную крысу.

— Теперь поподробнее насчет Эмиратов, пожалуйста, — приказал оперативник.

Из цепких лап Федькина я вырвалась только через час и в самом скверном настроении поехала домой.

Я уже упоминала, что в моей жизни произошли радикальные изменения и сейчас я живу одна в симпатичной двухкомнатной квартире. Загородный дом и джип остались в прошлом. Правда, особняк мне снимало издательство, потому что я затеяла ремонт в родном гнезде, а машину... Впрочем, хватит ненужных воспоминаний! Одним словом, сейчас у меня есть уютная норка и юркая малолитражка (кстати, в условиях пробок и полнейшего отсутствия места для парковки джип в Москве — ненужная забава). Я вполне довольна своей жизнью, вот только о продуктах и приготовлении еды теперь следует заботиться самой. Но много ли надо одинокой женщине?

Вспомнив, что в холодильнике пусто, я остановилась у супермаркета и пошла бродить между прилавками. Колбасу я не ем, мясо не люблю, сыру не хочется, готовые салаты не употребляю... Что купить? Может, гречку? Нет, ее надо варить, а это лень. Лучше взять пакет с замороженными овощами. Высыпать их на сковородку, и вот тебе отличный ужин.

Бросив в тележку «Набор для жарки», я потащилась дальше. Так, пачка чая, лимон, банка клубничного варенья... Внезапно мне захотелось сладкого, но не конфет, а каких-нибудь крайне неполезных булочек, плюшек, ватрушек. Глаза устремились на прилавок. Колечко с творогом? В принципе, вкусная вещь, но начинка может оказаться кислой. Миндальное пирожное? Замечательная штука, только я опытный потребитель и знаю, что необходимо внимательно читать состав продукта, который собираешься купить. Так и есть! В миндальном пирожном нет и намека на благородный сорт орехов, его испекли, добавив в тесто арахис. Нехорошо обманывать покупателей, основная масса которых польстится на привычный внешний вид пирожных и только на собственной кухне сообразит: приобретено явно не то, чего хотелось.

Ладно, продолжим изучать предлагаемый ассортимент. Зефир, пастила, «орешки» со сгущенкой, маковый рулет. А это что такое? «Мальчик-с-пальчик в глаз печенье». На секунду я замерла, потом еще раз прочитала ценник. Все абсолютно правильно: «Мальчик-с-пальчик в глаз печенье». Ну и ну! Кто получает в глаз? Покупатель? Печеньем? Какой-то странный рекламный трюк...

— Девушка, чего желаете? — окликнула меня продавщица.

— «Мальчика-с-пальчика», — на автомате произнесла я. И тут же испуганно зажмурилась: вдруг тетка начнет пулять в меня печеньем?

— Сколько?

Я осторожно взглянула на женщину.

— Оно по штукам, — пояснила та, держа в руках совочек, — большое очень, на пирожное смахивает.

— Цена указана за килограмм, — дрожащим голосом напомнила я.

— Ну да, — беззлобно пояснила продавщица. — Только видите, какие лепешки здоровенные?

— Оригинальная идея — назвать «Мальчиком-с-пальчиком» такие громадные куски!

— Они сильно крошатся, разрезать или разломать невозможно, поэтому я и говорю: берите штуками, — меланхолично гудела продавщица.

— Ладно, дайте две.

Женщина подцепила пару блюдцеобразных кругляшей и сообщила:

— Сто пятьдесят граммов. Пойдет?

— Да, спасибо, — кивнула я и снова зажмурилась.

— Голова болит? — сочувственно спросила она.

— Нет, — ответила я. — А что, плохо выгляжу?

— Щуритесь все время, вот я и решила, что вы мигренью страдаете.

— Скажите, почему изделие так странно называется? — полюбопытствовала я, сообразив, что никто не собирается меня бить. — Хм, «Мальчик-с-пальчик в глаз печеньс»...

— По-моему, все нормально, — пожала плечами женщина. — Вон рядом «Красная шапочка», «Три поросенка», «Золушка». Серия сказок.

— Но почему в глаз? Как-то не по-доброму звучит.

— Вы о чем? — удивилась собеседница.

— На ценнике написано: «Мальчик-с-пальчик в глаз печенье». Непонятно, кто кому в глаз даст? И слишком агрессивно.

— Ну народ! — подбоченилась продавщица. — Хохмачи, все бы вам шутить! Тут целый день за прилавком скачешь как кенгуру, хохотать сил нет. «Мальчик-с-пальчик»! Печенье! Где вы глаз-то узырили? Еще скажите, что шоколадная помадка — это тушь для ресниц! Ладно бы мужик шутковал, они тупые и пристают постоянно, но женщина! Че вам, делать не фиг?

— На бумажке написано, — я ткнула пальцем в витрину, — вот тут.

Торговка схватила ценник и громко прочитала:

— «Мальчик-с-пальчик в глаз печенье». И чего? Ясно и понятно, «Мальчик-с-пальчик в глазури». Сократили слово, чтобы уместилась надпись.

— А почему точку после буквы «з» не поставили? — только и сумела спросить я. — Без нее глупость получилась.

— Товар взвешен и отпущен, — отрезала тетка, — остальное не ко мне. Че со склада подняли, тем и торгую.

Я положила пакет в тележку и порулила к кассе. «Мальчик-с-пальчик в глаз печенье» — это просто смешно, а если «Казнить нельзя помиловать»? Слишком многое в данном случае будет зависеть от места, куда вы поставите запятую. Ладно, хватит занудствовать, сейчас перекушу и сяду за письменный стол. Хотя сомневаюсь, что сумею выдавить из себя даже пару абзацев.

Через пять дней мы хоронили Нику. По непонятной причине милиция задержала выдачу тела, поэтому погребение пришлось отложить. Гроб был закрыт, Вера, дочь Терешкиной, сидела на стуле около него, вся закутанная в черное. Казалось, девушка плохо понимает, что происходит. Всем, кто подходил к ней с соболезнованиями, она трясла руку и говорила:

— Огромное спасибо, что пришли, мама очень рада вас видеть. Надеюсь, потом останетесь выпить по рюмочке? Столько вкусного наготовили, я всю ночь пироги пекла.

Услышав это заявление из уст дочери покойной, я вздрогнула, но, когда несчастная слово в слово повторила его для третьего знакомого, я сообразила — Вера в глубоком шоке, и на всякий случай встала около нее.

Народу было много, и почти никого из присутствующих я не знала. Сказать, что мне было некомфортно, — не сказать ничего.

Положив в гроб охапку гвоздик (отчего-то эти «советские» цветы показались мне наиболее уместными в данных обстоятельствах), я после окончания скорбной церемонии смешалась с толпой и с огромным облегчением увидела знакомое лицо — Майю Филипенко. Ту самую женщину, после встречи с которой Ника так разительно изменилась. Я подобралась к ней и тихо сказала:

— Здравствуй.

Майя обернулась и окинула меня взглядом. Я машинально отметила, что она не постеснялась наложить яркий макияж, даже губы накрасила ярко-красной помадой. Правда, Филипенко облачилась в черное, но пиджак слишком плотно обтягивал ее торс, и похоже, под ним не было ничего, кроме лифчика. Юбка выглядела слишком короткой и узкой, платочек на голове слишком кокетливым, туфли слишком нарядными, чулки слишком ажурными. И от Майи исходил слишком сильный запах духов. В общем, все было слишком.

— Здрассти, — довольно громко ответила Майя.

Стоявшая перед ней старуха обернулась, выкатила из орбит выцветшие глаза и прошипела:

— Ведите себя прилично, вы не на свадьбе!

— Да ну? — не снижая голоса, воскликнула Филипенко. — Вот спасибо, объяснили! А то я прям от любопытства извелась, где же счастливый жених!

Бабка побагровела и, расталкивая локтями одетых в черное людей, ввинтилась в толпу.

— Ты ее знаешь? — спросила у меня Майя.

— Нет, — шепнула я. — Наверное, родственница.

— Просто любопытная, — хмыкнула она. — Из близких у Ники только Верка осталась. При крематориях толкутся люди, которым в кайф на чужое горе полюбоваться, они им питаются. И на поминки поехать не побрезгуют, поедят, выпьют — хорошо!

Я поежилась и тихо спросила:

— А где Василий?

— Кто? — воскликнула Майя.

— Муж Ники.

— Ну ты даешь! Его ж арестовали.

— Васю? — ахнула я. — За что? Мне никто ничего не сказал!

— Так ведь он ее и убил, — принялась объяснять Майя. — Думаешь, почему гроб закрыт? Васька Нику на тот свет отправил, потом решил тело изуродовать. Ты ваще в курсе событий?

— Нет, — помотала я головой. — Хотя Ника мне позвонила в день смерти, просила помочь... Называла имя мужа... но я думала... Ой, ничего я не думала, дала послушать автоответчик оперативнику... Пыталась связаться с Верой, а та трубку не брала. Вчера меня предупредила о похоронах какая-то незнакомая женщина.

Майя вцепилась в мое плечо ледяными пальцами, бесцеремонно оттащила к окну и с горящим взором воскликнула:

— Слушай! Ника, конечно, дура, но это же не повод убивать ее! Представляешь, не так давно она позвонила мне и занудила: «Майка, подскажи, где в Москве есть хорошая гостиница с комнатами на пару часов?» Понимаешь?

Я кивнула.

— Вот тут я прифигела! — азартно продолжала Майя. У нее аж голос хриплым стал от волнения. — Чего она вдруг об этом спрашивает именно у меня? Может, проституткой считает, которая укромные места для свиданий знает?

— И что ты ей ответила? — поинтересовалась я.

Майя поправила кукольный платочек, почти не прикрывавший яркокрашеных волос.

— Ответила, что не знаю. Сказала: посоветуйся с кем другим или купи газету типа «Секс-инфо», там адреса публикуют и частные объявления.

Я молча слушала Майю. Интересно, какая муха укусила несчастную Нику, раз она в одночасье из положительной жены и матери превратилась в даму весьма легкого поведения?

Филипенко продолжала рассказывать, и передо мной постепенно вырисовывалась вся картина.

Ника послушала совет Майи и побежала к метро, схватила там нужное издание, пришла домой и начала звонить по указанным номерам, а потом уехала. Через некоторое время домой явился Василий, заметил на столе «Секс-инфо» с одним подчеркнутым объявлением, мигом сообразил, что задумала жена, ринулся за ней, нашел прелюбодейку в маленькой гостинице и убил ее, как принято писать в протоколах, «с особой жестокостью». Очевидно, у Василия помутился рассудок, потому что он колошматил жену и не остановился, даже поняв, что та мертва. Изуродовал тело так, что даже профессиональный гример в морге не сумел восстановить лицо. Потом Вася испугался содеянного и впал в ступор, тут его и взяла милиция.

Я прислонилась к подоконнику. В рассказе Майи было полно странностей. Первая. Почему Ника бросила на столе газету с отмеченным объявлением? Жена, которая вознамерилась изменить мужу, постарается соблюсти осторожность, а тут такая улика! Ладно, предположим, Нику охватила столь сильная страсть, что она начисто забыла об опасности. Но почему место для свидания искала она, женщина? Обычно такими вещами занимается кавалер! Мужчина приглашает даму, он обязан обеспечить удобное гнездышко, шампанское, конфеты, музыку, свечи и прочую дребедень, без которой прекрасный пол не представляет себе упоительного вечера. Хотя какая, на фиг, романтика в убогом номере, где кровать продавлена десятками тел?

Может, Нике попался идиот, который заявил: «Хочешь любви, ищи место сама»? Вот Терешкина и бросилась за газетой. Ника решила вновь стать молодой, наделала глупостей, связалась не с тем человеком, не справилась с пожаром в крови. Хотя мне очень трудно представить Терешкину в роли суперсексуальной соблазнительницы.

Ладно, пусть она похотливая мартовская кошка, гормоны иногда способны разбушеваться даже у монашки. Но Василий? Я достаточно хорошо знаю его, чтобы понять: ему абсолютно наплевать на все, кроме ужина и телевизора. Вот если Васенька опоздает к началу обожаемого им шоу Андрея Малахова, тут он испытает подлинное горе. Интересно, в день, когда убили Нику, звездный ведущий красовался на экране? У популярной передачи есть выходные?

Я хорошо помню, какой скандал случился в день восемнадцатилетия Веры! Ника тогда устроила праздник по всей форме, написала сценарий, где каждому гостю отводилась своя роль. Ясное дело, главными действующими лицами предстояло быть самой Вере и ее родителям. Но задумка пошла прахом: в самом начале вечера Вася впился глазами в экран телевизора и выпал из реальной жизни. Как сейчас помню, речь шла о какой-то тетке, прикованной любовником цепями к кровати, и Терешкин забыл про все на свете. Он принадлежит к той породе мужчин, которая не только не заметит газету с объявлениями на столе, но и не обратит внимания на измену жены, устройся та с любовником в соседней комнате, если на экране возник Андрей Малахов! Васе нужен телик и котлеты, все остальное не имеет значения.

Глава 4

Поминки проходили у Терешкиных дома. В квартиру набилась куча народа. Устроители трапезы, очевидно, предполагали большой наплыв людей, поэтому сидячих мест не было — я впервые участвовала в фуршете, который сопровождался печальной музыкой и траурными речами. Наверное, вообще не следовало приходить сюда, но ведь принято провожать покойного, а потом есть блины.

Помаячив с полчаса у буфета, я незаметно ушла. Веру после возвращения из крематория сразу уложили в кровать, Майя Филипенко, войдя в квартиру Терешкиной, куда-то подевалась, а я больше никого не знала, поэтому предпочла исчезнуть по-тихому.

Если писатель хочет получить деньги и славу, он должен постоянно приносить в издательство новые рукописи. Удачливый литератор — это не тот человек, который один раз написал интересную книгу, а тот, кто регулярно выпускает читаемые произведения. И я, повздыхав о своей тяжкой доле, подошла к письменному столу с твердым намерением взяться за работу. Но тут же начала зевать. Глаза стали закрываться, меня потянуло к кровати. А, ладно, полежу пару минут, а потом...

Резкий звонок ударил по голове. Я рывком села, увидела трясущийся на тумбочке мобильный и горько вздохнула. Вот так всегда, только соберешься всласть потрудиться, как кто-нибудь тебя непременно разбудит! Ну и люди! Между прочим, уже десять вечера, а хорошо воспитанный человек не станет никого беспокоить после того, как закончилась программа «Время».

— Алло, — недовольно буркнула я в трубку.

— Ну и ну, я еле нашла твой новый телефон! — прозвучало в ответ. — Ты чего, с мужем развелась? Звоню по записанному в книжке номеру, подходит мужик и говорит: «Госпожа Тараканова сейчас находится по другому адресу».

Я собрала в кулак всю силу воли. Так, понятно, это очередной папарацци (вернее, очередная) ловит писательницу Арину Виолову. Любой нормальный человек, услышав подобное заявление из уст женщины, не пожелавшей представиться, пошлет нахалку куда подальше, но я не имею права на такой поступок, звездный статус обязывает. Вот если вас в магазине обхамит продавщица, вы со спокойной совестью вызовете старшего менеджера и накатаете жалобу, и ничего странного в поведении обозленного покупателя никто не усмотрит. Клиент, между прочим, всегда прав! Ага, но только со мной подобный фокус не пройдет. Если я достойно отвечу наглой торгашке, моментально услышу:

— Зазвездилась по полной программе, пальцы веером, морда кирпичом! На простых людей бросается!

Медленно досчитав до пяти, я ответила:

— Я сняла себе квартиру, чтобы спокойно писать книги. В доме, где двое детей, не поработаешь. Простите, а кто мне помешал трудиться над очередной рукописью?

— Так вечер уже! — изумилась незнакомка. — Давно отдыхать пора.

— У писателей ненормированный рабочий день, — процедила я. — Представьтесь, пожалуйста.

— Не узнала меня?

— Нет!

— Майя Филипенко.

— Привет, — оттаяла я. — Извини, пожалуйста, за суровый тон, но мы с тобой редко болтаем по телефону, вот я и не вычислила, кто звонит.

— Ерунда!

— Я подумала, что журналистка пристает.

— Ну да, ты же у нас звезда... — со странным выражением произнесла Майя.

Мне очень не понравилось ехидство, прозвучавшее в речи Филипенко, поэтому я решила побыстрее закруглить беседу.

— Что случилось?

— Вроде ты детективы пишешь? — протянула Майя.

— Да, криминальные романы, — согласилась я.

— Я не читаю литературу такого сорта, терпеть не могу кровь, убийства, трупы!

И зачем Филипенко решила сообщить мне о своих негативных эмоциях? Ей-богу, вокруг полно очень странных людей!

— Не расстраивайся, — процедила я сквозь зубы, — мир художественной литературы огромен, ты непременно найдешь себе любимого прозаика. Сходи в книжный магазин, полистай издания, глядишь, и обнаружишь что-то интересное.

— Ваще не люблю читать, — заявила Майя.

Мое ангельское терпение с треском лопнуло.

— С выражением собственного мнения советую тебе позвонить во ВЦИОМ, — рявкнула я.

— Почему? — изумилась Майя.

— Потому что во Всероссийском центре изучения общественного мнения как раз интересуются общественным мнением, и сотрудники будут рады госпоже Филипенко, решившей сообщить им о своих вкусах и пристрастиях.

— Ну согласись, полицейские книжонки — просто мрак! — выдала Майя.

Я быстро нажала на красную кнопку. Если ударить в стену кулаком, каменная кладка ответит ударом на удар. Я, конечно, не кирпич, но с какой стати должна выслушивать гадости, если кому-то взбрело в голову их высказывать?

Телефон снова ожил, я схватила трубку и гаркнула:

— Беспокоить человека в десять вечера следует

лишь по достойному поводу! Говори коротко, на бла-бла у меня времени нет!

— Ой, простите, — прозвучало в ответ, — ей-богу, я не хотела вам помешать! Звонила сегодня весь вечер, но никто не подходил. Еще раз прошу извинения.

— Вы кто? — не успев остыть, спросила я.

— Ирина Сергеевна Ермакова.

— Какого черта? Первый раз слышу ваше имя! — выпалила я и тут же прикусила язык: «Вилка, ты дура! Сейчас на том конце провода журналист с включенным магнитофоном».

— Еще раз извините, — лепетала женщина. — Неужели вы запамятовали наше знакомство?

— За день у меня перед глазами проходит большое количество людей, — обтекаемо ответила я, взяв себя в руки.

— Вы замещали в нашей гимназии Веронику Терешкину.

— Вспомнила! Вы завуч Ирина Сергеевна!

— Верно, — обрадовалась дама. — Я видела вас на похоронах, но не успела с вами поговорить. Понимаете... прямо не знаю, с чего начать... Грядут большие неприятности! Умоляю вас, помогите!

— Я?

— Вы!

— Но что я могу?

— Конечно, Тимофей Андреев — отвратительный мальчишка, — неожиданно искренне воскликнула педагог, — но его отец, Николай Тимофеевич, наш щедрый спонсор. То денег на ремонт даст, то книги в библиотеку купит, то бассейн построит. Вот я и вынуждена улыбаться Тиме. А он ощущает особенность своего положения и вовсю этим пользуется. Омерзительно наглый ребенок!

— Думаю, гимназии придется найти иного благодетеля.

— Ох, может, вы и правы, но дело не такое простое. Потом... Виола, я надеюсь на вашу деликатность. Короче, это секрет... Понимаете?

— Пока нет.

— Николай Тимофеевич — истинный владелец учебного заведения, — понизила голос Ирина Сергеевна, — наш директор — всего лишь служащий на зарплате, как все мы. Андреев не желает светиться, ясно?

— Нет, — твердо ответила я.

— Сейчас, сейчас. В гимназии есть директор...

— Не понимаю, чего вы хотите от меня.

— Вы у нас начали работать...

— Я замещала Веронику Терешкину, находилась в классе всего один день, по ее просьбе. Правда, она говорила о неделе, но после кончины Ники необходимость в моей службе у вас отпала.

— А вот и нет! — заголосила Ирина Сергеевна. — Тут такая катавасия случилась... Виола, насколько я поняла, вы нигде не состоите в штате?

Я замялась. В гимназию я пришла в парике и затемненных очках — не хотела быть узнанной кем-то из детей или педагогов. Правда, я представилась настоящим именем — Виола Тараканова. С другой стороны, свои неожиданно ставшие популярными книги я пишу под псевдонимом Арина Виолова, и далеко не всем известны паспортные данные писательницы.

— А все Тимофей! — чуть не зарыдала Ермакова. — Мальчишка выдвинул ультиматум: либо вы у них будете классной дамой, либо он в школу не пойдет. И засел дома, поганец! Николай Тимофеевич обожает сыночка, потакает ему во всем... Ужас! Душенька, спасите, иначе меня уволят!

— Никак не пойму суть дела!

— Очень просто, — занудила завуч, — если вы не придете завтра в гимназию, я окажусь на улице! Тима поставил условие — либо вы в классе, либо он дома.

— Тут какая-то ошибка, — я попыталась успокоить плачущую даму. — Я ведь даже не успела как следует познакомиться с детьми.

— Тима, — всхлипнула Ермакова, — прыщавый такой.

— А-а-а, — осенило меня, — плохо воспитанный мальчишка.

— Он самый, — возликовала Ирина Сергеевна. — Отвратительный характер, отягощенный нездоровой генетикой. Ой, только не подумайте, что я плохо отношусь к Николаю Тимофеевичу! Но мальчик унаследовал гены матери, мда... Тима избалован, груб, ужасно учится, и с внешностью у него проблема. Он пытался вывести угри, мать сыночка по элитным клиникам возила, но эффекта ноль. А потом в классе случайно появились вы и сообщили ему некий чудодейственный рецепт...

— Ерунда! Самые общие рекомендации: нормальная еда, очищение и подсушивание кожи.

— Но мальчишке это помогло!

— Замечательно, я рада.

— Невероятно, но его лицо очистилось почти полностью.

— Значит, ему повезло.

— И теперь Тима заявляет: без Виолы в школу не пойду!

— С ума сойти, но я не собираюсь служить классной дамой.

— Милая!

— Это совершенно исключено.

— Дорогая!!

— Даже не просите.

— Солнышко!!! Хотите я на колени встану?

— Ни в коем случае. Тем более что это не поможет.

— Виолочка, — зашептала Ирина Сергеевна, — мне уже к полтиннику подкатывает.

— Вы замечательно выглядите, больше сорока вам не дать, — отпустила я комплимент.

— Возраст почти пенсионный, — всхлипывала Ермакова. — Выгонит меня Андреев вон, куда идти? В обычную общеобразовательную, на копеечную зарплату плюс классное руководство? Ни сил, ни здоровья нет.

— Кха, кха, — принялась я усиленно кашлять. Сейчас сообщу, что подцепила грипп, авось прилипчивая завуч отвяжется.

— Дочь с зятем — нищие бюджетники, — прошептала Ирина Сергеевна, — я тяну двух внуков-близнецов. Создам вам исключительные условия! Станете ходить на работу лишь тогда, когда присутствует Тима, а он прогульщик. Милая, дорогая... О моих детях подумайте! Они будут голодать!

— Ладно, — сломалась я.

— О-о-о! Спасительница!

— Есть небольшое «но».

— Я согласна на все!

— Я, правда, не планирую делать карьеру на педагогической ниве, долго работать не смогу.

— Душенька, а и не надо! — закричала Ирина Сергеевна. — Тимофей баловник, повозится с новой игрушкой и забудет. И каникулы летние скоро, за три месяца оболтус о вас и не вспомнит. Значит, завтра, в десять утра... Вы моя спасительница, я непременно вас отблагодарю, не люблю оставаться в долгу!

Я швырнула трубку на диван, осуждая себя за мягкотелость. Дорогая Вилка, прими искренние поздравления, ты в очередной раз стала жертвой манипуляций, купилась на сказочку о несчастных малютках, которые неминуемо скончаются от голода, если их бабушка окажется за воротами гимназии. Ну почему я не заявила решительно: «Нет!»?

Телефон вновь ожил.

— Алло, — мрачно сказала я. — Говорите, незачем молча сопеть!

— Я не сопю, — послышалось из трубки, — то

есть не сопаю. Ой, не знаю, как правильно сказать! Говорю, а ты не слышишь.

— Майя? Опять? — невежливо отреагировала я на новый звонок Филипенко.

— Угу, нас разъединили, а потом почему-то пошел сигнал «занято», — как ни в чем не бывало продолжала приставала. — Так вот, я уже сказала: детективы не читаю!

— А я уже слышала твое заявление.

— Но здесь такая ситуация... Понимаешь, мне не с кем посоветоваться, а очень надо. Слушай, давай встретимся!

— Прямо сейчас?!

— А что? Время детское.

— Думаю, не стоит сегодня вести разговоры. Ты была на поминках и...

— Я абсолютно не пью!

— И, наверное, устала, — твердо закончила я фразу. — Лучше тебе пораньше лечь спать.

— Я никогда не укладываюсь до полуночи, — отбила мяч Майя.

Безбрежный эгоизм собеседницы начал меня раздражать.

— Охотно верю, что ты маешься бессонницей, — буркнула я, — но у меня никаких проблем со сном нет, а завтра к десяти я должна быть в одном месте. Предлагаю встречный вариант: беседуем в пятницу, часов в шесть, кафе на твой вкус.

— Но сегодня только среда! — возразила Филипенко.

— Пятница всего через день, — твердо поправила я.

— И мне очень надо! Я могу сама к тебе приехать!

Последнее заявление заставило меня засмеяться. Интересно, Майя всерьез полагала, что я сейчас помчусь куда-то ради того, чтобы она мне рассказала о своих проблемах? Нет, у некоторых людей определенно беда с головой. И, к огромному сожалению, личностей со сдвинутой психикой появляется все больше и больше. Сначала на меня давила Ирина Сергеевна Ермакова, которой я нужна в качестве игрушки для избалованного юнца, а теперь я попала под пресс нахалки Маечки. И если в первом случае я таки дала слабину, то во втором я это делать не намерена. У Филипенко должны быть близкие подруги, пусть они и выслушивают ее причитания.

— Говори адрес, — наседала тем временем Майя.

— Лучше в пятницу, выбери уютное кафе.

— Скажи, во время поминок ты не обратила внимания на одну странную деталь? — вдруг перевела разговор на другую тему Филипенко.

— Да нет, обычная скорбная церемония, — пожала я плечами. — Разве только закрытый гроб смущал, но это было на похоронах.

— Тут как раз все понятно, — протянула Майя. — Раз лицо изуродовано, зачем людей пугать? Василий жену капитально измолотил. Тело опознавала коллега по работе, вроде она завуч в гимназии, была сегодня в крематории. Даже менты дрогнули. Вере не показали маму. Ужас прямо! Понимаешь, я очень устала...

— Вот и отдохни, — обрадовалась я. — Давай, пока, бай-бай.

— Устала во время поминок, — уточнила Майя. — И пошла в спальню к Нике, легла на ее кровать. Не очень приятно, скажу тебе, в моральном смысле, на койке мертвеца дрыхнуть, но я глаза прикрыла, задремала, потом вскочила и думаю: что-то тут не так. Оглядываюсь, осматриваюсь, и тут меня как стукнет: Ларсика нет!

— Кого? — удивилась я. — Я такого не знаю и не видела. Хотя не заметила на погребении и Ермакову, народу много было.

— Ларсика, — повторила Майя. — А Ника с ним никогда не расставалась, его ей Грета подарила.

Глава 5

— Кто такой Ларсик? — еще больше удивилась я.

Майя тяжело вздохнула.

— Видно, вы с Никой не очень близки были, раз ты про талисман не слышала.

— У нас были хорошие отношения, даже дружеские, — по непонятной причине начала оправдываться я.

— Домой к Терешкиной ты заглядывала?

— Сто раз.

— В спальню заходила?

— Конечно.

— Видела на тумбочке игрушку?

— Плюшевую собачку?

— Это тигр, — поправила Майя.

— Без полосок, весь какой-то серо-коричневый, — протянула я.

— От старости истрепался, — пояснила Филипенко. — Сейчас я в двух словах объясню ситуэйшен. Мы с Терешкиной в один класс ходили, Ника в школе отвратительно училась, на одни тройки. По идее, она заслуживала двоек, но отец Терешкиной заведовал гастрономом. Врубаешься?

Я прилегла на диван. В советские времена человек, имевший доступ к продуктам питания, обладал почти безграничной властью над окружающими. Оно и понятно, кушать хочется каждый день, причем не один раз. А прилавки аж до середины 90-х годов прошлого века выглядели удручающе, даже простой кефир считался дефицитом. Поэтому дружить со всякими начальниками баз и директорами продмагов считалось престижным, даже обычный продавец затрапезной лавки являлся небожителем, он мог вытащить из подсобки массу вкусностей. Ясное дело, школьница Терешкина с таким папой была любимицей педагогов.

— Ей бы и пятерки ставили, — продолжала Майя, — но только не получалось, Ника тупая была.

— Совсем дура в университет не поступит.

— Ой, не смеши! — фыркнула Филипенко. — Или ты забыла, как в советские годы дела обстояли? Впрочем, думаю, и нынче не слишком традиции изменились: берешь конверт, кладешь пять сантиметров денег, и — оп-ля, твоя деточка — студентка. Вот только с Никой чудо приключилось.

— Какое?

— Я пытаюсь сообщить суть дела, а ты безостановочно меня перебиваешь, — рассердилась Майя. — Если замолчишь на минутку, я все объясню.

Я вытянула ноги и устроилась поудобнее на диванной подушке. Нет, быстро от Филипенко не отделаться. Но во всем плохом есть изрядная доля хорошего. Пусть сейчас Майя помучает меня, зато все расскажет, и не придется с ней встречаться. Согласитесь, беседовать по телефону с назойливой особой намного комфортнее, чем трепаться с ней же, сидя в кафе. Филипенко не видит собеседницу, можно включить без звука телик... Внезапно мне стало весело, вспомнилась одна забавная ситуация.

Уж и не помню, в каком году, но точно до знакомства с Куприным я устроилась на работу в фирму, торгующую средствами безопасности. Контора предлагала желающим видеодомофоны, камеры слежения, разнообразные датчики и прочую технику. В мои обязанности входило отвечать на звонки клиентов и доходчиво объяснять им: самый лучший товар, причем по наивыгоднейшей цене, находится именно там, куда они обратились.

Один раз позвонила тетка, желавшая приобрести, как она выразилась, «прибор подгляда за нянькой». Я начала расхваливать имевшиеся в наличии шпионские камеры, но бабенка постоянно перебивала меня, восклицая:

— Че? Говори громче! Повтори, ни хрена не слышно!

В конце концов мне надоело работать попугаем, и я весьма невежливо приказала:

— У вас там миксер работает, выключите его, и замечательно все расслышите.

Через секунду назойливое жужжание, доносившееся из телефонной трубки, стихло, и клиентка пролепетала:

— Сейчас приеду за покупкой, говорите адрес.

Не прошло и часа, как в офис явилась чудовищно толстая бабища, вся обвешанная золотыми цепями и браслетами толщиной в две моих ноги, и направилась в торговый отдел. Спустя некоторое время старший продавец Коля Миткин, кланяясь в пояс, проводил клиентку до танкообразного джипа, куда подсобные рабочие уже начали грузить огромное количество коробок.

— Слышь, Вилка, мы тебе от отдела премию подкинем! — воскликнул счастливый Колька. — Ну, удружила! Знаешь, сколько она нахапала? Весь ассортимент приобрела.

— Рада за вас, — засмеялась я.

— И знаешь, по какой причине тетя-бегемот склад опустошила? — прищурился он. — Ты молодец!

— Я? Но я же ничего не успела ей объяснить. Вернее, попыталась это сделать, только у мадам шум стоял, она, похоже, одновременно с разговором яйца взбивала, кулинарка оказалась.

— И чего ты ей сказала? — прищурился Миткин.

— Попросила выключить миксер.

— Во! — заржал Николай. — Убила зверя наповал, угодила слону в глаз! Вошла бегемотиха к нам и заявила: «Беру все! Я убедилась, что у вас замечательная аппаратура в продаже».

— И каким образом она сумела оценить приборы, ничего о них не узнав? — изумилась я.

Колька утер выступившие от смеха слезы.

— Она объяснила: «Ваша девушка, с которой я по телефону говорила, увидела, что моя домработница белки для торта взбивает, и приказала отключить миксер. Шикарная техника, хочу такую!»

На секунду я растерялась.

— Ничего я не видела, из телефона звук шел, он и мешал разговору.

— Я так и понял, — кивнул Колька, — только покупательнице не стал ничего объяснять. Круто получилось! Молодца, Вилка...

— Ты меня слышишь? — взвизгнула трубка.

— Да, — очнулась я от воспоминаний и сосредоточилась на словах Филипенко.

Постоянные двойки Ники, которые превращались в тройки после продуктовых «инъекций» учителям, очень раздражали маму Терешкиной. Она отчаянно ругала нерадивую дочь, ставила ее в угол и даже применяла ремень. Но вот парадокс — чем сильнее наказывали маленькую Веронику, тем хуже она училась. Странно, что до Олимпиады Николаевны, матери девочки, не дошла простая истина: дочь не хулиганит, она настолько боится заработать очередного «лебедя», что цепенеет от ужаса у доски. Получился замкнутый круг: Ника хватала двойки, потому что больше всего на свете не хотела их получать. Выучит она дома параграф наизусть, вызовет ее учительница, затрясутся у Ники ноги, и голова мигом превращается в решето.

Многие родители, желая детям добра, постоянно твердят: «Учись хорошо, иначе не поступишь в вуз, умрешь бомжом под забором». Или, еще хуже, пугают: «Если принесешь домой двойку, у мамы случится инфаркт». К сожалению, эффект от данных заявлений бывает прямо противоположный ожидаемому, и Ника не являлась исключением.

Неизвестно, как бы события развивались дальше, но, когда Никуша перешла в третий класс, к ее родителям прибыла на постоянное жительство Грета, мать отца. Очевидно, она обладала острым умом — через пару недель разобралась в ситуации и подарила внучке игрушку, плюшевого тигренка.

— Солнышко, — сказала бабушка, — возьми себе Ларсика.

— Он очень старый, — невежливо заметила девочка, но Грета не обиделась.

— Верно, моя кошечка, — сказала она, — зато Ларсик — талисман. Твой дедушка Миклас привез его из командировки, купил в магазине и подарил мне. Ларсик никогда не расставался со мной, охранял меня во всех случаях, но теперь готов служить тебе. Посади Ларсика на тумбочку у кровати, никогда не выноси его из дома и знай: тигренок придет тебе на помощь. Прямо завтра ты почувствуешь его поддержку: как вызовет тебя учительница к доске, не пугайся, иди спокойно, повернись к классу лицом, а про себя скажи: «Ларсик! Сюда!»

— Хорошо, бабуля, — пообещала Ника.

О чудо! На следующий день в дневнике Терешкиной появилась вполне заслуженная пятерка. Ларсик чудесным образом подсказал ей выученное домашнее задание.

С тех пор Ника считала тигренка своим ангеломхранителем, держала Ларсика на тумбочке у кровати. Трогать тигренка всем категорически запрещалось! Даже когда Ника выросла и сама стала матерью, своей дочке, маленькой Верочке, ни разу не дала повозиться с игрушкой. Ларсик не выносился из дома, даже пыль с него стряхивалась раз в году.

И вот сегодня на поминках, решив отдохнуть, Майя забрела в спальню подруги детства и не нашла там тигренка.

— Очень странное обстоятельство, — бубнила Филипенко. — Куда подевался Ларсик?

— Может, упал на пол? — предположила я.

— Нет, я осмотрела всю комнату.

— Вера знала, какую ценность представляла для матери игрушка?

— Конечно, — ответила Майя. — Правда, она посмеивалась над привычкой матери общаться с талисманом. Терешкина ведь каждое утро непременно здоровалась с Ларсиком, а вечером желала ему спокойной ночи. Кстати, в детстве Вера ненавидела тигренка.

— За что? — улыбнулась я. — Разве может плюшевая игрушка вызвать столь сильное чувство?

— Да, — вздохнула Майя, — Ника не разрешала Вере спать в своей кровати. Вернее, лет до трех дочка забиралась к маме, но потом Вася взбунтовался. Оно и понятно, мужу хочется к жене под теплый бочок, а местечко занято. О каком сексе может идти речь, когда рядом малышка сопит? Василий терпел, терпел, а потом устроил скандал, и Ника стала не разрешать Вере заходить в спальню родителей. Подлинную причину этого запрета объяснить было нельзя, поэтому мать твердила девочке:

— Ты уже большая, надо спать одной!

Верочка сначала плакала, а затем заявила:

— Ты тоже большая, а спишь с папой

Ника рассердилась, отшлепала капризницу и ушла на кухню готовить ужин. Минут через десять ее встревожила тишина в квартире. Все родители знают: если в доме вдруг становится тихо, а малыш не крутится под ногами, значит, он занимается очень увлекательным и скорей всего запрещенным делом. Ника пошла искать Веру и обнаружила дочь в своей спальне — крошка упоенно отдирала голову Ларсику.

— Немедленно прекрати! — заорала мать и выхватила из цепких ручонок плюшевого уродца. — Не смей прикасаться к талисману!

— Я его убью, — угрюмо ответила Верочка. — Он с тобой спит, а мне нельзя...

— Детская ревность — страшная вещь, — признала я.

— Ника тогда наказала Веру, и больше девочка не делала попыток «обидеть» игрушку. Во всяком случае, Ника считала, что дочка подросла и проблема исчезла, но знаешь, один раз... Тогда был день рождения Терешкиной, и я пришла в сарафане, а к вечеру начался дождь. Короче говоря, замерзла я и попросила у подруги кофту, — продолжала Майя.

...Вероника, бегавшая по маршруту кухня — гостиная — кухня, велела:

— Возьми сама в моем шкафу любую одежду.

Майя отправилась в спальню Терешкиной, приоткрыла дверь и увидела Веру, которая стояла у кровати мамы.

— Ищешь что-то? — улыбнулась гостья.

— Нет, — огрызнулась Вера и убежала.

Майя покачала головой. Она успела заметить, чем занимался подросток — тринадцатилетняя Верочка со злостью щипала Ларсика. Очевидно, с годами недоброе отношение к талисману стало еще сильнее...

— И вот теперь Ларсик испарился. Это меня пугает, — закончила Филипенко.

— Почему? — зевнула я.

— Не знаю. Но уверена: талисман пропал неспроста!

И тут меня осенило.

— Ника прихватила оберег с собой на свидание с любовником.

— Маловероятно, — хмыкнула Филипенко. — Детский сад какой-то! Представь реакцию мужика: он ждет в номере любовницу, и тут она появляется с плюшевой игрушкой, водружает ее на стол и сообщает: «Познакомься с Ларсиком». Лично я на месте парня мигом бы смылась. Зачем общаться с психопаткой? Вокруг полно нормальных баб. И еще: Ника не выносила Ларсика из дома. Никогда! Не припомню такого случая. Она пару раз попадала в больницу: Веру рожала, и аппендицит у нее был, — но тигренок оставался в спальне на тумбочке. И где же он сейчас?

— Думаю, ты слишком много внимания уделяешь ерунде.

— Вилка, у тебя есть связи в милиции, ты пишешь детективы, твой бывший муж работает в МВД...

— И что?

— Попроси кого-нибудь поинтересоваться у арестованного Васи, не выбрасывал ли он Ларсика?

— Вот уж нелепая затея.

— Ну пожалуйста, разве тебе трудно? Мне отчего-то очень тревожно.

Я заколебалась. Майя права, я имею большое количество знакомых в различных милицейских подразделениях. Но все они являются приятелями Олега, а потому мне страшно не хочется к ним обращаться. И потом, какая разница, куда подевался плюшевый тигренок, если его хозяйка умерла?

— Понимаешь, — всхлипнула Майя, — мы же с детства дружили. Только в последнее время общались редко. Но ближе Ники у меня никого не было. И зачем только ей любовник понадобился! Так глупо получилось!

— Мысль сходить налево подбросила ей ты, — напомнила я.

— Нет, нет! Неправда! — возмутилась Майя. — С чего тебе эта глупость в башку взбрела? Мы с Никой, кстати, давно не встречались!

Я решила прекратить никчемный разговор.

— Ладно, попрошу кого-нибудь узнать о тигренке, но точно ничего не обещаю.

— Спасибо, — обрадовалась Майя. — Можно перезвонить через час?

— Не стоит, лучше завтра, — процедила я.

Глава 6

К школьному зданию я примчалась за пять минут до звонка и обнаружила, что весь двор завален могучими деревьями. Между стволами бродил мужчина в спортивном костюме.

— Что случилось? — не утерпела я. — В Москве ночью бушевал ураган?

— Спокойно, мамаша, — прохрипел дядька и осторожно потрогал пальцем подбородок, на котором виднелся след от сильного ожога. — Все сделано для удобства вашего ребенка.

— Меня зовут Виола, — решила представиться я, прикидывая в уме, в каком месте лучше перелезать через бревна, — я временно работаю классной дамой в девятом «А».

— Лёня, — откликнулся собеседник, — я веду уроки физкультуры. Черт, болит!

— Как вы ухитрились обжечь подбородок? — спросила я.

— Рубашку гладил, — прозвучало в ответ, — об утюг приложился.

— Лицом? — изумилась я. — Вот странно.

— Ничего удивительного, — закряхтел физкультурник, стараясь откатить в сторону толстенное бревно. — Вверх его поднял — а как иначе под воротником погладить? — ну и того, прижег кожу.

— Не надо низко наклоняться, — улыбнулась я, — лучше отрегулировать гладильную доску по своему росту.

— Какая, на фиг, доска? — удивился мужик. — Сорочка на мне была.

— Вы решили гладить одежду, натянув ее на себя? — попятилась я.

— Я всегда так делаю, — кивнул Лёня, — это очень удобно.

— Вполне вероятно, — согласилась я, — во всяком случае, оригинально, я впервые слышу о таком способе. Ой, опаздываю! Где тут можно перелезть?

— Левее иди! — посоветовал физрук.

— Зачем только замечательные дубы погубили? — вырвалось у меня.

— В целях безопасности, — объявил Лёня. — Чтобы в случае штормового ветра их не повалило и не поубивало детей, гуляющих во дворе. Мы за них ответственны в радиусе двадцати метров от здания гимназии. А родители у каждого с деньгами, мало в случае неприятности никому не покажется.

Я остановилась, так и не перескочив через очередной ствол. Однако замечательно придумало местное начальство! Правда, поступили они нелогично. Предположим, неохватные дубы могут свалиться во время непогоды. А как насчет стекол? Их может выбить порыв ветра, осколки попадут на детей, поранят их. Или лестница со скользкими ступенями? Школьники могут упасть, сломать ноги. Или весь пролет рухнет из-за некачественного бетона. Далее — библиотека. Кажется, самое спокойное место на свете, ан нет: возьмет ученик книжку, начнет читать на ходу, налетит на стену, получит сотрясение мозга... До абсурда легко довести любую ситуацию, и мне очень жаль деревья, ставшие жертвой людской глупости.

В класс я вошла в тот момент, когда учительница, дама преклонного возраста, мрачно сказала:

— Все посмотрели туда, где я стою!

— Извините, — прошептала я и втиснулась за последнюю парту.

Тут же, распространяя запах дорогого одеколона, ко мне подсел Тима.

— Привет, — зашептал он.

— Доброе утро, — отозвалась я.

— Чего в нем хорошего?

— Кто-то сегодня умер, а ты жив, — оптимистично отбила я мяч.

— Ну да, — согласился Тима, — я не думал так. Смотри, прыщи проходят! А кролик такой прикольный — лучше всяких кошек. У мамы на них аллергия, поэтому взяли кроля.

— Кого? — удивилась я.

— Ты же посоветовала котенка купить. Забыла? — удивился паренек.

— Ах да! — вспомнила я. — Хватит болтать, лучше слушай учительницу. Кстати, это какой урок?

— Первый, еще шесть сидеть, — грустно протянул Тима.

— Я про предмет спрашиваю.

— Литра, — еще сильней поскучнел он.

— Все, молчим, — приказала я и уставилась на училку.

— Итак, дети, — щебетала та, — давайте спросим себя, как нам придется на лесоповале с тачкой?

Интересный вопрос. Думаю, ответ на него однозначен: плохо всем будет! И зачем эта бабуля, похожая на раскрашенную мумию, задает его девятиклассникам? Кстати, уместно ли обращаться со словом «дети» к аудитории, состоящей из двухметровых парней, на могучих плечах которых трещат форменные пиджаки, и девушек, чьи необъятные бюсты туго обтягивают нарочито скромные блузки?

— Ну-ка, — вещала училка, — детки, поднимем правые руки! Внимание — именно правые! Тех, кто вытянул левые, спрашивать не стану. Андреев!

— Да? — лениво откликнулся Тима. — Чего?

— Почему не слушаешь?

— Че я сделал? Сижу тихо.

— А какую руку поднял?

— Ну... ту самую... нужную, — беззлобно ответил лодырь.

— Давай уточним имя.

— Чье?

— Руки, — топнула ногой училка. — Ну-ка, назови ее!

Я постаралась не рассмеяться. Бедная бабуля перепутала расписание, посмотрела не в ту графу и, похоже, полагает, что беседует с первоклассниками. Может, тактично сообщить ей об ошибке?

— Как зовут твою руку? — не успокаивалась преподавательница.

— Не знаю, — растерялся Тима. — Как-то до сих пор она без имени жила.

— Ай, ай, ай, деточка, нехорошо! Ну, не расстраивайся, сейчас тебе товарищи подскажут. Детки, Тимочка нуждается в вашей помощи. Давайте скажем хором, как зовут его ручку?

— Оглобля.

— Грабка.

— Клешня, — одновременно прозвучало в классе.

Старушка прижала к враз покрасневшим щекам маленькие, словно кукольные, ладошки.

— Попытайтесь еще раз.

— Хваталка? — предположила блондиночка с первой парты.

— Типа пятерня, — заявил брюнет, сидевший в углу.

— Мочилка! — заорал юноша с лицом хитрого ангела.

— Костя! — подскочила бабуля. — Как? Мочилка? Но почему? Ну что за слово!

Я опустила взгляд в парту. Варианты «оглобля», «грабка», «клешня», «хваталка» и «типа пятерня» не вызвали у педагога изумления, ее насторожила лишь «мочилка».

— Очень просто, — охотно пояснил Костя. — Чем людей мочат? Руками.

— В принципе, ты прав, — заулыбалась учительница. — Человека купают в реке или море при помощи рук, но...

Школьники довольно захихикали.

— Варвара Михайловна, — снисходительно перебил даму Костя, — я не про воду говорил. Мочить — это значит прихлопнуть.

— Хлопнуть? — распахнула наивные голубые глаза Варвара Михайловна. — Деточка, ты путаешь глаголы. Подойди ко мне после занятий, составим словарик.

— Прихлопнуть, кокнуть, ваще прибить на хрен, — принялся загибать пальцы Костик.

— Ой, ой, ой! — замахала ручонками литераторша. — Я совершенно не приемлю современной речи. Невозможный язык. Давайте учиться говорить красиво. Временно откладываем вопрос про руку Тимы и разыграем сценку. Костя, Маша, идите к доске.

Юноша встал. На запястье у него болтались дорогие часы, галстук придерживала заколка со сверкающими камнями. Девочка выглядела не хуже, она тоже не обошлась без драгоценностей — они сверкали везде: в ушах, на пальцах, шее и даже на поясе, подчеркивавшем тонкую талию.

— Отлично, — сказала Варвара Михайловна. — Костя, ты случайно встретил Машу, она тебе нравится, хочешь позвать ее в кино. Ну, что ты ей скажешь?

— Она мне ваще никак, — скривился Костя, — типа пошла на фиг. Жирная и тупая!

— На себя глянь! — не осталась в долгу Маша. — Лучше жабу съесть, чем с Костяном по стриту рассекать. Нашелся, блин, сын всех обезьян!

Класс заржал.

— Дети, дети! — заметалась у первого ряда столов

литераторша. — Это же как в театре! Думаете, актеры, изображающие Ромео и Джульетту на подмостках, обожают друг друга в реальной жизни?

— В реале нет, — признал Костя. — А че, пятерку поставите за хохму?

— Непременно, — пообещала училка. — Начинайте.

— Суперски! — пришла в восторг Маша. — Привет, Костян.

— Ну, че? — попытался изобразить улыбку юноша.

— Ваще, дела ниче?

— Ниче.

— А ваще как?

— Ваще супер.

— Типа в кино не того?

— А ваще там че?

— Ну... да мне по фигу че! Подорвались!

— Стоп! — подпрыгнула Варвара Михайловна. — Секундочку! Это же нечеловеческая речь.

— А чейная? — хором спросили Маша с Костей.

— Обезьянья! — запальчиво сказала литераторша. — Так нельзя. Повторяйте за мной. «Добрый день, Машенька! Как твои дела? Спасибо, Костик, не жалуюсь на жизнь. Дорогая Маша, я очень хочу пригласить тебя в кино. Как ты думаешь, родители разрешат тебе пойти на фильм «Война и мир»? Огромное спасибо, Костя, сейчас я спрошу у мамы». Вот так выглядит разговор двух хорошо воспитанных школьников.

— Кондово! — заржал Тима. — А че с моей рукой? Не понял прикола с ее именем.

— Тимофей, — укоризненно покачала головой Варвара Михайловна, — это же очень просто. Ручки называются правая и левая. Когда учитель задает вопрос, воспитанный школьник всегда тянет ту, которой пишет, а ты поднял другую.

— Дура, — прошипела девушка, сидевшая через проход от меня.

Я глянула в ее сторону, и она моментально сорвала с головы широкий обруч — темные завитые пряди упали вперед и скрыли от меня лицо девочки.

— Неужели до сих пор ты не научился находить нужную ручку? — надрывалась Варвара Михайловна. — Ай, ай, ай... Сейчас объясню. Положи ладони на парту!

Тимофей неожиданно послушался.

— Смотри, — возбудилась старушка, — правая рука — это та, у которой большой палец слева. И вся премудрость.

Я не удержалась и хихикнула, Тима ошалело рассматривал свои ладони.

— Сука, — прошипели сбоку.

Я резко повернула голову. Ничего не произошло, темные волосы грубиянки надежно скрывали ее лицо.

— Ваще офигеваю! — простонал Тима. — Правая та, где палец слева, а левая...

— С пальцем справа, — захлопала в ладоши Варвара Михайловна. — Правда, здорово? В природе все продумано.

Прозвучал звонок, школьники разом вскочили и ринулись к двери.

— Деточки, погодите! — заволновалась Варвара Михайловна. — А домашнее задание?

— Может, не надо? — попросил Костя, оборачиваясь.

— Хорошо, — неконфликтно согласилась училка. — Погода прекрасная, лучше в парк сходите, покатайтесь на саночках.

Учитывая, что за окном вовсю цветет май, предложение воспользоваться санками звучало дико.

— Но не забудьте повторить пройденную сегодня во время урока тему, — занервничала, осознав собственный промах, Варвара Михайловна. — Николай Васильевич Гоголь, «Мертвые души»...

Вместе с галдящими детьми я выпала из кабинета и запоздало изумилась. Надо же, оказывается, девятиклассники сегодня изучали бессмертное творение великого писателя! А мне показалось, что они занимались всякой ерундой.

Идти в учительскую не хотелось. Посмотрев на часы, я отошла в самый дальний угол коридора, где виднелся выход на аварийную лестницу, вытащила мобильный и набрала хорошо знакомый номер.

— Селиванов! — грянуло из трубки.

— Витенька, привет, — обрадовалась я тому, что мой знакомый находится на рабочем месте.

— Это кто? — слегка сбавил тон приятель.

— Вилка.

— А! И чего тебе надо? — весьма нелюбезно поинтересовался тот, кто провел в свое время на нашей кухне не один час.

— Сделай одолжение, помоги! Есть такой человек, Василий Ярцев, он убил свою жену, Веронику Терешкину...

— Нет! — резко перебил меня Витя.

— Что «нет»? — удивилась я.

— Все, — сурово ответил Селиванов. — Забудь мой телефон. Навсегда! Мне без разницы, кто из вас кого бросил, но я работаю с Олегом не один год и...

Я быстро нажала на красную кнопку. Понятно. Когда расходишься с мужем, прежние приятели тоже делятся на две части. Селиванов теперь в лагере Куприна, и никакой обиды на Витьку я не держу — так фишка легла. Вопрос в другом: к кому мне обратиться? Если Витя столь нервно отреагировал на мой звонок, то, вероятно, и остальные выплеснут негатив.

Тягостные размышления прервала дрожь мобильного, не посмотрев на дисплей, я ответила:

— Алло.

— Доброе утро, — произнес до отвращения знакомый голос. — Это Олег, так сказать, твой экс-супруг. Узнала?

— Естественно, — стараясь казаться равнодушной, ответила я. Было бы странно сказать иное.

— У тебя проблемы? — поинтересовался Олег.

— Нет.

— Да? А у Селиванова сложилось иное мнение.

Я обозлилась на Витьку. Вот мерзавец! Сначала послал меня, а сам незамедлительно доложил начальству о своем патриотическом поступке. Лизоблюд и подхалим! Ему наплевать на годы дружбы, он хочет выслужиться перед своим шефом—Куприным.

— Меня вчера назначили большим начальником, — вдруг заявил Олег.

— Поздравляю, желаю удачи! — быстро отреагировала я. — Извини, я тороплюсь, опаздываю...

— Тебя интересует дело Василия Ярцева?

Ну, Селиванов, погоди, столкнемся когда-нибудь на узкой дорожке!

— Могу помочь, — предложил Олег. — Напоминаю, я теперь шишка.

— Спасибо, но я привыкла обходиться собственными силами. Прости, спешу.

— Нам обязательно становиться врагами? — тихо спросил бывший муж.

— Разбежавшиеся супруги редко мирно пьют чай на общей кухне, — не удержалась я.

— Ты все еще обижаешься на меня? Могу в сто первый раз повторить: я свалял дурака. Кстати, твоя последняя книга просто замечательная, — начал откровенно вилять хвостом Куприн.

— Слово «последняя», примененное к произведению писателя, всегда его раздражает. И с какой поры ты увлекся детективами? — съязвила я. — Да еще не крутыми мужскими историями, а глупыми бабскими поделками?

— Я сказал Селиванову, что все просьбы Вилки следует выполнять на раз-два, — отчеканил Олег, — что, обижая тебя, он оскорбляет меня.

Ну надо же! Оказывается, развод способен изменить мужчину в лучшую сторону.

— Так что с Ярцевым? — поторопил меня Куприн.

— Ты можешь с ним побеседовать? — сдалась я. В конце концов, вовсе не стыдно принять помощь от бывшего мужа.

— Легко, — заверил Олег.

— Спроси его: где Ларсик?

— Это кто?

— Василий в курсе.

— Ну... ладно, — согласился Куприн, и я снова удивилась его поведению.

Произойди подобный разговор год назад, муж бы так легко не сдался, устроил бы мне допрос с применением пыток и выжал из меня всю информацию.

— Позвоню, когда выясню, — добавил Олег.

— Буду очень благодарна.

— Право, не стоит.

— Нет, нет, ты потратишь свое время.

— Ничего страшного, я абсолютно свободен.

— До свиданья, еще раз огромное спасибо.

— Непременно звякну в ближайшие часы, нет необходимости меня благодарить, женщине следует помогать.

Я сунула мобильный в карман. Черт возьми, мы с Олегом сейчас разыграли сцену, сильно смахивающую на ту, которую Варвара Михайловна репетировала с Костей и Машей. Литераторша бы одобрила бывших супругов — вежливые, ласковые, точь-в-точь медовые пряники с начинкой из сгущенки, покрытые толстым-толстым слоем шоколада с сахарной глазурью! Вы способны слопать медовый пряник с начинкой из сгущенки, да еще покрытый толстым слоем шоколада с глазурью? Я нет. Меня уже от одного названия тошнит. «Не следовало обращаться к Олегу, — начала я себя корить. — Вилка, ты кретинка!»

Внезапно с черной лестницы послышался сдавленный кашель. Я толкнула дверь и увидела ту самую брюнеточку, которая шептала «дура» и прочее во время урока литературы. Сейчас девушка снова собрала волосы, в правой руке она держала зажженную сигарету.

— Курить нехорошо, — сказала я.

— Да пошла ты, — еле слышно ответила школьница и шмыгнула носом.

Я оглядела тоненькую фигурку. Похоже, девица сильно нервничает, вон как у нее трясутся руки. И вроде она недавно плакала: нос красный, глаза опухли.

— Зажигалка есть? — спросила я.

— А те зачем? — агрессивно поинтересовалась девушка.

— Да вот, прикурить хочу!

— Значит, мне вредно, а тебе можно?

— Ага, — весело ответила я. — Таковы взрослые! Внушают младшему поколению некие правила, а сами их никогда не соблюдают. Дедовщина еще похуже, чем в армии. Но ты не расстраивайся, лет через двадцать сама такой станешь. Кстати, в школе лучше не дергать учителей за усы. Изображай паиньку, кивай преподам, улыбайся и сиди смирно. Тогда никаких проблем не будет.

— Не хочу их слушать! — топнула брюнеточка. — Гоблины!

— Дурочка, — усмехнулась я. — Про мимикрию слышала?

— Чего? — напряглась она.

— Мимикрия — умение живого существа изменять свой внешний вид. Допустим, гусеница прикидывается веткой, чтобы ее не сожрала птица. Вот так и в школе — нужно изображать конфетку. Выйдешь за ворота и живи, как хочешь.

— Не желаю под них подделываться! Не доставлю им такого удовольствия!

— Так ведь это ради тебя самой, — засмеялась я. — Лицемерие — замечательное качество, овладеешь им и прослывешь лучшей.

— Гадость!

— Скажи, как удобнее есть мясо? Резать на кусочки или откусывать?

— Ну... зубами легче.

— Но ты пользуешься ножом. Значит, лицемеришь.

— Прикольно, — вдруг улыбнулась девушка. — А ты ничего! Меня зовут Валентина Красноносова. Правда, жесть?

— Мне достался более экстремальный вариант, — ухмыльнулась я. — Разреши представиться — Виола Тараканова.

Глава 7

— Вау! — подпрыгнула Валя. — Я думала, хуже фамилии «Красноносова» не бывает. Моя мама до свадьбы была Белоноговой. Тоже не суперски. И она ниче не знала про то, какая у ее жениха Семена фамилия. Вот смехотища вышла, когда регистраторша в загсе спросила: «Невеста станет Красноносовой или останется Белоноговой?»

— Виола Тараканова — полный кошмар, — подхватила я нить беседы. — Начнем с того, что народ совершенно не способен запомнить мое имя и называет меня Виолеттой, Виолиной, Вероникой, Виталиной и так далее, кто во что горазд. Но, знаешь, я давно поняла простую истину: никогда не следует считать себя самой несчастной, всегда найдется тот, кому еще хуже.

— Ну это навряд ли, — грустно ответила Валя.

— У тебя неприятности?

— Нет! — вскинула голову Валя. — Ни одной самой завалященькой, живу шоколадно!

— Ладно, — кивнула я. — Знаешь, есть на свете девушка твоего возраста, сирота без матери, живущая в грязной квартире, где самой дорогой и любимой вещью является черно-белый телевизор. Хорошей одежды у бедняжки нет, питается она картошкой без масла, зарабатывает на жизнь продажей собственного тела, больна СПИДом. Скажи честно, кому хуже? Тебе или ей?

Валя чуть не проглотила жвачку, потом пролепетала:

— Ну, проститутке!

— Вот видишь, — сказала я. — Все зависит от точки отсчета. По сравнению с одноклассницами ты...

— Да че вы знаете! — горестно воскликнула Валя. — Они ж все богатые. Знаете, сколько тут год обучения стоит? И на шмотки их посмотрите. Машку видели? Ну ту, что у доски стояла?

Я кивнула.

— Вся в брюликах! — с отчаянием воскликнула Валя. — Блестит и переливается! Везде! Даже на ремне!

— Это цитрины, — улыбнулась я.

— Что? — осеклась собеседница.

— Есть такие камушки. Они очень похожи на бриллианты, но намного дешевле. Издали трудно отличить одни от других.

— Откуда ты знаешь? — фыркнула Валя.

Девушка, очевидно, плохо понимала, как вести себя с незнакомой женщиной, называла меня то на «вы», то на «ты».

— В жизни очень полезно уметь логично мыслить, — ответила я. — Скажем, вопрос о бриллиантах Маши. Ладно, пусть в ушах у нее дорогие подвески, но на ремне! Видела здоровенный «кирпич», торчащий из пряжки?

— Да, — чуть не заплакала Валентина.

— Вот он — точно имитация, даже к цитринам не имеет отношения, просто стекляшка.

— Почему? — насторожилась школьница.

— Я уже говорила об умении логично мыслить. Бриллианты — очень дорогое удовольствие, в мире известна всего пара камней размером с голубиное яйцо, они содержатся в спецхранилищах, допустим, в российском Алмазном фонде. Обладай семья Маши этаким богатством, отец бы не разрешил дочери приносить реликвию в школу. Значит, на талии у нее подделка! Тебе полегчало?

— Ну... не очень, — нехотя ответила Валя. — Меня загнали в угол, ждут, пока я из окна выпрыгну.

— Кто? — изумилась я.

— Да все!

— Так не бывает. Определенно есть люди, хорошо к тебе относящиеся.

— Нет! Нет! Меня ненавидят все!

— Тогда, прости, конечно, но ты сама виновата.

Внезапно Валя села на ступеньку и закрыла лицо руками.

— Знаешь, кто я? — глухо спросила она. — Налоговая льгота.

— Извини, не поняла, — ответила я, устраиваясь около девушки.

Валя раздвинула пальцы и глянула на меня.

— Ничего хитрого. Если хозяева учебного заведения занимаются благотворительностью — берут бесплатно парочку нищих, то государство в поборах им послабление делает. Я здесь из милости, меня мать пристроила. Дура! Ничего не понимает! Объясняю ей: все надо мной тут издеваются. Вернее, нет. В младших-то классах мне клей в кроссовки наливали, а теперь просто не замечают, на тусовки не зовут, в компании не приглашают. Учителя еще хуже — чуть что, все на Красноносову валят. В гардеробе какая-то дрянь повадилась из карманов деньги таскать, так все уверены: это моих рук дело.

— Но это не ты? — уточнила я.

— Нет! — вскинула голову Валентина. — Только на кого еще подумать? Все же здесь богатенькие, с кредитками. Как вы там советовали? Мыслить логично? Если мозгами пораскинуть, получается, я единственная в нашем классе, кому бабки нужны. И че делать?

— Надо поймать вора, — посоветовала я. — Схватишь его за руку и отмоешь свое имя от грязи.

— Ага! Невозможно это!

— Никогда не говори «никогда»! — предостерегла я. — Давай спустимся в раздевалку и изучим обстановку.

— Вот ты где! — вышел на лестницу Тима. — Че тут делаешь?

— С Валей беседую, — улыбнулась я, — проблему ее решаем.

— Ерунда! Вот у меня задача! — отмахнулся от чужих бед Тимофей. — У тети день рождения, подарок нужен. Мне ваще башку свинтило — че ей купить?

— Нашел трудность! — подала голос Валентина. — Ступай в любой торговый центр и потроши отделы: парфюмерия, посуда, ювелирка. С твоими деньгами тебе все по карману.

Лицо Тимы приняло презрительное выражение.

— Че? Ну, Красноносова, ты убогая. У тети Оли всего под потолок! На хрена ей сто пятьдесят восьмые духи или тысячные часы? Неинтересно!

Валя покраснела и отвернулась к стене.

— Тетя что-нибудь коллекционирует? — спросила я.

— Ага, — кивнул Тима, — кошек. У нее их три штуки, в смысле живых, а еще статуэтки, картины, подушки.

— Ну, я пошла! — вскочила Валентина. — Чао вам! Не хочу мешать чужой беседе.

Я проводила девочку взглядом. Жаль, Тимофей помешал нашему разговору, Вале явно не по себе.

— Так че купить? — пристал ко мне недоросль.

И тут меня осенило.

— Картину «Три богатыря» знаешь? Алеша Попович, Добрыня Никитич и Илья Муромец на конях.

— Видел такую, — кивнул Тима. — И че?

— Компьютером владеешь?

— Легко.

— Езжай в Третьяковскую галерею, там есть ларек с постерами. Возьми «Три богатыря» и на компьютере сделай коллаж: убери лица и руки богатырей, а на их место вставь кошачьи морды и лапы. Тетя точно придет в восторг. Такого прикола ни у кого не будет!

— Вау! — подскочил парень. — Круто! Ща порулю. Какой магазин? Ну, где картинку можно купить. Чья галерея?

— Ты никогда не бывал в Третьяковке?

— Разве в Москве все бутики обойдешь? — меланхолично отреагировал Тимофей. — Да и не люблю я среди шмоток таскаться. Ты ща про Третьяковский проезд[1] говоришь?

Я вынула из пачки новую сигарету (после развода стала много курить, надо, пожалуй, бросить). Внезапно вспомнилось, как полгода назад, занимаясь одним запутанным делом, попала в Большой театр на канонический балет «Лебединое озеро». В зале сидело много детей, и один из юных зрителей,

---

[1] Третьяковский проезд, улочка, на которой расположены самые дорогие магазины Москвы. (*Прим. автора.*)

увидав на сцене злодея в черном костюме, радостно закричал: «Мама! Бэтмен прилетел!» Присутствующие захохотали. Малышу было на вид годков шесть, и потому его слова не вызвали у меня горестного вздоха, он еще успеет познакомиться с классикой. Но Тима!

— Тебе сколько лет? — не утерпела я.

— Пятнадцать, а че?

— Третьяковская галерея находится в Лаврушинском переулке. Сходи, тебе понравится, там интересная экспозиция.

— Ща понесусь за богатырями!

— Погоди! Говоришь, прыщи проходят? — остановила я юношу.

— Да! Супер! Спасибо!

— Но я вижу парочку новых.

— Где? — испугался Тима.

— На левой щеке.

— Еще утром ничего не было. Вот блин! Почему они снова вылезают?

— Помнишь, я предупреждала тебя, что нужно совершать добрые поступки? — прищурилась я. — Заботиться, допустим, о животном.

— Я кролика купил, — насупился Тима, — сам клетку чищу.

— Значит, длинноухого мало, его приобретение помогло тебе ненадолго.

— И че? За вторым гнать? — занервничал Тимофей. — Кроличья ферма получится, отец обозлится.

— Можно помогать людям.

— Ну ваще! Это кому же?

— Например, Вале.

— Красноносовой?

— Да.

— Никогда!

— Почему?

— Она противная, — отрезал Тима. — Ни с кем

не разговаривает, а если рот разинет, то гадости вываливает.

— У твоей одноклассницы беда!

— Какая? — заинтересовался Тимофей.

Я изложила историю про воровство в гардеробе и завершила рассказ фразой:

— Думаю, если ты сумеешь оправдать Валю, высыпания на коже прекратятся навсегда.

— Угу, — кивнул юноша. — Так я пошел?

— Да, уже пора на урок, — кивнула я.

— Не, хватит занятий, — отрезал Тима, — я за картиной.

— Нельзя пропускать учебу!

— Можно.

— Потом экзамены не сдашь!

— Ха! — подскочил Тимофей. Приблизил ко мне лицо и шепнул: — Хочешь, секрет открою? Вся гимназия, вместе с учителями, принадлежит моему отцу. Прикольно будет, если они мне на экзаменах двояков насуют. На помойке враз окажутся!

— На твоем месте я, наоборот, попыталась бы стать лучшей.

— Охота ломаться!

Мы еще поспорили некоторое время, и Тима, победив меня на всех фронтах, то есть отказавшись слушать мои правильные речи, убежал, а я, потерпев педагогическое Ватерлоо, отправилась в местный буфет, решив подкрепиться кофе и булочками. В конце концов, я не нанималась сюда на постоянную работу, просто оказываю завучу Ирине Сергеевне дружескую услугу, а она просила меня сидеть на уроках при Тимофее. Сейчас он собрался прогулять занятия, значит, и я могу считать себя свободной. Кстати, я отлично понимаю, по какой причине Тима удирает с уроков. Если все педагоги тут такие, как физрук и литераторша Варвара Михайловна, то нужно пожалеть учащихся. Вот капучино в местной столовой выше всяких похвал, а сдоба просто тает во рту.

Через полчаса я спустилась в раздевалку и пошла между рядами вешалок, разыскивая свою куртку. Несмотря на погожую погоду, основная масса учащихся и преподавателей еще ходила в пальто или плащах, поэтому гардероб был полон разномастной одежды.

Не успела я приблизиться к своей куртке, как в кармане задрожал мобильный. Я вытащила аппарат и услышала голос Куприна.

— Вилка, в отношении твоего вопроса...

— Узнал? — обрадовалась я. — Ну и что? Где Ларсик?

— Извини, тут... в общем...

— Василий не стал рассказывать про Ларсика?

Куприн крякнул и выдавил из себя:

— Дело дурацкое.

— Может, это и так, — рассердилась я, — но Ника Терешкина была моей подругой, она погибла страшной смертью, и...

— Василий умер, — перебил меня Олег. — Сердечный приступ, скончался в камере.

— Бред! — закричала я. — У вас разве в СИЗО врачей нет? Почему Ярцеву не оказали помощь?

— Сама знаешь, — без всякого раздражения стал объяснять Олег, — пока сокамерники шумнули, пока надзиратель пришел, пока в медпункт сообщил, пока оттуда врачи приплелись, пока... Да и что у местного врача есть! Он же не кардиолог с необходимой аппаратурой. Когда мы с тобой в первый раз разговаривали, Василий уже мертвый лежал.

— Он точно умер естественной смертью?

— А как иначе?

— Ой, хватит! — вскипела я. — Будто ты не в курсе, что за решеткой с людьми случается!

— Ярцев сидел в маломерке, с ним еще трое —

приличные люди, экономические преступления. Один банкир, другой — махинатор с кредитными карточками и третий — сотрудник почты. Никаких мокрушников, первоходки без зоновских привычек, — вздохнул Олег.

— Почему же Ярцев в их компанию попал? — удивилась я. — Он-то считался жестоким убийцей.

— Ну да... — с некоторым сомнением протянул Куприн, — был взят у тела.

— Ничего себе! — вырвалось у меня.

— Ты подробности знаешь? — оживился муж.

— В общих чертах.

— Каких?

— Он лишил Нику жизни из ревности. Нашел дома газету с подчеркнутым объявлением и понесся в гостиницу, — повторила я слова Майи.

— Сейчас расскажу... — засуетился Олег, явно желая подольститься к бывшей жене.

Портье из отеля позвонила в милицию. Женщина была очень напугана, сообщила, что в холл гостиницы ворвался всклокоченный мужик, сунул ей под нос фото и рявкнул:

— В каком номере баба? Живо говори, а то зарежу!

На случай нападения у портье под столом предусмотрена аварийная кнопка. Дежурившая в тот день администратор Галина Киселева никогда не пользовалась сигнализацией, и у нее от страха голова пошла кругом.

— Не помню, — проблеяла она, — не видела ее.

Мужик вынул из пакета молоток и стукнул им по стойке.

— Ой! — подлетела над стулом Киселева. — Комната двадцать восемь.

Дядька бросился к лестнице.

— Сейчас ей, суке, мало не покажется! — вопил он, размахивая молотком. — Убью к чертям собачьим!

Перед Киселевой стояли два телефонных аппарата: местная и городская связь. Трезвомыслящий человек позвонил бы в двадцать восьмой номер и сказал клиентке:

— Скорее убегайте, к вам несется разгневанный супруг.

Но Галина только ойкала, а потом набрала «02» и заорала:

— Убили! Постоялицу!

Василию в тот день очень не повезло, возмездие настигло его сразу. Не успел он изуродовать бедную Нику, как в спальню влетели парни в форме и схватили преступника, так сказать, тепленьким. Никаких сомнений у милиционеров не возникло. Муж узнал об измене жены — железный мотив. Состояние аффекта отпадало: если человек временно лишается разума, он хватает то, что видит на месте преступления: стул, сковородку, вилку, бутылку... а Василий принес молоток с собой, что свидетельствовало о преступном умысле, заранее спланированном действии. На ручке орудия убийства имелись отпечатки пальцев Ярцева и никаких других, Василий стоял на коленях около мертвой жены, весь перемазанный кровью. Стопроцентные улики.

— Убедительно, — прошептала я.

Глава 8

Ярцева задержали и допросили. Василий выдал собственную версию случившегося. Он домой не заходил, газеты не видел, сидел на работе, потом решил сходить в кино. Один, надумал развеяться. Но когда стоял возле кассы в кинотеатре, у него зазвонил мобильный. Глухой — то ли женский, то ли мужской — голос заявил:

— Твоя жена в гостинице «Оноре», запомни адрес. С любовником! Хотят уехать потом из Москвы, у них при себе чемодан с деньгами, которые Ника украла у семьи. Проверь, если сомневаешься!

Муж кинулся в отель, влетел в номер, увидел на полу изуродованное тело, на лице убитой лежал молоток. Ноги у Ярцева подкосились, он сел на пол и поднял инструмент. Естественно, Василий испачкался, кровь там была повсюду. И тут примчалась милиция.

— Не очень оригинальная версия, — отметила я. — А фото Ники откуда взялось?

— Сказал, что всегда носил его в кошельке. Романтичный очень!

— А молоток? Тоже из любви при себе имел?

— По поводу орудия убийства Ярцев сообщил: у его машины взломали багажник, пропал чемоданчик с инструментами.

— Ловко!

— Повторяю: войдя в номер, Вася увидел, что на лице убитой лежит его молоток из того самого исчезнувшего набора.

— На мой взгляд, все молотки одинаковые.

— Ну это ты зря, — хмыкнул Олег. — Хозяин свои инструменты труда всегда отличит. Тем более что Ярцев намотал на рукоятку розовую изоленту и написал на ней свою фамилию.

— Жаль, что убийца не указал там же адрес по прописке, телефон и ИНН! А еще, дабы упростить работу криминалистов, следовало держать в борсетке анализ на ДНК и токсины! — взвилась я.

— Ярцев свою вину отрицал. Полностью. Его временно оставили в покое, поместили в камеру и не вызывали на допрос.

— Почему? — удивилась я.

— Иногда человека лучше не тревожить, — пояснил Куприн. — Пусть посидит, подумает, дозреет. Еще хотели провести очную ставку между Галиной

Киселевой и Василием, но процедуру отложили, администратор взяла бюллетень.

— И вы особо не торопились.

— В производстве много дел, ярцевское дело ясное, можно было притормозить, — без раздражения ответил Олег.

— А теперь что?

— Закроют дело и в архив сдадут в связи со смертью основного подозреваемого.

— Ясно... — протянула я. — Ты же, наверное, уже бумаги перед собой положил?

— Точно, — засмеялся Олег.

— Окажи мне еще одну услугу.

— Для тебя любую.

— Прочти описание вещей покойной.

— Секундочку, ага, вот. Туфли черные на каблуке, украшенные стразами, майка шелковая темно-зеленого цвета на завязках, юбка короткая, оранжевая, без карманов, с поясом, лифчик прозрачный, размер восемьдесят-С, застежка спереди, трусы сильновырезанные, задняя часть в виде ленты с блестящими камушками предположительно искусственного происхождения...

Я невольно улыбнулась. Милицейские протоколы — отдельная песня, в них можно встретить такие перлы! «Майка шелковая» — это топик, а «трусы сильновырезанные» скорей всего стринги.

— Чулки фиолетовые, с подвязками, на правом несколько дырок... — продолжал Олег.

Вот вам еще одна милицейская загадка: каким образом они узнали, какой чулок правый, а какой левый? Они же одинаковые!

— Сумка небольшая, в ней два презерватива в ненарушенной упаковке, помада фирмы «Шанель» номер сто двенадцать, цвет у нее, как у пожарной машины, пудра в коробочке...

— Спасибо, хватит. Скажи, там не указан Ларсик?

— Кто? — изумился Олег.

— Ой, прости, — опомнилась я, — плюшевый тигренок, потерявший от старости товарный вид.

— Нет, ничего похожего. А почему ты интересуешься?

— Жаль, — вздохнула я, проигнорировав вопрос Олега.

— Я сумел тебе помочь?

— Да, да, конечно, до свидания.

— Погоди! Есть одна интересная деталь.

— А именно?

— Ника в тот день дважды вступала в интимную связь, это установили при вскрытии.

— Никогда не считала Терешкину очень сексуальной, да, видно, ошибалась, — пробормотала я.

— Причем фатально, — обрадовался невесть чему Куприн. — Мужики разные.

— Которые? — вздрогнула я.

— Любовники Терешкиной.

— Ты ничего не путаешь?

— Нет, наша лаборатория не ошибается. Два вида ДНК, ни один не принадлежит мужу.

— Не верю своим ушам! У Ники было два любовника?

— Ну, по крайней мере парочка парней порезвилась с ней. Да, кстати, убитая лечила гонорею, но до конца от нее избавиться не успела.

— Врешь!

— Нет, конечно. Этот факт тоже отражен в бумаге из лаборатории.

— Но Ника — примерная жена и мать! Я знаю Терешкину не один день.

— Ты с ней давно общаешься, но вот хорошо ли знакома с хорошей знакомой? Извини за тавтологию, но иначе не скажешь! — воскликнул Олег.

— Я понимаю, что ты не шутишь, но трудно поверить всему вышесказанному, — попыталась я прийти в себя.

— Чем сложнее загадка, тем проще отгадка.

— Думаю, данное утверждение не совсем верно, — решила я поспорить.

Бывший супруг засмеялся.

— У меня для тебя есть замечательная история, детективная, заодно проверю, способна ли ты делать правильные выводы, складывать целую картину из полученных фактов.

— Это тест на профпригодность детектива?

— Да нет, — отмахнулся Олег, — всего лишь забавная загадка. Есть такой город Петербург, слышала про него?

Я усмехнулась:

— Немного.

— Около Питера имеется отель, в котором каждый месяц происходит убийство.

Я вздрогнула:

— Что? Регулярно?

— Примерно раз в тридцать дней, вот уже на протяжении нескольких лет, — закивал Олег.

— И гостиница до сих пор не разорилась? — изумилась я.

— Нет, наоборот, процветает, — радостно пояснил мой бывший. — Клиенты толпами съезжаются.

— Слышала, что многих людей привлекают происшествия и несчастные случаи, — вздохнула я.

— Верно, — не стал спорить Олег, — если на дороге авария, куча идиотов остановится поглазеть. Но сейчас речь не об этом. Итак! В гостинице постоянно случаются убийства, причем погибает один из постояльцев. Приезжает милиция, затевается следствие. Причем ребята в форме великолепно знают, что в ситуации замешан владелец отеля, но его не трогают. Более того, в гостинице в день убийства даже не отменяют вечерние шоу-программы. Ужасная бессердечность.

— Бизнес есть бизнес, — пожала я плечами, — думаю, владелец отеля скрывает от гостей криминальное происшествие, чтобы не напугать проживающих.

— Вовсе нет, — потер руки Олег, — с точностью до наоборот. Милиция открыто ходит по этажам, опрашивает людей. Хозяин во всеуслышанье объявляет: кто сумеет найти нужные улики или знает имя убийцы, тому премия — счета за отель аннулируют, в ресторане будут кормить бесплатно.

— Оригинально, — пробормотала я.

— Самое интересное впереди, — пообещал Олег, — через день преступника находят. Иногда его имя сообщает милиция, порой до истины докапывается кто-то из клиентов. Но! Злодея или злодейку не арестовывают, его отпускают с миром. А через месяц в отеле новый труп! Так почему хозяина гостиницы и убийцу не наказывают?

— Не знаю, — растерянно сказала я.

— А ты подумай, — засмеялся Олег, — и помни мои слова: чем сложнее вопрос, тем проще ответ.

— Непременно, — прошептала я, но все мои мысли в этот момент были о Терешкиной.

У Ники два любовника и плохо залеченная гонорея?! Между прочим, она иногда приходила ко мне, пользовалась туалетом, один раз принимала душ...

— Если чего понадобится, звони, — радушно предложил Куприн и отсоединился.

Я сунула мобильный в карман. Вот уж дела так дела! И что меня насторожило в сведениях, сообщенных бывшим мужем...

Но не успели мысли выстроиться по порядку,

как висевшее рядом пальто вдруг подняло рукава и обняло меня.

— А-а-а-а! — завизжала я. — Спасите! Оно живое!

Послышалось хихиканье, полы пальто приоткрылись, и я увидела... Валю.

— Ты что тут делаешь? — налетела я на нее. — Напугала до потери сознания!

— Тима придумал, как вора поймать, — хитро улыбнулась Красноносова. — Он молодец! Смотри, карманник орудует только в этом ряду. Здесь места старшеклассников и учителей. К другим вешалкам ходить без мазы: мелким родители только на жвачку дают. А у взрослых хорошие суммы можно стырить. Я маленькая, худенькая, нашла большое пальто, всунула руки в рукава, голову наклонила и подвесилась. Издали ваще не заметно! Вор попрет, мы его и сцапаем. Верно, Тим?

— Ага! — прозвучало издали.

— Тимофей тоже в пальто висит? — уточнила я.

— Не, он в шинели пристроился, — сообщила Валя. — Наш охранник утром в армии служит, а после обеда его отпускают и он в школу приходит.

— Очень интересная служба, — поразилась я.

Валя быстро оглянулась по сторонам и шепотом сказала:

— Ты сейчас с кем-то про Терешкину болтала. Это наша бывшая классная дама?

— Некрасиво подслушивать!

— Если хочешь сохранить секреты, не ори о них вслух, — резонно заметила Валентина. — Она была твоя подруга?

— Да, — после небольшого колебания ответила я.

— Ну ваще! — зашипела Валентина. — У нее мужик — супер! Джеймс Бонд! Сама крыса, а он нормальный, на крутой тачке ездит.

— Ты ничего не путаешь? — поразилась я.

Валя чихнула.

— Нет, я видела их в кондитерской, у метро.

— Давно?

— Нет, когда у нас контрольную по матишу давали... э... две недели назад.

— А ну расскажи!

Валентина выбралась из чужого пальто и встряхнулась, словно мокрая кошка.

— В кафе окна большие, типа витрины. Я в метро шла около часа дня.

— Занятия так рано закончились?

— Нет, я сбежала. Надоело париться.

— Ладно. И что дальше?

— Живот у меня скрутило, — пояснила школьница, — ну я и зашла в кондитерскую. Там народу всегда полно и тубзик имеется.

Я старательно запоминала каждое слово Вали.

Девушка вошла в кабинку, закрыла дверь и услышала, как у женщины, занимавшей соседний отсек, запищал мобильный.

— Алло, говорите! — прозвучало из-за стены. — Ага, хорошо. Сейчас с ним договорюсь. Не волнуйся, пока все идет по плану, да... Вот...

Ругательство тетка произнесла привычно. Грубые слова не смутили и Валю, она сама может в соответствующей ситуации выматериться. Красноносову насторожило другое. Голос бабы показался ей знакомым. Послышался шум воды, стук дверки, потом посетительница туалета засопела, чем-то зашуршала... Валю охватило любопытство. В створке кабины, где находилась школьница, отсутствовала ручка, на ее месте зияло небольшое отверстие. Валентина присела и глянула в «глазок».

У раковины стояла ее классная дама, Валя великолепно видела лицо Терешкиной в зеркале. Воспитательница, тихо напевая, поправляла волосы. Валя испытала приступ торжества. Так она и знала: все взрослые лицемеры! Вероника в школе и Вероника вне работы — два разных человека. Вон как она ловко матерится!

Бросив на себя довольный взгляд, Терешкина вышла в зал, ученица двинулась следом через пару минут. Красноносова ввинтилась в толпу посетителей и удивилась еще больше: классная дама выходила на улицу и была не одна — в сопровождении шикарного парня.

Валя умеет оценивать чужие вещи, поэтому сразу сообразила, что юноша одевается не в стокцентре за Московской кольцевой дорогой и что волосы ему подстригли и уложили в дорогой парикмахерской. Парочка выскользнула на улицу. Через огромное окно-витрину Красноносова увидела, что Вероника и незнакомец сели в автомобиль.

— Шикарная тачка! — восхищалась сейчас девушка. — Но наша Вероника зажигала! В школе тухлятиной ползала, а за ворота вышла и кожу сбросила. Между прочим, он ей не муж.

— Откуда такой вывод? — пробормотала я.

— Молодой слишком. А потом, видела я ее законного мужика — посыпанный перхотью старикан в мятых штанах, — хихикнула Валя. — Он сюда один раз приезжал на убогих «Жигулях». Стою во дворе, гляжу — подкатывает, вылезает. Подошел ко мне и говорит: «Деточка, Вероника Терешкина на работе? Я ее муж». Ну я ответила честно: «Нет, ушла уже». А он в школу двинул! И зачем бы? Хотя...

Школьница замолчала и опустила глаза долу.

— Продолжай! — нетерпеливо велела я.

— Да, ерунда...

— Начала, так договаривай!

Валя вздохнула.

— У нас уборщица есть, Ленка. Он ей предлагал в кино сниматься.

Я сначала не поняла, о ком говорит девятиклассница, но спустя мгновение попятилась.

— Василий? Обещал уборщице карьеру актрисы?

— Ага, — кивнула Валя. — Только дурочек тут нет. Понятненько, что это за съемки! В постели, под одеялом.

— А ты не врешь?

— Была охота брехать, — обиделась Валентина. — Да вы у Ленки спросите. Я увидела, как она с Вероникиным мужем треплется, и потом спросила, чего от нее дед хотел. Вот она и сказала про кино.

— Где найти уборщицу? — занервничала я.

Валя глянула на большие круглые часы, висящие на стене.

— Около входа в столовую есть кладовка, она небось там тусуется.

Забыв попрощаться с ней, я побежала в сторону буфета.

Валя оказалась права, в небольшом чуланчике, набитом швабрами и тряпками, обнаружилась тоненькая девушка, сидящая на перевернутом ведре.

— Вы Лена? — запыхавшись, поинтересовалась я. — Уборщица?

Девушка отложила книгу, которую держала на коленях. Мой взгляд невольно задержался на обложке — «Основы психоанализа». Однако необычный выбор литературы для поломойки! И девочка слишком хороша собой, чтобы провести всю жизнь с веником и совком.

— Да, — спокойно ответила Лена. — А что случилось? Опять в раздевалке пакет сока раздавили?

— Нет, у меня другая проблема.

— Какая? — поинтересовалась уборщица.

— Вы знакомы с Василием Ярцевым?

— Первый раз слышу это имя.

— Он приставал к вам некоторое время назад.

Лена слегка изогнула правую бровь.

— Да? Зачем? Я всегда быстро реагирую на просьбы, приставать ко мне не надо. Если дети набезобразничали, сразу прибегу.

— Ярцев к вам по другому поводу подходил.

— Нет смысла, — равнодушно перебила меня Лена. — Я оператор половой тряпки, хорошие оценки поставить не в моей власти.

— Ярцев лез к вам под юбку? — откровенно спросила я.

— С какой целью? — по-прежнему невозмутимо отреагировала уборщица.

— Хотел купить билет на Париж! — рявкнула я.

— Он явно ошибся, — не моргнув глазом, сообщила девушка, — ему следовало обратиться в кассу аэровокзала.

— Лена, хватит издеваться! — взвилась я. — А то вы меня не понимаете!

— Нет, — захлопала красиво загнутыми ресницами девушка.

— Василий Ярцев делал вам непристойное предложение?

— Какое?

— Я не его жена.

— Поздравляю!

— И пришла к вам вовсе не с желанием поругаться. Просто мне надо знать, пытался ли он вас соблазнить.

— Зачем?

— Вы не понимаете, с какой целью мужики к женщинам подкатывают?

— Нет, — с плохо скрытой иронией заявила Лена. — Если только его ребенок в коридоре напачкал. В гимназии приятные родители, они всегда чаевые дают, хоть и не обязаны.

Мне стало жарко.

— Лена, вы сейчас совершили большую ошибку!

— Человеку свойственно делать ошибки, — философски отметила уборщица.

— Вам надо было прямо ответить на мой вопрос, а вы пытаетесь скрыть правду, что наводит на нехорошие подозрения.

Лена встала с ведра и взяла швабру.

— В мои обязанности входит уборка, все остальное относится к категории частной жизни, — без всякой агрессии пояснила она. — Мне надлежит — именно надлежит — мыть полы и собирать разбитую школьниками посуду. Почему вас интересуют мои отношения с мужчинами? Отчего, если вы не являетесь ни женой, ни любовницей Ярцева, привязались ко мне с расспросами? А?

— Василий умер!

— Сожалею о произошедшем.

— Он погиб в тюремной камере.

— Милиционерам необходимо строже следить за порядком, — не потеряла сверхъестественного самообладания Лена.

— Вы знакомы с Вероникой Терешкиной?

— Нет.

— Как же так? Она ваша коллега!

— Уборщиц здесь трое, и ни одну не зовут Вероникой.

— Терешкина служила в гимназии классной дамой.

— Я не общаюсь с педагогами, а последние не обращают внимания на поломоек. Вероятно, мы сталкивались в коридорах, но ни в какие отношения я с ней не вступала. — Лена подвела под разговором черту. — Прошу меня извинить, время мыть лестницу. Если ступеньки останутся грязными, я лишусь работы. Впрочем, я потеряю ее и в случае распространения сплетен. Я не богата, а здесь хорошо платят и отпускают на сессии. Поэтому до свидания!

Глава 9

Сев в свою машину, я попыталась проанализировать свои ощущения. Сегодняшний день принес одни вопросы и никакой ясности.

Первый. Если Василий планировал убить жену, то почему он так странно вел себя? Примчался в гостиницу, принялся тыкать портье под нос фотографии... Ладно, допустим, такое поведение можно хоть как-то объяснить: Ярцев не знал, в каком номере находится его жена. Но... Задумав ее убить, поднял скандал? Лупил молотком по стойке? Кидался на дежурную? Он что, идиот? Проблему-то можно было решить очень просто: дать администратору небольшую сумму денег, и дело в шляпе. А если бы она заартачилась, тихонечко сесть в холле — рано или поздно любовники захотят выйти на улицу, тут-то их и поймать.

Второй. За каким чертом лишать прелюбодейку жизни в отеле? В гостинице полно людей: посетители, горничные, охрана. Намного спокойнее было бы подстеречь неверную супругу в темном подъезде, сымитировать ограбление. Как поступают люди, задумав убить из ревности свою вторую половину? Сначала убеждаются в факте измены, наблюдают, как пара, обнявшись, выходит из отеля, а потом имитируют несчастный случай, где-нибудь через месяц или два толкнув изменницу под автобус. Но Василий вел себя так, словно хотел быть задержанным: шумел, размахивал молотком, на ручке которого, оказывается, еще и фамилия его была. Хорошо, допустим, он задумал отправить Нику на тот свет и понести за это наказание. Это многое объясняет, но тогда возникает иной вопрос: почему Василий потом отрицал очевидное, зачем врал про звонок «доброжелателя»? Он же хотел оказаться арестованным! Опять нестыковка!

Еще меня смутила одежда Ники. Подруга никогда не одевалась вызывающе, а в номере нашли фиолетовые чулки, оранжевую мини-юбку и топик, не говоря уж о стрингах, украшенных стразами. Ни одна женщина, находясь в здравом уме, не нацепит на себя подобное белье, оно очень неудобное и не предусмотрено для постоянного ношения. Эпатажные трусики приобретают, чтобы снимать их в присутствии любимого человека: ждет девушка кавалера и натягивает на себя за десять минут до его прихода эротический комплект. Охотно верю, что Ника решила порадовать любовника и вырядилась в немыслимую одежду, вот только она ни за какие пряники не пошла бы в ней по улице. Я не первый год знаю Нику и понимаю: подруга, собираясь на свидание в гостиницу, взяла бы с собой сумку с необходимыми шмотками, пришла в номер, переоделась в ванной и выплыла в комнату в нужном образе.

Может, я на самом деле не знала Нику? Ведь до недавнего времени я считала ее образцовой женой, а что выяснилось... Валя Красноносова случайно увидела классную даму с молодым кавалером, потом оказалось, что Ника посещала гостиницу с сомнительной репутацией. А еще она в день смерти имела, говоря языком протокола, интимные отношения с двумя мужчинами. Прибавьте ко всему незалеченную гонорею, нераспечатанные презервативы в сумочке, губную помаду цвета взбесившейся пожарной машины... Ника практически не пользовалась косметикой, а уж намалевать губы красной помадой просто не могло ей прийти в голову! Хотя теперь я уж и не знаю, что за идеи роились у нее в голове.

Я стала барабанить пальцами по рулю. Странно все это! Василий влетел в номер внезапно. Ему открыли дверь? Или Ярцев в злобе сломал ее? Так, пока не будем думать на эту тему, намного интереснее другое. Повторю, разгневанный муж вламывается в комнату, где жена предается незаконным утехам. С кем? Номер сняли на короткое время, чтобы покувыркаться в постели, но в милицейском протоколе нет ни слова о любовнике. Невероятно!

Представьте картину: Василий врывается в номер, накидывается на жену с молотком, а куда сбежал Казанова, который забавлялся с Терешкиной? Выходит, Ярцев орудует молотком, а парень спокойно одевается и уходит, никем не замеченный? Он не попытался защитить Нику, не кинулся останавливать Ярцева. Почему? Неизвестный мне представитель сильного пола — подлец? Или он женат — побоялся семейного скандала и поэтому трусливо улепетнул? В любом случае следует найти этого гада и задать ему пару вопросов.

Меня охватывало все более сильное беспокойство. Майя имени любовника не знает. Кто же может быть в курсе дела?

Я начала мысленно перебирать в уме общих знакомых. Нина Пугачева? С ней Ника рассорилась пару лет назад, и отношения их не возобновились. Ольга Вагантова? Маловероятно. Оля самозабвенно рожает детей, недавно произвела на свет пятого, она не стала бы покрывать неверную жену. Алена Машкова? Лариса Ковальчук? Нет, нет, обе жуткие болтушки, они не способны держать язык за зубами. Так к кому обратиться?

В боковое стекло постучали, я повернула голову и увидела парня в серо-синей форме.

— Ваши права и документы на машину, — сурово сказал он.

— Я ничего не сделала! — возмутилась я. — Стою на месте и не превышала скорость!

— Девушка, — мрачно перебил меня гаишник, — тут парковка запрещена.

— Правда? — усомнилась я.

— Охамел народ! — затянул милиционер, проглядывая бумаги. — Прямо под знаком устроилась, в двух шагах от поста.

— Простите, пожалуйста, я не видела вас, задумалась.

— Сегодня не заметили на дороге сотрудника ДПС, а завтра человека не приметите, — заявил сержант.

Я опустила взгляд. Из только что услышанной фразы можно сделать вывод, что сотрудник ДПС не человек!

— Как поступим? — игриво улыбнулся владелец полосатого жезла и принялся выразительно постукивать по ладони моими правами.

— У меня есть спецталон, — бойко ответила я и полезла за кошельком, чтобы вытащить оттуда пятьдесят рублей.

Нет, все-таки в старых «Жигулях» есть своя прелесть. Еще недавно я раскатывала по дороге в роскошном джипе, и штрафы приходилось платить космические, зато сейчас обойдусь скромной суммой.

— Так где ваш спецталон? — поторопил меня постовой.

Я растерянно обозрела пустые отделения портмоне.

— Ой, я забыла положить купюры! Здесь есть банкомат?

— За углом, около булочной.

— Сейчас сниму деньги с карточки. Подождите, пожалуйста.

— Ну давай, — согласился гаишник.

Я побежала вдоль здания, разыскала банкомат, воткнула в прорезь кредитку, услышала шуршание и расслабилась. Теперь, в эпоху компьютеров, жизнь стала намного проще. Кстати, и милиции легче, раньше оперативникам приходилось долго просить продавцов в магазинах, чтобы они описали внешность человека, укравшего шубу. Причем, как правило, восемь опрошенных давали восемь разных ответов. А нынче? Везде висят камеры слежения, а по кредитке, прошедшей через кассу, очень легко установить данные владельца и...

Я выхватила из банкомата купюры и помчалась к машине. Сколько раз убеждалась: все плохое случается с нами к лучшему. Не попадись мне на пути алчный гаишник, я не вспомнила бы про кредитку. Теперь появился шанс узнать фамилию любовника Ники — вдруг он расплачивался в отеле карточкой? Сейчас всучу гаишнику мзду и поеду туда, где погибла Ника.

Гостиница «Оноре» затерялась в маленьких кривых московских переулках. Вход в нее был столь незаметен, что я раз пять прошла мимо, пока наконец не увидела на стене небольшую латунную табличку с названием отеля. Еще секунда понадобилась, чтобы осознать: это именно то, что я ищу, поскольку вывеска была укреплена над лестницей, ведущей в подвал.

Спустившись по ступенькам, я толкнула дверь, поняла, что она заперта, и стала искать звонок. Последний в конце концов обнаружился... в полу — кнопку следовало нажимать ногой.

— Кто там? — прозвучало сбоку, едва я наступила на кнопку.

— Клиент, — обтекаемо ответила я.

— Имя, фамилия.

— Виола Тараканова.

— Вас нет в списках.

— Я не заказывала номер заранее.

— Свободных мест нет.

— Откройте, пожалуйста.

— Зачем?

Хороший вопрос для сотрудника гостиницы.

— Я хочу войти.

— Цель визита?

— Снять номер.

— Сказано, занято! Вот, блин! Чего лезть, если не пускают? — загремело из динамика.

— Подвиньтесь, — прочирикали сзади.

Я оглянулась. По лестнице спускалась колоритная парочка — девица с добела вытравленными волосами и не очень трезвый мужчина лет пятидесяти. Несмотря на теплую погоду, дама щеголяла в шубе, уверенно косящей под натуральную норку.

— Не пускают? Ща я их оживлю! — улыбнулась незнакомка и топнула по кнопке.

— Кто там? — ожило переговорное устройство.

— Лола. Че, не видишь? — гаркнула посетительница. — Морда косоглазая!

Щелкнул замок, я ринулась к открывшейся двери и очутилась в просторном помещении у стойки рецепшен.

— А вы чего вперлись? — невежливо спросила тетка в ярко-синем пиджаке. — Ну наглый народ!

— Будешь так с людьми разговаривать, вон вылетишь! — возмутилась Лола. — Лень работать, живи на пенсию.

— Лолонька, не о тебе речь, — залебезила портье, — иди, кисонька, отдыхай. Вам че надо?

— Вы Галина?

— Я?

— Вы.

— Сдурела? Меня совсем по-другому зовут, — побагровела баба.

— А где Галя?

— Кто?

— Администратор по фамилии Киселева.

— Не знаю такую.

— Она здесь работает.

— Не встречались с ней.

— Плохо верится в это. Наверное, вы сменяете коллегу, сдаете смену.

— Ничем ни с кем я не меняюсь! Номеров нет. Уходите!

— А для этой девушки нашелся, — решила я поспорить. — Она хоть и позже меня пришла, да ключик получила. И вообще за вами доска с номерками, судя по ней, в гостинице полно свободных комнат.

— Ну и хамы вокруг! — обозлилась дежурная. — Люди по делам ходют, командированные. Че им в номерах делать? Работать надо, вечером вернутся.

Я решила изменить тему.

— Вы очень верно заметили насчет службы, поэтому я и пришла.

— Почему? — насторожилась злыдня.

— Галя сказала, здесь свободная ставка имеется.

— Чего?

— Вроде вам служащая нужна.

— Она такое ляпнула?

— Ну да.

— Ох глаза ее бесстыжие, лапы вороватые! — зашипела дежурная. — Подсидеть меня решила! Ступай вон, нет местов, штатное расписание заполнено.

— Значит, вы вспомнили Галю, — констатировала я.

— Какую? — опять ринулась в бой дежурная.

— Ту, что вас подсидеть хотела, — заулыбалась я.

— Ах ты прилипала задастая! — взвизгнула баба, чем повергла меня в крайнее удивление.

Ладно, с определением прилипалы я еще согласна, всегда очень настойчиво иду к цели. Но задастая? Так мои сорок пять килограммов еще не называли.

— Че случилось, Надь? — прогрохотало из коридора, и в приемную ввалился здоровенный мужик в форме охранника.

— Услышал наконец! — завопила Надежда. — Дрыхнешь у телика? Всю ногу отдавила!

— Не, я лапшу ел, — простодушно объяснил секьюрити.

— Уведи эту! — ткнула в меня пальцем дежурная. — Русского языка не понимает и вроде пьяная.

— Не пахнет, — ответила гора в форме, потянув носом.

— Значит, обдолбанная, — без колебаний отрезала дежурная. — Займись, Петя, хватит языком чесать.

— Пойдемте вон, — нежно предложил мне Петр.

Я провела ладонью по отполированной стойке рецепшен и посмотрела на покрасневшую Надю.

— Как думаете, из чего ее сделали? Гранит? Или сталь?

— Дерьмо прессованное, — неожиданно ухмыльнулась дежурная, — пластик.

— Быстро его заменили, — протянула я, — никаких следов от молотка.

— Петя! — завизжала Надежда. — Убери ее!

Охранник сделал шаг.

— Уйду только с милицией! — заявила я. — Вызывайте наряд из отделения. Ничего плохого я не совершила!

— Сами расчудесно справимся, — прогудел Петр, ловко схватил меня и выкинул за дверь.

Я прислонилась к внешней ее стороне.

— Не маячь тут, — захрипел динамик над головой, — топай живо прочь!

Пришлось выйти на улицу и заняться аутотренингом. Попытка разузнать, что к чему, окончилась неудачей, но рано или поздно Галина явится на работу, и я ее непременно подстерегу.

— Че? Выперли? — спросил звонкий голосок — из подвала поднималась Лола.

— Да, — улыбнулась я. — А ты уже закончила с клиентом?

Лола поправила химические кудряшки.

— Шикарный вариант — только вошли, он завалился на кровать и задрых. Теперь я два часа свободна. Может, поесть?

— Я бы тоже от обеда не отказалась, вот только не знаю, где тут прилично кормят.

— У бабы Тани такой борщок! — бойко ответила Лола. — С ложкой проглотить можно. Двинули?

— Давай, — обрадовалась я. — Далеко топать?

— В соседний подъезд, — пояснила Лола.

— Вывески нет, — удивилась я, подходя к двери.

Спутница засмеялась. А потом вдруг стала странно крючить пальцы на правой руке.

— Тебе плохо? — насторожилась я.

— Память вечно отшибает, — пожаловалась Лола, — код запомнить не могу. Цифры в голове не держатся, а вот пальцы я знаю, как складывать. Ща! Оп-ля...

— Хто? — прохрипело из домофона.

— Баб Тань, открой.

— Ах вы б... надоедные, проститутки сволочные, шляетесь, кады хотите! Участкового позову, штоб вас подняло да разорвало! — завизжали из домофона.

— Ты уверена, что ресторан находится здесь? — ошарашенно поинтересовалась я у Лолы.

— Палец не так согнула, — фыркнула девица. — Если указательный чуть задрать, то к грымзе попадаешь. Ща еще разок!

— Кто там? — прожурчал тихий голосок.

— Мы, баб Тань, — обрадовалась Лола, — кушаньки охота.

— Поднимайся скорей, на стол накрываю, — явно обрадовалась хозяйка. — Поспеши, а то Юрик почти все пирожочки умял.

— Вот гад! — расстроилась Лола и втолкнула меня в темный, но очень чистый подъезд. — Шагай на третий этаж, лифт уже год не пашет.

В квартире, куда меня привела Лола, витали восхитительные ароматы.

— Лапки помойте! — прокричал кто-то из комнаты. — Розовое полотенчико на крючке используйте, белое на сушилке не троньте.

Мы послушно ополоснули руки и вошли в комнату, все пространство которой занимал длинный стол, застеленный клетчатой скатертью. Два стула оказались заняты, на них восседали парни в милицейской форме.

— Привет, — помахала им Лола.

— Здорово, — ответил один.

— М-м-м, — протянул второй.

— А ну, устраивайтесь, — приказала кругленькая, словно апельсин, старушка, входя в столовую.

Сходство с этим плодом ей придавала не только фигура, не имеющая никаких разделительных линий между грудью, талией и животом, но и цвет волос. Кудри бабы Тани были интенсивно-оранжевого цвета.

— Лолочка, кто это с тобой? — миролюбиво поинтересовалась бабуля, водружая на стол тарелки.

— Да так, — обтекаемо ответила Лола, — кушать хочет.

— Имя у тебя есть? — повернулась ко мне баба Таня.

— Виола, — ответила я.

— Вот и ладно, только обед без скидки, — сказала хозяйка. — Станешь постоянной клиенткой, получишь дисконт.

— Отлично, — согласилась я.

— Бульон с пирожками, котлета с гречей, кофе сладкий и ватрушка по желанию, — объявила баба Таня.

— Супер! — потерла руки Лола.

— Несу, — закивала хозяйка и глянула на мента. — Юра, ты сколько кулебяк слопал?

— Не считал, — признался парень. — Больно вкусные!

— Мне не жаль, — пожала плечами старуха, — только живот тебе скрутит, оставь лучше девочкам.

— Им нельзя, — хохотнул Юра, — товарный вид потеряют.

— Ешь спокойно, — одернул его товарищ, — времени нет на шуточки!

— Уж и похохмить нельзя, — загрустил Юра, вонзая зубы в очередной пирожок.

— Баб Тань, — пробасили из коридора, — с пивом пустишь?

— Нет, Андреич, — отозвалась хозяйка, — ты правила знаешь.

— Строга! — заявил мужчина, появляясь на пороге. — Всем здрассти, кого не видел. О, пирожочки! С мясом?

— Угу, — с набитым ртом кивнул Юра. — Вкуснотища бешеная!

Я искоса посматривала на присутствующих, баба Таня сновала туда-сюда, раздавая тарелки. И суп, и пирожки, и котлеты оказались выше всяких похвал, а в гречку хозяйка добавила жареный лук. Интересная компания подобралась в импровизированной столовой: проститутка Лола, два милиционера и Андреич, явный уголовник, с пальцами, украшенными наколотыми перстнями. Столкнись эти люди на улице, были бы врагами, а тут мирно обедают, словно дикие звери, которые соблюдают перемирие во время водопоя.

Глава 10

— Курить хочешь? — спросила Лола, слопав второе. — Я бы перед кофе подымила.

— Здесь? — удивилась я. — Прямо в квартире?

— Не, на лестнице, — уточнила девушка, вставая. — Правда, у бабы Тани вкусно?

— Замечательно, — согласилась я, идя за ней.

— Баба Таня в детсаде поварихой состояла, — усмехнулась Лола, чиркая зажигалкой, — поэтому ее иногда на манку глючит, но даже кашки у нее здорово получаются. Нам сегодня повезло, а то иной раз сесть негде. Сюда демонстрациями ходят — менты из отделения, девки с дороги, другой разный люд. Бабка всех пускает, добрая она, вот только со спиртным нельзя, и в долг не дает. Хоть обпросись, не отпустит. Кремень! Ты чего в гостиницу одна стучалась?

— С мужем поругалась, переночевать негде. Сидела в метро, пока мужик какой-то про «Оноре» не подсказал. Пообещал, что здесь задешево пустят.

— Идиот! — пожала плечами Лола. — Там дорого.

— Очень?

— Как в хороших звездах, — усмехнулась Лола. — Дерут с клиентов три шкуры.

— Странно. Место непрестижное, интерьер скромный, дежурная хамка. И кто за такой жуткий сервис большие деньги даст?

Лола раздавила о подоконник недокуренную сигарету и тут же вытащила из пачки новую, более толстую, смахивающую на папиросу.

— Хочешь косячком пыхнуть? — радушно предложила она.

— Спасибо, нет.

— А я расслаблюсь. В приличную гостиницу на два часа не пустят, и там горничных полно, дежурных всяких, носильщиков. Далеко не все умеют держать язык за зубами, — охотно объяснила Лола. — А в «Оноре» тишина! Только комнату надо заранее заказать. У Хачика своя система, абы кому не войти.

— У кого? — перебила я.

— Гостиница вроде как Маше Володиной принадлежит, только на самом деле ею Хачик владеет. Нас с клиентами всегда пускают, с каждого приведенного мужика процент начисляют. А вот остальные клиенты должны позвонить и предупредить: приедем вечером, выпишите пропуск.

— И каким образом люди об «Оноре» узнают?

— Один другому рассказал, тот третьему.

— Может, рекламу в газету дают?

— Она бабок стоит, а Хачик за пару копеек удавится.

— Есть бесплатные издания.

— Фиг с ними, — зевнула Лола, — мне неинтересно.

— Ты с Галей знакома? Портье из «Оноре».

— Конечно, — кивнула девушка. — А чего?

— Телефона ее не имеешь?

— Зачем он мне?

— Вдруг позвонить захочется.

— Чтобы я звякала Галке убогой? Ну уж нет! Мымра крымская. Заявилась в Москву из дыры какой-то, говорят, она из деревни голая приехала! Уж не знаю, кто ее к бабе Тане привел, а там Хачик мясо жрал. Вмиг деревенщина на парня кинулась, на все согласна оказалась. Хачик — он нормальный, хоть и жадный, да не русский мужик. Москвичи, сволочи, переспят и ноги о тебя вытрут, а Хач заботливый. Он Галю в гостиницу на рецепшен посадил. И она пальцы загнула — ё-моё, крутая! Недавно Настьку оборала, Стасу вмешиваться пришлось!

— Это кто?

— Стас? Наш сутенер. Точка у метро, там ларек с шаурмой, девки за палаткой кучкуются. Стасик по одной нас на дорогу выставляет. Но мы с Настькой на особом положении, в гостиницу ходим. Да только она исчезла. Пропали мои туфли и помада! Ну никогда б не подумала, что обманет. Классные лодочки были — черные, каблук в стразах, а мазилка жутко красная. Правда, фирмы «Шанель».

— Номер сто двадцать, — машинально добавила я, — цвета пожарной машины.

— Верно! — с изумлением ответила Лола. — Откуда ты знаешь?

— Не помнишь, как Настя была одета, когда ты

ее в последний раз видела? — спросила я, ощутив легкий озноб.

Лола прикусила нижнюю губу.

— Ну, мы в спецухе работаем, в смысле вещи для клиентов одни, а для нормальной жизни другие. У Настьки топик был, на завязках, юбка яркая, чулки цветные, вроде... э... темно-синие... или баклажановые... ну, типа, эротичные.

— Скажи, Настя лечила гонорею?

— У кого ж болячки не было? — философски заметила Лола. — Для такого случая Серега имеется, врач-гинеколог. Рядом практикует, умелец на все пальцы. Триппер задушить, аборт сварганить, спираль поставить. Мне Настька о болячках не докладывала, и я ей про свои тоже.

— Ловко организовано: баба Таня кормит, Сергей лечит...

— Такова жизнь. Надо к стае прибиваться, одна подохнешь, — грустно заметила Лола. — Стас хоть и урод, да базар хорошо разводит. Правда, случается иногда жопа в перьях. Вон зимой Аська пропала — села к клиенту в машину, и конец котенку.

— Сутенер спокойно отпускает девочек с мужчинами?

— У Стасика глаз-ватерпас, — хмыкнула Лола, — фейс-контроль с рентгеновскими лучами. Иногда такие расписные к точке подваливают, а Стасик руками разводит: «Без обид, пацаны, всех кур обтаптывают, заглядывайте в другой раз».

Я превратилась в слух. Неужели мне в голову пришло верное предположение?

Каким бы зорким ни был сутенер Стас, но и он порой совершал ошибки. Вот девочку Асю отпустил же с приятным дедушкой, восседавшим за рулем новеньких «Жигулей». Подумал, что решил старичок пенсию на «клубничку» потратить. И пропала Асенька. Обнаружили ее через две недели в таком виде, что даже у видавшего вида Стаса рвота началась. Правда, долго сутенер не горевал, взял новую девку и забыл Асю. Только Лола с Настей нет-нет да и вспоминали товарку. А еще проститутки решили подстраховаться: Лола стала носить в сумочке шокер в виде фонарика, а Настя сунула в косметичку банку с «витаминами», которые на самом деле являлись мощным снотворным.

— В случае чего растворю в водке и дам мужику выпить, — пояснила она Лоле.

— Ерунда, — покачала головой та, — вдруг он пить не станет или заподозрит неладное и по морде настучит? Шокер лучше.

За день до исчезновения Настя сломала каблук у туфель. Стас обозлился и велел:

— Купи новые.

— Не на что, — огрызнулась Настя. — Дай в долг, отработаю.

— А ху-ху не хо-хо? — взвизгнул сутенер. — Мне по барабану, где ты баретки возьмешь, но чтоб в восемь была готова! Иначе штрафану.

— Вот дерьмо! — расстроилась Настя и попросила Лолу: — Дай туфли поносить.

— На неделю, не больше, — предупредила подруга.

— Не вопрос, — обрадовалась товарка. — Вау, у тебя новая помада? Круто!

— Подарил один, — хмыкнула Лола. — Цвет парашный.

— Отдай мне!

— Не жирно ли?

— Ну пожалуйста, — стала упрашивать Настя, — тебе она не годится, а мне подойдет, я сегодня из тюбика спичкой остатки выковыривала, с деньгами пролетела, даже на пожрать не осталось.

— Фиг с тобой, — смилостивилась Лола, — держи, но потом купишь такой же фирмы, но темно-бордовую.

Настя подпрыгнула от радости, умчалась и... пропала. На работу она не вышла.

Через два дня Лола рискнула спросить у сутенера:

— А где Настя?

— Не твое дело! — завопил Стас. — Лучше клиентов обслуживай, а то отправишься к стоматологу передние зубы протезировать.

— И вы больше с Настей не виделись? — уточнила я у Лолы.

— Не-а, — покачала головой та. И тихо добавила: — Случается порой, пропадают девки. Пошли, кофе попьем.

— Шалавы убогие, опять курите? — донеслось с верхнего этажа. — Сколько раз говорено, не толкитесь на лестнице! Охота травиться, валите на улицу, дым ко мне в квартиру затягивает, задохнулась уже!

Лола задрала голову.

— Хорош бухтеть! Где мы и где твоя дверь? Не ври, Галка, лучше мужика заведи! Скандалы из-за недотраха устраиваешь!

Не успела проститутка захлопнуть рот, как сверху что-то полилось. Я заорала от неожиданности, вода — слава богу, чистая — окатила меня с головы до ног. Лола, успевшая отскочить в сторону, запричитала:

— Ну не сволочь ли? Поднимись и дай Галке в пятак! Вот тля неблагодарная... Баба Таня ее на житье и на работу пристроила, а эта кошка драная теперь старухиным клиентам гадит. Если не на сутках, на лестнице стоит и вон че устраивает.

Я перестала отряхиваться.

— Погоди, меня облила Галина?

— Ну да, — продолжала возмущаться Лола. — Сучара!

— Дежурная с рецепшен отеля «Оноре»? Она тут живет?

— Конечно, — ответила Лола. — Только же что

объяснила: ее бабка облагодетельствовала, во всем ей помогла. И че вышло? Себе обузу пригласила. Сначала, правда, Галка тихой была, а теперь разошлась — бабу Таню гнобит, не нравится ей, что к старухе люди ходят. Шумно ей, понимаешь! Встречала когда-нибудь таких уродок? Ей помогли...

— Спасибо, Лола! — я чуть не кинулась целовать собеседницу. — Ты права, пойду потребую от хамки ответа!

— Ты москвичка? — поинтересовалась Лола.

— Да, родилась в столице.

— Работаешь в приличном месте?

— В издательстве, — обтекаемо ответила я, не понимая, куда клонит собеседница.

— Значит, рули в ментовку! — азартно воскликнула Лола. — Катай заявление, ты все права имеешь. Люди в подъезде тебе спасибо скажут. Народ от Галки стонет, она даже детей шпыняет.

Я кивнула и стала подниматься по ступенькам, потом притормозила и попросила у Лолы:

— Можешь дать мне телефон Насти?

— А у меня его нет, — дернула плечом Лола, — мы только на точке общались, а так не дружили.

На площадке верхнего этажа никого не было, я позвонила в левую квартиру, оттуда высунулась девочка лет двенадцати, которая мигом разобралась в ситуации. Окинув меня взглядом, она затараторила:

— У бабы Тани ели? Покурить пошли, а Галка вас водой окатила, да? Вот сволочь! Она напротив живет. Вы ей вмажьте!

Я повернулась к двери, обитой красным, кое-где потертым дерматином, и ткнула пальцем в звонок.

— Че хулиганите? — заорали изнутри. — Пошли вон!

— Открывай, — сурово ответила я.

В ту же секунду скрипнули петли, и на пороге возникла стройная фигура в спортивном костюме.

— Тебе чего? — слегка сбавив тон, поинтересовалась Галина.

— Вы облили меня водой.

— А не фиг курить в подъезде!

— Дымила другая женщина, я просто шла мимо.

— Ну? — уже менее агрессивно протянула хозяйка.

— Теперь я вся мокрая.

— Не надо по лестнице шастать, — неуверенно сказала хамка и попыталась захлопнуть дверь.

Позволю себе маленькое отступление — для тех, кто не знает мою биографию. Мое детство и отрочество прошли во дворе, среди мальчишек и девчонок, выяснявших отношения в драках. Поэтому некоторые реакции у меня отработаны до автоматизма — голова еще только начинает соображать, а руки и ноги уже действуют.

Вот и сейчас я моментально поставила ступню на порог, потом схватилась за ручку и с силой дернула дверь на себя. Галина, не ожидавшая такого поведения от интеллигентной с виду женщины, невольно подалась вперед, и в этот момент я толкнула створку назад. Дверь стукнула грубиянку по лицу, Галя взвизгнула и схватилась руками за нос, а я, воспользовавшись ситуацией, вбежала в квартиру, живо закрыла дверь и сказала:

— Не повезло тебе! В отличие от слишком доброй бабы Тани и соседей-гастарбайтеров я коренная москвичка с мерзким характером. Вот сейчас вызову милицию, и пусть составляют протокол о хулиганстве. Посидишь пару недель в камере, подумаешь о своем поведении, больше не станешь безобразничать.

— Ах ты... — плаксиво простонала Галя. — Ударила меня по лицу!

— И пальцем не прикоснулась! Кто виноват, что ты о дверь стукнулась? — заявила я.

— Они на лестнице курят, — заныла Галина. — Вот, понюхай, как дымом несет! Окурки швыряют, галдят, днем и ночью шляются. Только спать ляжешь, а от лифта: гав, гав, гав...

— Дом старый, — мирно поддержала я разговор, — стены толстые. Где у тебя кровать стоит?

— В спальне, — Галина ткнула рукой в сторону темного коридора.

— Неужели посетители бабы Тани такой шум устраивают?

Галина схватила меня за руку.

— Не надо в милицию звонить, извините, я не хотела вас облить, в Лолку целилась, да промахнулась.

— Чем тебе девушка не угодила?

— Девушка... Ой, не могу! — Галя засмеялась. — Да она шлюха дешевая, две копейки ей цена. Если хотите знать, она меньше всех стоит.

— Настя дороже? — прищурилась я.

— Конечно, — администратор не заметила в запале подвоха. — Разве их сравнить можно? Настя красавица, даже кроссворды щелкает, а эта... И...

Она замолчала.

— Ты говори, говори, — ухмыльнулась я, — очень интересно. Может, разрешишь мне где-нибудь присесть? Вопросов у меня много, устанем стоять.

— Ты из ментовки, да? — сгорбилась Галя. — Я ничего не знаю! Не помню, не видела! На куски режь — слова не вымолвлю. В шоке нахожусь, мне требуется медицинская помощь!

— Успокойся, — вздохнула я.

Но Галина упорно мотала головой.

— Уходите, права не имеете без ордера вламываться. Хоть сто раз водой оболью, а квартира — неприкосновенная территория.

Я протянула хозяйке свою сумочку.

— Видишь?

— Что? — вздрогнула Галя.

— Дорогая вещь?

— Не дешевая, — согласилась она.

— И туфли у меня фирменные, а мобильный эксклюзивный. — То, что сотовый мне на день рождения подарила редактор Олеся Константиновна, я предусмотрительно не сказала.

— Хорошая труба, — одобрила собеседница, — у Хача похожая.

— Ну а теперь рассуди, может ли сотрудник милиции, простой оперативник, позволить себе такие дорогостоящие вещи?

Галина вздернула подбородок.

— Элементарно. Взятки хапаете! В «Оноре» участковый раз в месяц заявляется, деньги в конверте получает.

— Но он не демонстрирует материального благополучия, боится службы внутренней безопасности, а я, как видишь, никого не опасаюсь.

— Че те надо? — устало спросила Галя. — Ты ваще кто? Ладно, двигай по коридору.

Глава 11

— Не перебивай меня, — велела я, усаживаясь на кухне, — тогда быстро поймешь, в чем дело. Я очень хорошо знаю, что ты рассказала операм в день убийства клиентки отеля. В гостинице сняли комнату баба с мужиком. Не успела парочка устроиться, как в «Оноре» влетел разъяренный муж дамы. Кстати, как ты узнала, что прибыл законный супруг?

В глазах Галины мелькнула тень.

— Он орал жутко, мол, где жена, — поежилась она.

— А потом молотком по стойке рецепшен хрясь?

— Да, да, — быстро закивала врунья, — именно так!

— Ты перепугалась, не сразу нащупала тревожную кнопку... Ну а дальше понятно.

— Ужасно! — застонала Галина, обнимая себя за плечи. — Страшнее, чем в кино! Кровищи на полу море! Океан!

— Стой, стой, давай о другом поговорим. Знаешь, я была сегодня в «Оноре» и обратила внимание на интересную деталь — стойка-то рецепшен в полном порядке.

— Думаешь, раз на время комнаты сдают, то там должно быть грязно? — возмутилась администратор. — Наоборот, за чистотой больше, чем в пятизвездочном, смотрим. Знаешь, какие люди у нас бывают? Жаль, не имею права фамилии назвать.

— Ника Терешкина тоже из постоянных?

— Кто? — изобразила непонимание Галина.

— Женщина, которую убили, — терпеливо напомнила я. — Или ты забыла ее фамилию?

— Из головы вылетела, — кивнула Галя. — Нет, она впервые пришла.

— С улицы?

— Может, из метро. Или на такси прикатила.

— Она номер заранее заказала?

— Нет, нет, просто вошла.

Наглая ложь администраторши стала меня раздражать.

— Хватит врать! — приказала я. — Говорила уже: я побывала в «Оноре». Меня сначала не хотели впускать, моей фамилии не было в списке клиентов, а потом, когда я прорвалась внутрь, поняла: номер получить у вас невозможно. А ты обслужила невесть кого? По какой причине?

Галина умоляюще вытянула руки.

— Тише! Хачик уехал на пару дней, у него в Чучмекии семья — жена и фигова туча детей. Говорил, будто подался в Москву на заработки, но, похоже, врал. Ему в столице весело, бизнес идет, девки под рукой, со всеми перетрахался. Кстати, он не противный, меня на работу взял. Вот только жить где? Я за эту хату кучу бабок отваливаю. Ну я и воспользовалась отъездом Хача. Было несколько свободных номеров, я и пустила народ с улицы, думала — обойдется. Ночью номер отмою, белье в машине отстираю, а денежки в карман. Кто ж знал, что так получится? Тетка мне приличной показалась. У меня глаз наметанный, вмиг дерьмо от конфеты отличаю. Я решила: она с любовничком повеселится и усвистит. А тут он! С молотком!

— Стоп! Как выглядел спутник Ники?

— Кто?

— Мужчина.

— Вау! Волосы дыбом! Молоток в руке! Хрясь! Хрясь! — затвердила хорошо выученные слова Галина.

— Не об убийце речь. Опиши кавалера Терешкиной.

— А? — растерялась дежурная. — Ну... э... в костюме.

— Две руки, две ноги, одна голова? — издевательски спросила я.

— Точно!

— Лицо опиши.

— Глаза, нос, рот...

— Волосы?

— Не помню. Может, он был лысый? — изобразила недоумение Галина.

— Ну, спасибо, — кивнула я, — пора мне. Пойду в милицию, прямехонько к людям, которые делом Терешкиной занимаются.

— Зачем? — испугалась Галина.

— Объясню им, что ты врунья.

— Ей-богу, за всю жизнь слова неправды не сказала! — закрестилась лгунья.

— Дорогая, — снисходительно улыбнулась я, — если человек шарахнет молотком по рецепшен, пластик на куски развалится. А на стойке нет ни царапинки.

— Наверное, починили, — проблеяла Галя.

— Нет, твоя сменщица уверяет, что ремонта не делали.

Галина икнула.

— Не надо врать, — предостерегла я ее. — Когда Хачик уехал?

— Шестого, — прошептала портье.

— До убийства Ники, — констатировала я. — И кто замещал шефа?

— Я, — пролепетала Галя. — Он меня главной оставил.

— Хозяин вернулся?

— Пока нет.

— Значит, он не в курсе произошедшего?

— Я хотела сообщить, а у него сотовый отключен, — промямлила Галя. Затем разрыдалась, похоже, искренне. Во всяком случае, по щекам потекли настоящие слезы. — Не могу, — изредка всхлипывала она, — ой, не могу!

— Лучше сказать правду, а то совсем запуталась ты во лжи. Убили ведь не Нику? — напирала я.

Галя вскочила и забилась в щель между буфетом и плитой.

— Ты чего несешь?

— Терешкина никогда не носила вызывающей одежды, стойка рецепшен в идеальном состоянии, Настя пропала... Хочешь, расскажу, как обстояло дело?

Галина тихо сползла по стене, села на корточки и обхватила голову руками.

— Я могу ошибиться в деталях, — продолжала я, — тогда поправь. Ты придумала замечательный план, подготовилась по полной программе. Наверное, Хачик заблаговременно предупредил тебя об отъезде, поэтому ты отнесла объявление в бесплатную газету. Попросила, чтобы его опубликовали определенного числа. В принципе ты ничем не рисковала, посторонние в «Оноре» не появятся, дверь тщательно заперта. Поскольку убийство задумывалось днем, особого наплыва проституток быть не должно, они в основном работают вечером, раньше восьми никто из них не появится. А постоянных клиентов, тех, что приезжают на пару часов повеселиться, ты просто не пустила. Наверное, шептала в домофон: «Уходите скорей, у нас налоговая!» Ясное дело, люди живо убегали прочь, поэтому в «Оноре» никого не было. С охраной ты тоже управилась. Небось сказала парню: «Тихо сейчас, сходи к бабе Тане, пообедай». И ничего не подозревавший простодушный секьюрити утопал. Ну а затем ты убила Настю, изуродовала ее, бросила в комнате, куда через некоторое время вошел Василий. А теперь у меня к тебе несколько вопросов. Первый: где Ника? Второй: откуда ты знаешь Василия? Третий: зачем...

— Нет, нет, — застучала затылком по стене Галя, — все не так!

— Маленькие неточности можешь исправить, — милостиво разрешила я. — Хочешь изложить свою версию событий?

— Да, да, да, — зашептала хозяйка. — Я ни в чем не виновата!

— Лучше не начинай снова лгать. Я абсолютно уверена, что в «Оноре» погибла Настя, труп которой выдали за тело Терешкиной. Ника не могла иметь сексуальный контакт с двумя разными мужчинами за один день, она не носила в сумочке презервативы и не лечила гонорею. А вот для профессиональной проститутки это естественно. Ну, пой, птичка! — велела я.

Галина села на пол и вытянула ноги.

— А все бедность проклятая... — прошептала она. — Я приехала из села. У нас там жить нельзя — нет ни денег, ни мужиков стоящих. А я чем остальных хуже? Семью хочу, детей, заработок приличный...

Очутившись в столице, Галя быстро поняла: в большом городе еще хуже, чем в деревне. В крошечном местечке все знакомые и совсем с голоду не умрешь — на огороде картошка растет, огурцы, помидоры. А в Москве продукты покупать надо. Помаявшись некоторое время, Галина потихоньку начала устраивать свою жизнь. Познакомилась с Хачиком, получила место администратора и ощутила себя счастливой. В гостиницу приходило много мужчин, Галя надеялась найти среди клиентов себе мужа.

Год понадобился наивной провинциалке, чтобы понять: парни, которые проводят досуг с проститутками или снимают комнату для забав с временной любовницей, абсолютно не интересуются девушкой за стойкой. А еще у нее большая часть средств уходила на оплату съемной квартиры. От усталости и безденежья Галя стала очень злой, начала бросаться на соседей, устраивать скандалы. После очередной свары ей становилось на короткое время легче, но затем на нее снова наваливалась депрессия и пригибала к полу, в голову лезли мрачные мысли: похоже, ей, Гале, предстоит всю жизнь перебиваться грошовыми заработками и в конце концов, забыв про женское счастье, идти в загс со стариком, владельцем собственной квартиры. Тема жилплощади была больнее проблемы деторождения.

Некоторое время назад Володя, владелец двушки, которую снимает Галина, позвонил и сделал ей потрясающее предложение:

— Если поможешь мне в одном деле, оформлю на тебя квартиру, — пообещал он. — Согласна? Отвечай сразу. Если нет, найду другую бабу, более сговорчивую.

— Да! — закричала Галя. — Я за комнаты любого убить готова.

— Хорошо, — одобрил тот, — давай встретимся и обсудим детали.

«Стрелку» Володя назначил в кафе, на площади трех вокзалов. До сего момента Галина с хозяином не виделась — в его квартиру ей помогла вселиться баба Таня, которая хорошо знала Владимира и договорилась с ним лично. Первого числа каждого месяца Галина ходила в почтовое отделение и опускала в абонентский ящик конверт с деньгами, потом звонила по телефону и сообщала:

— Плата внессна.

Такой порядок устраивал и ее, и владельца квартиры. Володя, кстати, был милостив: пару раз Галя задержала деньги, но он агрессии не выказал.

— Ладно, — сказал он съемщице, — если сейчас бабок нет, потом сразу за два месяца внесешь.

Короче говоря, встретились они недавно. Володя оказался щуплым мужичонкой, ради солидности отпустившим усы и бороду. Собственно говоря, внешность его Галина разглядеть не сумела: на лоб хозяина свисала челка, нижнюю часть лица скрывала борода, а глаза — за очками с темными стеклами.

— Хочешь иметь квартиру? — без обиняков спросил он.

— Да! — выдохнула Галина.

— Тогда слушай, — велел он. — В оговоренный день ты сделаешь так, чтобы в «Оноре» никого не было: ни проституток, ни клиентов. Потом впустишь меня и уйдешь. Вернешься через два часа.

— И все? — поразилась Галя.

— Да.

— И получу за это квартиру?

— Непременно. Я оформлю дарственную.

— Не обманешь?

— Нет, — коротко рубанул Володя.

— Прямо не верится, — колебалась Галя.

Хозяин встал.

— Тогда прощай. Собирай вещи. Придется тебе переезжать — моя квартира пойдет платой за услугу!

— Согласна, согласна! — испугалась Галина. —

Но мне хочется иметь гарантии. Может, сначала жилплощадь переоформишь?

— Трус не играет в хоккей, — пожал плечами Владимир. — Либо ты доверяешь мне, либо катись ко всем чертям.

И Галина согласилась. Сначала ей показалось, что судьба вымостила ей дорогу к счастью. Все складывалось как по маслу. За пару дней до «операции» Хачик укатил на родину, и Галя осталась за главную. Постоянных клиентов она обзвонила накануне и сообщила:

— Простите, у нас будет проверка из санэпидемстанции, завтра мы не работаем, а через день в обычном режиме.

По поводу проституток Галина и не беспокоилась: раньше восьми девки никогда не являются, а Володя хотел провернуть дело днем.

Едва стрелки часов заняли нужную позицию, как Галя сказала охраннику:

— Миша, сегодня тишина у нас. Ты как? Не соскучился?

— Ага, — кивнул секьюрити. — В сон меня клонит, прям глаза закрываются!

Портье мысленно зааплодировала. Двадцать минут назад она угостила парня куском торта со снотворным, значит, лекарство начало действовать.

— Иди, приляг в дежурке, — заботливо предложила Галя.

— Не положено, — зевнул Миша.

— Ступай, ступай, — подтолкнула его она. — Хача нет, я за главную, разрешаю тебе. А потом ты меня прикроешь в какой-нибудь ситуации.

— Правда можно? — заколебался Миша. — А то меня с ног валит!

— Да, да, подремли часок, — захлопотала хитрюга. — Если понадобишься, я шумну.

— Лады, — согласился дурачок и завалился на боковую.

Администраторше осталось лишь впустить Володю и умотать самой.

Через два часа Галина вернулась, увидела за стойкой рецепшен Володю и спросила:

— Порядок?

— Не совсем, — мрачно ответил мужик. — Проблемка вышла.

— Какая? — испугалась она.

— Давай покажу.

Галя проследовала за своим благодетелем по коридору, вошла в номер и заорала. На полу в луже крови лежала женщина. Вместо лица у несчастной зияла кровавая рана...

— Господи, — тряслась сейчас Галя, — вид страшнее жути! Морды нет, руки в кровище, и кругом все красное!

— Дальше что? — поторопила ее я.

Галина встала и включила чайник.

— Володя мне сначала рот зажал, а потом говорит: «Влипли мы по полной программе, надо отмазываться». И тут звонок в дверь...

Галя чуть не скончалась от страха, а Володя рявкнул:

— Живо садись на рабочее место!

Администраторша плюхнулась в кресло, Владимир открыл дверь, в отель вошел слегка потрепанный мужичонка и спросил:

— Это гостиница?

— Да, — проблеяла Галя. И тут же добавила: — Мест нет, вам лучше уйти.

— Не подскажете, в каком номере Вероника Терешкина? — продолжал посетитель. — Она здесь, я знаю точно. И не уйду, пока с ней не побеседую!

— Айн момент! — бойко ответил Володя, подошел к стойке с ключами и заявил: — Пятая дверь по коридору налево.

— Огромное спасибо, — поблагодарил его посетитель и быстрым шагом двинулся в указанном направлении.

— С ума сошел? — зашептала Галина. — Там же труп!

— Это наш шанс! — блестя глазами, отмахнулся Владимир. — Значит, так! Кого он спрашивал?

— Веронику Терешкину, — промямлила портье.

— Шикарно! Запоминай: ты впустила парочку, мужчину и женщину, внешность их особо не разглядывала, выдала ключи и забыла про них. Через четверть часа сюда ворвался дядька с молотком и давай орать, скандалить. Бил молотком по рецепшен, требовал жену, побежал по коридору... В общем, он девку и прикокал из ревности!

— А-а-а! — полетел по коридору крик. — А-а-а-а!

— Здорово! — шепнул Володя. — Действуй и помни о квартире, теперь она точно твоя. Ну, не стой, буди охрану! Только сначала запри номер снаружи, чтобы этот идиот не сбежал.

Галя рванула по коридору, повернула ключ в скважине, растолкала Мишу и приволокла его на место преступления. «Убийца», вопреки ожиданиям Володи, даже не сделал попытки к бегству — стоял около тела на коленях, держал молоток, который, очевидно, снял с трупа, и, словно заведенный, повторял:

— Катя, прости... Катя, прости... Катя, опять! Опять! Опять...

— Катя? — удивилась я. — Не Ника? Ты точно помнишь?

Глава 12

— Какая Катя? — вытаращила глаза Галина. — Не было там Кать!

— Ты же только что сказала — мужик стоял у трупа и повторял: «Катя, прости!» — напомнила я.

— Ну... нет! — растерянно заморгала она.

— Ты упомянула Катю! — не успокаивалась я.

— Не, — помотала головой Галя, — наверное, я оговорилась. За полчаса до твоего прихода я с соседской девчонкой поругалась, из квартиры напротив. Маленькая сучка, а туда же, рожи мне корчит. Вот и заработала по первое число. Ее Катькой зовут, и спуталась я сейчас. Там Екатерин не было!

— Ладно. Что дальше?

— И в тот момент, — прижала руки к груди Галина, — снова звонок в дверь! Представляешь?

— Интересный у тебя денек получился, — кивнула я.

— Смотрю на экран домофона, — нервно продолжала администратор, — а у входа девка от Стаса. С мужиком! Никогда раньше восьми не приходили, а тут как назло.

— А ты бы им не открывала.

— Я и решила ее не пускать, — зачастила Галина, — а нахалка встала на звонок и стоит. Ну не дура ли? Пришлось ответить.

— И что ты сказала?

— Ну... точно не вспомню.

— Примерно, в общих чертах.

— Вроде что у нас тут ОМОН и чтобы шли в другое место.

— Думаю, хозяин тебе устроит хороший скандал после приезда, — хмыкнула я. — Клиентов распугала.

— Нет, — неожиданно усмехнулась Галина, — сутенер их около восьми пришел. Менты уже уехали, труп увезли, я комнату отмывала. Вперся в отель и давай гавкать: «Что за дела? У нас договор! Где моим комнаты искать?» Кулаками замахал. Ну я ему и выдала версию. Дескать, не ори, не до тебя, сплошной стрессняк — клиентку муж зарезал из ревности. Или ты хочешь, чтоб твоих девок допрашивали?

— Угу, — кивнула я. — И в милиции ты то же самое рассказывала?

— А меня не допрашивали.

— Вот интересно. Почему?

Галина положила ногу на ногу и откинулась на спинку стула.

— Володя в «ноль-два» позвонить велел. Я сделала, как он говорил. Когда я разбудила охранника, сказала ему: «Идиот! Разве можно так спать? Глянь, чего случилось! Теперь Хач тебя не просто с работы выпрет, а еще и на бабки поставит. Штраф выкатит размером с Останкинскую телебашню, пять лет бесплатно на хозяина пахать станешь и не расплатишься». Миша испугался и начал меня умолять: «Не знаю, как это получилось! Заснул по непонятной причине, прямо вырубило! Ты уж не говори Хачику!» Ну я и согласилась промолчать про его сиесту, только если он будет всем говорить, что мы вместе стояли у рецепшен, а потом ввалился мужик и давай орать: «Где моя жена?» и так далее. Миша все затвердил и как попугай ментам сообщил, что я ему велела.

— А ты что делала?

Галина пожала плечами.

— В комнате лежала, в шоке. Разве можно допрашивать бабу в истерике?

— Где находился Володя?

— Ушел давно, — вытаращила глаза Галя. — Еще до того, как я Мишку растолкала. Его вроде как в гостинице вообще не было. А я пока на службу не хожу, болею, у меня от нервного потрясения голос пропал.

— А здорово ты на лестнице орала, — не удержалась я от замечания. — Люди с поврежденными голосовыми связками именно в таком режиме визжат.

— Дым в квартиру тянет, — снова стала злиться Галина, — тут даже немой заговорит!

— Дай мне телефон Володи, — потребовала я.

— Пожалуйста, — с легкостью согласилась Галя. — Но у меня только мобильный, записывай...

— А где живет хозяин?

— Не знаю, — фыркнула администраторша.

— Ладно, — кивнула я. — Значит, все так удачно получилось. Василий признался в убийстве, ты заявила милиции, что погибшая — Вероника Терешкина, и все в это поверили... Просто песня. Одно к одному сложилось! Но вот вопрос: кто убил несчастную?

— Не я! — закричала Галя и захлопнула рот.

— В отеле никого, кроме тебя и Володи, не было, — напомнила я.

— Я ушла до прихода шалавы, — начала оправдываться Галина, — не видела ее. И зачем мне бабу убивать? Мы ваще не знакомы!

— А тебе не пришло в голову, зачем Владимир устроил спектакль? По какой причине ему требовалось остаться одному в гостинице.

— Нет, — замотала головой Галя. — Он мне квартиру обещал!

— Хорошо. А где же Ника?

— Кто? — слабым голосом поинтересовалась Галина.

— Куда подевалась Ника Терешкина? Что случилось с ней? Домой она не возвращалась. И похоже, ты знала, что она не придет. Зачем надо было выдавать Настю за Нику? Ты ведь в курсе, что похоронили Настю, но под именем Ники.

— Ничего я не знаю! — затрясла головой Галя. — И ничего плохого не делала! Это все Володя, его рук дело! Только он пропал. Я звоню ему каждый день по сто раз, а мобильный талдычит, мол, абонент находится вне зоны доступа.

Теперь понятно, по какой причине Галина столь охотно дала мне номер хозяина. Ладно, сейчас начну новый раунд и непременно загоню врунью в угол.

Интересно, ей и правда кажется, что рассказанная ею история похожа на подлинную?

Внезапно Галя вскочила и ринулась в прихожую. Не успела я глазом моргнуть, как она выбежала на лестницу и понеслась вниз по ступенькам.

— Галина, стой! — заорала я, бросаясь следом.

Если поставить меня на одну дистанцию с олимпийской чемпионкой Светланой Мастерковой, то я, конечно, безнадежно отстану от самой красивой блондинки российского спорта, но среди любителей не спасую. Однако сейчас я потерпела сокрушительное фиаско. У Галины словно выросли крылья за спиной. К тому же она великолепно знала проходные дворы. В тот момент, когда я выскочила из подъезда, лживой администраторши и след простыл. Скорей всего она поняла, что окончательно завралась, что концы с концами у нее не сходятся, в ее истории отовсюду торчат хвосты, вот и решила скрыться.

Я вернулась в подъезд, поднялась на верхний этаж, прикрыла дверь квартиры Галины и позвонила соседям. Высунулась знакомая девочка.

— Наподдали ей? — радостно поинтересовалась она.

— Да, Катюша, — улыбнулась я. — Не знаю, правда, надолго ли Галина испугалась.

— Меня зовут Наташей, — поправила она меня.

— Ты уверена? Не Катей?

Девочка захихикала.

— Конечно, уверена. Я — Наталья Краснова.

— А Галина тебя Катей называла. Может, спутала она? Или ты ей Катюшей представилась?

Школьница скорчила гримасу.

— В нашем подъезде никаких Кать нет. Я живу тут всегда, всех знаю. А Галина вечно обзывается. Столкнемся у двери, она непременно скажет: «Привет, Наташа-параша, снова двойки домой тянешь?» Я ей один раз ответила: «Нет, Галка-палка, как всегда, пятерки». Между прочим, я иду на золотую медаль. И кто ей разрешил людей парашей обзывать? И знаете, чего она сделала? Вечером к родителям моим приперлась и такого им наврала! Что я ее столкнула с лестницы, оскорбила, ударила, грозилась палкой убить. Хорошо, что мама не поверила.

— Скажи, солнышко, а в чьей квартире живет Галина? — поинтересовалась я.

— В пустой, — ответила Наташа. — Там люди умерли. Ой, а че еще было! Один раз я стою тут с приятелем, и выскакивает Галина. Увидела нас и заорала: «Эта врет! Всегда! По вечерам матери брешет про занятия, а сама на чердаке с парнями трахается!» Я только рот разинула, а она уже понеслась вниз.

Девочка шмыгнула носом и посмотрела на меня.

— Ни с кем я по чердакам не хожу, — выдавила она из себя. — Вот зачем она такое сказала? А Леша ей поверил, больше со мной не дружит.

— Успокойся, милая, — улыбнулась я. — Галина просто злой человек, а твой Леша дурак, раз повелся. Забудь о нем, еще встретишь отличного парня. Так кто хозяин квартиры, которую она снимает?

— Снимает? — удивилась Наташа. — Нет, Галина ее купила.

Настал мой черед изумляться.

— Кто тебе рассказал про куплю?

— Так сама же она, — пояснила Наташа. — Такой скандал закатила! С нами тогда еще папа жил.

— Сделай одолжение, расскажи поподробнее, — попросила я.

Наташа прислонилась к косяку.

— Родители мои развелись недавно. Папа маме изменил, некрасиво вышло. Я на маминой стороне осталась. Только жить нам все равно пришлось вместе, разменять квартиру не получалось, кому в коммуналку-то ехать охота. Мама постоянно отца ругала. Вообще-то правильно, мужчина не должен так себя вести, но папа никуда уходить не собирался. А однажды тетку приволок. Стоит с ней в прихожей, тут мама выходит, и понеслась склока. Мать вопит: «В приличный дом шлюху привел!» А отец ей в ответ: «Сама хороша! Мы в разводе, и на своей половине я что хочу, то и ворочу!» В общем, они драться начали, табуретками швырять.

— Весело, — покачала я головой.

Наташа хихикнула.

— Ну прям как дети! А тетка, что с папкой пришла, испугалась, дверь открыла и бежать. Мама ей вслед скамеечку шваркнула, что в прихожей стояла, и точно в дверь Галины угодила. Ба-бах! Скамейка в щепки, соседка выскочила. Ой, тут такое поднялось! Галина на маму с кулаками, та на нее, отец между ними прыгает, успокоить пытается.

— Представляю, — пробормотала я.

— Не, такое видеть надо, — протянула Наташа. — Круче цирка! В конце концов мама с папой Галку скрутили, а она как завизжит: «Думаете, это вам так обойдется? Ща в милицию сообщу!» Тут ей папка и выдал: «Молчи, коза, иначе в налоговую стукну, расскажу, что квартиру снимаешь незаконно!» А Галка покраснела и завизжала: «Иди скорей, идиот! Это моя жилплощадь! Честно приобретена, могу документы показать!» Из рук у них вывернулась и к себе — шмыг! Родители прям офигели. И потом мама у папы спросила: «Где ж она деньги взяла? В нашем доме квартиры бриллиантовые».

— Интересная информация. Спасибо, Наташенька, — сказала я.

— Пожалуйста, — вежливо отозвалась девочка.

Я попрощалась с подростком и медленно начала спускаться по лестнице. Следует позвонить в квартиру к бабе Тане и поговорить со старушкой. Вопросы в этой истории множатся быстрее, чем я успеваю найти на них ответы.

Я, конечно, понимаю, что бывают загадки, которые тяжело разгадать. Например, я до сих пор пытаюсь понять, почему в гостинице, про которую мне рассказывал Олег, каждый месяц происходит убийство. Более странной ситуации не встречала. Владелец отеля не скрывает от клиентов криминальную ситуацию, хотя обычно в гостиницах принято молчать об убийстве в одном из номеров. Но здесь, наоборот, постояльцы пытаются помочь нашей доблестной милиции. И ведь преступника находят! Но не наказывают! Наверное, Олег решил надо мной подшутить! Он меня разыграл!

Я позвонила в квартиру к бабе Тане.

— Кто там? — весело спросила старушка, распахивая дверь. — Погоди, ты ж вроде сегодня уже приходила?

— Проголодалась снова, — улыбнулась я.

Пенсионерка глянула косо.

— По твоему виду не скажешь, что ты много ешь.

— День сегодня такой, жую и жую.

Баба Таня посторонилась.

— Проходи. Только обед кончился, а ужин я еще не сварганила, у меня харч по часам: с двенадцати до четырех ланч, с шести до девяти ужин. В остальное время чай или кофе с булками. Сгодится ватрушка? Честно признаюсь, вчерашняя.

— С удовольствием съем даже прошлогоднюю! — воскликнула я.

— Руки помой, — усмехнулась старуха, — и за стол топай.

— Никого нет почему-то... — начала я разговор, получив тарелку с плюшкой.

— Так не время, — вздохнула баба Таня. — В пять редко кто забегает.

— Наверное, тяжело целый день готовить?

— Я привыкла, — пожала плечами старуха. — С юности у плиты, у меня стаж почти пятьдесят лет, а пенсию выработала копеечную. Спасибо, квартира большая, вот и пришло мне в голову столовую открыть.

— На вас налоговая инспекция не наезжает?

— Бог миловал, — перекрестилась бабуля. — Да и что они мне скажут? Я приятелей кормлю, гостей привечаю, а это законом не запрещено.

— Ну да, — согласилась я, жуя невероятно вкусную ватрушку. — Только очень трудно в вашем возрасте готовить. А продукты? Они сами домой не придут.

— На рынке договорилась, — пояснила баба Таня, — бартер у нас с Ахмедом. Его люди мне товар по оптовой цене приносят, а я их кормлю по себестоимости.

— И все равно лучше квартиру сдавать.

— Ну ты сказала! — всплеснула руками баба Таня. — А самой куда? Вон Алевтина из шестой жильцов пускает, насмотрелась я на ее мучения. Один мебель испортил, другой денег не заплатил, уехал, да еще телик спер. А у меня спокойно: есть рубли — есть обед, средств нет — до свиданья. В долг я не кормлю.

— Да, — сказала я, — хорошо Володе, он просто так доллары имеет!

— Ты о ком речь ведешь? — изумилась старуха. — Я одна живу, детей Господь не дал, муж давно помер.

— На этаж выше расположена Володина квартира, — приступила я к интересующей меня теме, — там теперь Галина живет.

— А-а-а, соседушка... — недобро протянула баба Таня. — Вот уж свезло нам — такая змеюка поселилась. Как Павловна на тот свет убралась, закрыли двушку. А потом Галина причапала, и житья не стало. Психованная женщина, соседей строит. Никогда у нас таких порядков не было, тут все свои. Кого с детства помню, кого с юности. Сейчас, правда, продавать хоромы начали. Они ж у нас не стандартные.

— Ни у кого я таких не видела, — польстила я, — потолки высокие, лепнина, двери дубовые, комнаты большие.

— И кухни просторные, и санузлы раздельные, — закивала баба Таня. — Никогда коммуналок тут не было. Хорошее место. Знаешь, когда построили?

— Сразу после войны? — предположила я.

— Нет, в начале сороковых. Меня сюда ребенком привезли, младенцем в пеленочках. И так всю жизнь на одном месте, — подперла подбородок кулаком старуха.

— А Володя куда подался, не знаете?

— Да про какого Володю ты талдычишь? — вновь изумилась баба Таня.

— Про хозяина квартиры, где Галина живет. Он ей комнаты сдал, а сам уехал.

— Нет здесь никаких Володь, — отчеканила пенсионерка. — На том этаже Лостриновы да Савичевы жили. Ирина с мужем развелась, Толик в конце концов съехал, оставил площадь бывшей и дочери. И правильно, квартира Иркина, от родителей ей досталась, Толик в нее примаком пришел. А Савичевы умерли, последней Павловна убралась. Уж как она уезжать не хотела! Плакала навзрыд!

— Погодите, — остановила я хозяйку. — Как уехала? Она разве не скончалась?

— Преставилась, царствие ей небесное, — подтвердила баба Таня, — да только не тут, а в больнице. Павловне плохо стало ночью. Так скрутило ее, что она едва к Ирке доползла, к соседке. Та перепугалась и «Скорую» вызвала. Врачи прикатили, Павловну на носилки и в машину. Толик Лостринов, он тогда еще тут жил, да Рома Петренко со второго этажа помогали, они ее несли. Тащат Павловну, а та кричит: «Не троньте, оставьте, хочу дома умереть, на своей кровати». Ох, как мне ее жалко стало! Еще тогда подумала: меня-то кто похоронит? Тоже ведь одна. Всех пережила!

Глава 13

— Павловна назад не вернулась, — продолжала баба Таня. — Мы ей деньги на гроб собирали, по подъезду ходили с шапкой. Народ накидал хорошо, хватило даже на помин души. Во дворе стол накрыли. Лето, тепло было. Во как! Квартиру закрыли. А потом — здрассти, Галина поселилась.

С первого дня новая жиличка стала показывать дурной характер. Не успела въехать, как взялась за курильщиков. Сначала прошлась по этажам и выбросила банки из-под растворимого кофе, которые жильцы использовали в качестве пепельниц. Очевидно, баба обладала обонянием, которому могли позавидовать беременные кошки, — едва кто-то чиркал зажигалкой в подъезде, как Галина распахивала дверь и начинала орать. Еще больше, чем курильщиков, новая жиличка ненавидела собак.

— Топчут грязь, — плевалась Галина огнем при виде крошечной болонки из десятой квартиры, — на ступеньках гадят.

— Я ее на руках ношу, — попыталась вразумить скандалистку хозяйка декоративного животного.

— Значит, на весу ссытся! — не дрогнула новенькая. — Чтоб ей сдохнуть!

Но самую яростную ненависть у Галины вызывали посетители столовой. Один раз соседка вломилась в квартиру к бабе Тане и завизжала:

— Устроила бардак! Бери ведро и мой за ними! Нагваздали в парадном!

Старуха растерялась, но тут, на ее счастье, похарчиться пришли ребята из местного отделения милиции. Они живо подхватили Галину, увели ее наверх и провели с ней беседу. После этого разговора Андрей, участковый, грустно сказал:

— Баба Таня, ничего поделать нельзя. Она прописана в квартире на законных основаниях.

— Купила ее? — расстроилась старуха. — Вот уж повезло нам!

— Нет, — объяснил Андрей, — по дарственной ее получила. Павловна ей фатерку подарила. Галина за ней перед смертью ухаживала, вот Савичева и решила ее отблагодарить. Наследников-то у нее не было. Так часто одинокие старики поступают — дарят площадь хорошим людям, а те за их могилкой следят.

— Нашла хорошую женщину! — возмутилась баба Таня. — И что-то я Галину тут раньше не встречала. Когда она успела за Павловной поухаживать? Если уж кто помогал старушке, так это Ирка Лостринова — вечно ей продукты таскала. Чего она Ирке собственность не отписала?

— Не знаю, — ответил Андрей, — но документы в полном порядке. Галина служила в нотариальной конторе, закон почище адвоката знает.

— Тю! — подскочила баба Таня. — Врет все! Она у Хачика в гостинице на рецепшен сидит.

— Верно, — согласился участковый, — уволилась с прежнего места, перешла поближе к жилью. Небось надоело в переполненном метро кататься, удобнее просто в подвал спуститься. Мы ее строго предупредили: в чужие квартиры вламываться нельзя, и она испугалась. А вот запретить ей орать на лестнице никак не получится. Если только она прямые хулиганские действия осуществит, тогда можно ее в обезьянник замести.

С тех пор Галина стала вести себя хитро. Она больше не колотила в дверь к бабе Тане, зато тем, кто дымил на лестнице, доставалось по полной программе. Например, Галя могла вылить на курильщика воду. Когда она проделала такой финт впервые, мокрый с головы до ног сосед вызвал милицию, а Галина разыграла перед ментами натуральное представление.

— Я? — изумленно моргала она. — Окатила Сергея? И в уме такого не имела! Вышла с помойкой, вижу, дымок поднимается, испугалась, что пожар начинается, и живенько чайник выплеснула. Огня боюсь, ужас! Разве на лестнице курят? Это запрещено! Я и подумать не могла, что сосед нарушает инструкцию!

Ментам оставалось лишь отчитать Галину, что они и сделали. А склочница стала еще осторожней, теперь она сосредоточилась только на посетителях столовой. Выльет на них кружку и закрывается в квартире.

— Психованная, без мужика бесится, — резюмировала баба Таня. — Может, найдется какой любитель, тогда она и притихнет. Парни без женщин совершают глупости, а бабы без мужиков творят гадости.

— Лола говорила, что вы Галину и в гостиницу, и в дом пристроили, — протянула я.

— С чего ей такая ерунда в башку влетела? — удивилась пенсионерка. — Нет, конечно. И откуда люди сплетни берут? Вот помириться с ней я хотела. Однажды в гости пришла и предложила: давай жить по-человечески, отродясь в нашем подъезде не собачились, уймись! Лучше по-хорошему: приходи обедать, по себестоимости угощу. А она мне в ответ: «Охота дерьмо жрать! Знаю, знаю, из тухлых кур бульон варишь. Навалишь в него перца и за свежий суп выдаешь».

— Очень милая дама!

— Гадюка и та ласковей, — закивала баба Таня.

— Значит, никакого Володи в той квартире не было, — подвела я итог.

Старуха помотала головой.

— Не было! Савичевы жили. Дед с бабкой, сын их с невесткой, и все. Никого не осталось. Я здесь с рождения, восьмой десяток землю топчу, но ни памяти, ни ума не растеряла. Хочешь, про дом расскажу? В подвале, где теперь отель, раньше квартира была, в ней тоже жили. Фамилия очень смешная у жильцов — Фупытко. Так их давно никого нет. А фундамент Хачик выкупил и ремонт забабахал. И что интересно, дочка Фупытко, Анька, замуж выскочила за...

— И Галина не из деревни, — перебила я старуху, — служила в нотариальной конторе.

— Так участковый сказал, — подтвердила пенсионерка. — Он у нас серьезный, не болтун.

— Спасибо, баба Таня, — встала я из-за стола, — очень вкусная ватрушка.

— Вчерашняя, — напомнила старуха, — весь аромат потеряла.

— Все равно замечательная.

— Так я про Фупытко договорю... — свернула на прежнюю стезю бабуля.

— Уж извините, мне бежать пора, — остановила я разболтавшуюся пенсионерку.

— Эх, молодежь... — посетовала баба Таня. — Одно слово — торопыги. Заходи еще перекусить. Завтра картошки нажарю, с луком.

— Непременно загляну, — пообещала я и вышла на улицу.

Свернула налево, увидела впереди небольшой скверик и села на скамеечку, где беседовали две женщины лет тридцати.

— Представляешь, — громко вещала одна, — пишу вчера мужу сообщение на телефон: «Милый, у нас годовщина свадьбы. Купи пиццу, вина, устроим ужин».

— А он чего? — заинтересовалась подруга.

— Через минуту ответ присылает: «Целую».

— А ты чего?

— Сначала ему написала: «И я тебя сто раз целую», потом в ванную побежала, душ приняла, голову накрутила. Ну, думаю, раз он такой нежный, с поцелуями, то... Сама понимаешь!

— Хи-хи-хи, — донеслось в ответ. — Дальше чего было?

— Вернулась я в комнату, выбираю платье и вижу, что на мобилу сообщение пришло, читаю... Ну тебе, Ленка, никогда не догадаться, че мне Игорь прислал!

— «Обожаю, куплю шубу»? — предположила Лена.

— Ага, две норки.

— Ой, супер! — хлопала в ладоши подруга. — Везет тебе, Люсь!

— Да не было там ничего подобного, — огрызнулась Люся. — Совсем другой текст: «Я не про поцелуи. Спрашивал, целую пиццу покупать? Мы ж ее вдвоем не съедим, возьму половину».

Я, став невольной слушательницей слишком громкой чужой беседы, судорожно закашлялась, а Лена растерянно протянула:

— Не пойму, что произошло-то.

— Ничего особенного, — грустно ответила рассказчица. — Я решила, что он написал: «Целу́ю», в смысле чмок-чмок, а он, оказывается, про пиццу спрашивал: «Це́лую?» Надо было знак вопроса поставить, а Игорь про него забыл.

— Мы бабы дуры, — сказала подружка, — нам все любви охота.

— И не говори, — вздохнула Люся. — Так половину пиццы и припер. Еще скандал мне устроил, мол, зарплата через неделю, какие рестораны.

— Козел! — в сердцах воскликнула Лена. — Куда настоящие мужики подевались?

— Вымерли, — подытожила Люся. — Ну, а я ему показательный скандал устроила: пиццу об пол, ногой сверху и покричала от души. Теперь накрепко запомнит, как годовщину свадьбы отмечать надо.

Я закрыла глаза. Каждый народ достоин своего вождя, а каждая жена — своего мужа. Не следует уничтожать коробки с итальянским фаст-фудом, надо действовать иными методами. Но, увы, большинство женщин любит поскандалить. Некоторые умеют вовремя остановиться, другие, как Галина, теряют тормоза и нападают на окружающих.

Что же полезного я узнала? Похоже, в отеле погибла не Ника, а проститутка Настя. Теперь вопросы. Кто ее убил? Почему? Если в гробу было тело Насти, где сейчас Ника? Какова роль Терешкиной в произошедшей истории? Или все же убита моя подруга? Тогда почему на ней оказалась одежда Насти, а в сумочке презервативы? Стоп, косметичка скорей всего Настина. Значит, «бабочка» заходила в отель и оставила там свои шмотки. А куда делись вещи Ники? Их надела Настя! С какой целью? Минуточку, эксперт определенно сообщил: погибшая незадолго до смерти имела связь с двумя мужчинами, и она лечила венерическое заболевание. Следовательно, убита все-таки Настя. Так где же Ника? И все эти похороны, поминки... У Терешкиной есть дочь, мать никогда бы не стала доставлять Вере столько страшных переживаний. Или Ника предупредила ее о предстоящем спектакле?

Внезапно мне вспомнилось лицо Верочки, ее полубезумные глаза, слова, которыми девушка приветствовала всех на похоронах.

Нет, такое не сыграть даже супергениальной актрисе. Но если Ника жива, то по какой причине она прячется? От кого? Терешкина просила меня заменить ее на неделю в гимназии, хотела весело провести время с любовником в Дубае. Но осталась в Москве и звонила мне в момент, когда Вася напал на нее с молотком? Так, так... Она собралась в отпуск, решила пережить приключение. Пресная жизнь с Василием ей надоела, душа просила новых впечатлений, и тут подвернулся любовник. Кто он? Я не знаю имени мужчины, Майя Филипенко тоже в растерянности. Может быть, таинственный незнакомец настолько запал в душу Нике, что она решила убежать от Василия? Тогда объяснима пропажа талисмана, тигренка Ларсика. Ника не выносила его из дома, но, собравшись покинуть квартиру навсегда, прихватила бесценную для себя и не нужную никому другому вещь. Кстати, о вещах!

Я вытащила мобильный и набрала домашний номер Терешкиной.

— Алло, — сказал щемяще знакомый голос.

— Ника! — ахнула я. — Боже!

— Это Вера, — мрачно поправила девушка.

— Прости, — прошептала я.

— Мама умерла, — с вызовом произнесла Вера. — А вы кто?

— Виола Тараканова. Извини, но ваши голоса так похожи, — стала оправдываться я, с трудом приходя в себя от шока. — Скажи, Верочка, у вас вещи не пропадали?

— Какие?

— Всякие. Может, что-то из квартиры исчезло?

— Брать у нас нечего, — с легким пренебрежением заявила Вера. — Телик допотопный, холодильник во времена неандертальцев собран, компа нет.

— Я про одежду. Ты не проверяла мамин шкаф? Прости, конечно, за вопрос.

— Не-а. Сразу для похорон ей костюм выбрала, он у нее один приличный, остальное старье.

— Может, шуба испарилась? — цеплялась я за последнюю надежду, понимая, что она тает, как кусок льда на горячей сковородке.

— А вы почему интересуетесь? — напряглась Вера.

— Да понимаешь... Я случайно увидела... на одной нашей общей знакомой... э... э... шубу. Как у Ники. Ну и подумала... вдруг...

Я сказала и обалдела. На улице май, ложь про манто в самый раз.

— Это ошибка, — буркнула Вера, — мамина цигейка на месте, в мешок от моли упрятана. Извините, я устала, спать хочу.

Я положила трубку на колени. Маловероятно, что Ника унесла шмотки с собой. Вера бы их исчезновение заметила и удивилась. Значит, моя подруга ушла в чем была, прихватив только Ларсика. Или его взял другой человек. Кто? Кому нужна замусоленная игрушка, реликвия бабушки Греты, подарок дедушки Микласа, заслуженного железнодорожника? Это не драгоценности, не уникальная картина, а жуткая поделка, ценная лишь для Ники.

Так кого убили в отеле? Кто? Если погибла проститутка, то где Ника? И если подруга жива, то зачем она звонила мне с воплем «Убивают!»?

Сообразив, что хожу по замкнутому кругу, я снова взяла телефон и позвонила Филипенко.

— Здравствуйте, сейчас не могу ответить на ваш звонок, оставьте сообщение после гудка, — ответил автоответчик ее голосом.

— Майя, срочно соединись со мной. Виола Тараканова, — сказала я и стала рассматривать народ, бегущий по тротуарам.

— Глаза б мои их не видели! — проскрипело сбоку.

Я повернула голову. Упоенно ругавшие мужчин женщины незаметно ушли, на освободившуюся часть скамейки сел дед в белой панаме.

— Разврат, — прокряхтел он, — гадость.

— Вы ко мне обращаетесь?

— Еще кого-то тут видишь? — агрессивно отреагировал дед.

— Людей много, — улыбнулась я.

— Сама, значит, из таких, — брызгал слюной старикашка.

— Из каких? — изумилась я.

— Одна сидишь!

— Разве нельзя?

— Приличная девка без сопровождения не ходит, — авторитетно заявил дед. — Не прикидывайся, я отлично знаю, чем вы тут, гулящие, занимаетесь! Все вижу! Одна отбывает, он вторую выталкивает. Во театр-спектакль!

Морщинистая ладонь, покрытая мелкой россыпью пигментных пятен, ткнула в сторону проспекта. Я прищурилась. Около разноцветной будки с надписью «Пирожки и блинчики» стояла девчонка, облаченная в кожаную юбчонку и крохотный топик с блестками.

— Тьфу! — сплюнул старик. — Во, машина подъехала. — Возле проститутки действительно притормозила неновая иномарка. — Договариваются, — сопел дедок. — Каждый день одно и то же, противно глядеть! Мужиков обслуживают. А вона главный шкандыбает, брюки на коленях болтаются. Попался б он мне лет пятьдесят назад. Расстрелять! Без суда! На площади!

Я вскочила и, не обращая внимания на гневающегося пенсионера, пошла к точке, где собрались ночные бабочки, увидев среди них знакомую фигуру.

— Эй! — удивленно закричала Лола. — Че ты тут делаешь?

— Скажи, вон тот парень с усиками — Стас?

— Ага, — закивала Лола.

— Попроси его со мной поговорить.

— На работу устроиться решила? — на полном серьезе поинтересовалась Лола. — Не возьмет. Старая ты.

На мгновение я обиделась. Между прочим, я хорошо выгляжу, еще вполне могу понравиться мужчине.

— Стас! — заорала Лола.

— Чего? — обернулся парень. — Опять в туалет? Хватит! Терпи!

— К тебе женщина пришла!

— Где? — завертел головой сутенер.

Я помахала рукой.

— Привет.

— Ну здорово, — сурово отреагировал Стас.

— Можно вас на минуточку?

— Зачем?

— Ничего плохого. Видите вон там лоток с книгами?

— Это не мой, — сплюнул Стас, — я девками занимаюсь, по торговле остальным Махмуд. Ступай к метро, он там в шашлычной сидит, с ним и толкуй.

— Мне вы нужны. Пойдемте к книгам.

— На фига они мне сдались? — загудел Стас, но все же сделал пару шагов влево.

Я схватила один из своих детективов.

— Видите?

— Ты психованная? — испугался Стас.

— Автор Арина Виолова. Теперь на фото посмотрите.

— И че?

— Это я!

Глава 14

Глаза сутенера изучили снимок.

— Малость похожа, — с некоторым сомнением протянул он. — Прическа лучше и губы больше.

— Компьютером внешность поправили, — согласилась я.

— Так вы писательница! — осенило Стаса.

Я закивала.

— И че вам от меня надо? — заинтересовался сутенер.

— Понимаете, — смущенно пробормотала я, — я совершенно ничего не знаю о вашем бизнесе, а по ходу книги главная героиня становится, как бы поделикатней выразиться... э... цветком шоссе. Не могли бы вы рассказать некие подробности, ввести меня, так сказать, в курс дела...

Стас заморгал, потом хлопнул себя руками по бедрам.

— Че? Книгу про нас нацарапать хотите?

— Не весь роман, — затараторила я, — но одна из героинь оказывается на дороге, обслуживает клиентов.

— И мое имя назовете?

— Нет, конечно, зачем же...

— Лучше напишите, — перебил сутенер. — И укажите честно: Стас о своих заботится. У нас не как у других: если заболела, силком не вытащу, бить не стану, мирно дела решаем. Девки моей спиной прикрыты. Кто разборки улаживает? Стас! Коллектив хороший, помогаем друг другу. Вон, видите, Люся...

— Черненькая, в розовой кофточке?

— Ага, — подтвердил сутенер. — Муж у ней заболел, пакость какая-то с ногами. Так постоянный клиент ей помог, да не ее, а Лолы. Девки всех опросили, нашли врача...

— Что значит муж? — изумилась я.

— Че, первый раз про штамп в паспорте слышите? — заржал Стас. — Муж, он и есть муж!

— Люся имеет супруга?

— Ну...

— Вот странность!

— Почему?

— Она ведь проститутка.

— Жизнь нынче такая, на одну зарплату не проживешь, надо деньги добывать, — пустился в объяснения Стас. — Дорого все, а Люська квартиру хочет, они с мужиком хрен знает откуда приехали. Он у Махмуда пивом торгует, она на точке. Нормально. Говорю же, тут коллектив! Других послушаешь — ужас. На Алиску гляньте. Вон она, в зеленом. Раньше с Хасаном работала, на Ленинградке, еле ноги унесла. Чума! Через день на субботник ставил, после аборта сразу на дорогу погнал. У нас не так. Социальный пакет.

— И много девушек под вашим началом?

— Есть народ, не жалуюсь, — обтекаемо ответил Стас.

— Москвички?

— Кто откуда, полная география, — затряс головой сутенер. — Многие в люди вышли, могу примеры привести. Карина бизнесменшей стала, палатку купила — сникерсы-шмикерсы-хреникерсы... Маришка в кино снимается!

— Да ну? — поразилась я.

— Звезда! — гордо подтвердил Стас. — Хотите посмотреть? Могу принести. Недавно вышла лента, называется «Развратная невеста». Крутая вещь, нарасхват идет.

— Огромное спасибо, — ответила я, — у меня глаза побаливают, врач велел зрение не напрягать.

— Светка квартиру купила, — продолжал Стас, — и мебель в ней поставила.

— Значит, с вашими девушками ничего дурного не случается?

— Не, я слежу внимательно.

— Ни одна не погибла?

— Ленка под машину попала, — признался сутенер. — Но она сама виновата — набухалась и на шоссе выскочила, несчастный случай. А так — все живы-здоровы.

— Все?

— Ага.

— И Настя?

— Это кто такая? — совершенно искренне удивился Стас.

— В вашей сплоченной команде не было девушки с таким именем?

— Настя?

— Да.

— Анастасия?

— Точно, — терпеливо кивала я.

— Не, — протянул Стас, — Лида, Лола, Ирка, Ленка... Никаких Настен. А че вы про нее спрашиваете?

— Тут неподалеку есть гостиница, называется «Оноре», слышали про такую?

Стас заморгал, затем нарочито спокойно ответил:

— Ага. Одно время мы пользовались их номерами. Только хозяин оборзел, цену заломил ого-го, и я решил уйти оттуда.

— Куда?

— Здесь, рядышком, — неопределенно махнул рукой сутенер. — Аренда дешевая, условия лучше.

— Хочу посоветоваться с вами по поводу сюжета будущей книги.

— Давайте, — оживился парень.

— Одна проститутка идет с клиентом в отель, а ее там убивают. Подобное возможно?

— Да скока угодно! — скривился Стас. — Мужик из братков попался, а девка плохо его обслужила. Только вы напишите: на нашей точке такого не случается, я отмороженных вежливо отсеиваю, чутье на психованных имею.

— Ситуация разворачивается днем.

— Ну и че?

— Вы же обычно вечером выходите.

— Это на точку, — пояснил Стас, — на шоссе постоять. А есть постоянные клиенты. Они мой телефончик знают, звякнут и имеют девочку в любой момент.

— Девушки одни и те же? На дороге и по заказу?

Стас поскреб затылок, потом ткнул пальцем в стайку ярко разодетых проституток:

— Вон те — дешевки. А которые заказные — дорогие, им цена другая. А еще напишите: я подарки не отымаю. Заплатили по прейскуранту, остальное не мое. Клиент голду навесил или в карман лавэ напихал, отгрызать не стану.

— Благородно.

— Он один такой! — воскликнула стоявшая невдалеке хрупкая блондиночка, обсыпанная пудрой с блестками. — Стасик классный!

— Лучше заткнись, Лидка, — беззлобно приказал хозяин.

— Настя дома сидит? — вновь решила я свернуть на интересующую меня тему.

Парень вынул сигареты, и тут над дорогой полетел крик:

— Стас! Романовские подвалили!

Сутенер швырнул на проспект так и не закуренную сигарету.

— Суки! Ща разберемся. Вы спокойненько стойте, не лезьте!

Я послушно замерла у будки со всякой мелочью, а Стас решительно зашагал в сторону двух тонированных иномарок.

— Тетя, — прошептали сбоку, — дашь сто евриков?

Из-под откидного прилавка выглядывала девочка, с виду лет десяти.

— Ты кто? — спросила я. — Ну напугала, прямо Франкенштейн какой-то!

— Алиска, не пихайся, — прошептала малышка и повторила: — Дашь сто евриков?

— У меня с собой столько нет, — я попыталась отделаться от попрошайки, но та вылезла наружу и довольно громко сказала:

— Дай сто евриков! — А потом еле слышно пролепетала: — Я знаю Настю.

Я схватилась за сумочку.

— Не здесь, тетя, — предостерегла девочка. — Стас увидит и отымет. У метро дом стоит серый, во дворе площадка с качелями, туда беги.

— Эй, зараза, с кем баки заливаешь? — гаркнули из палатки.

— Тетка тут дорогу спрашивает, — прозвенела в

ответ девочка. И одними губами добавила: — На качелях!

— На кого фуфырло растопырил? — понеслось над проспектом. — Ваще, блин, крутой? Чтоб у тебя на пятке ... вырос, захочешь ссать, ботинок снимаешь!

— Базар не гони, твоя сиделка у выхода!

— Захлопнись, недоделок, закатывай пульки и на кучу!

Скандал явно набирал обороты, сутенер, забыв о писательнице, решившей взять у него интервью, полез в драку, девки завизжали, от ларьков, сдергивая с себя кожаные, слишком теплые для сегодняшнего вечера куртки, побежали черноволосые парни, из иномарок посыпались кряжистые мужики. Локальный конфликт перерастал в масштабную войну. Я быстро завернула за палатку и поспешила к метро. Если Стас и вспомнит про глуповатую литераторшу, то он совершенно не будет удивлен ее исчезновением. Мало кто из женщин захочет оказаться в эпицентре бандитской разборки.

На площадке обнаружилось двое детей, остальных родители давно увели домой, и сейчас они мирно ужинали, глядя мультики. Но парочке, сидевшей на качелях, никто не сварил кашу. Впрочем, их явно давно не водили в душ и не покупали им новую одежду. На девочке красовалось слишком большое платье, а мальчуган щеголял в замасленном комбинезоне.

— Ну привет! — весело сказала я. — Как вас зовут? Надо же, быстрее меня добежали. Наверное, все проходные дворы знаете.

— Давай сто евриков! — потребовала девочка.

— Я Виола, а ты?

— Давай сто евриков!

— Может, сначала познакомимся?

— Давай сто евриков, — упорно твердил ребенок, теребя матерчатую сумку.

Пришлось достать из кошелька купюру. Грязная

ручонка мальчика выхватила бумажку, он бросился бежать прочь, девочка соскочила с качелей. Внезапно из ее торбочки раздалось характерное попискивание, сообщавшее о получении смс-сообщения.

— Знаешь Настю? — приступила я к допросу.

— Она сказала, что ты придешь, — кивнула она и протянула мне исцарапанную ручонку: — Стелла.

— Красивое имя, — удивленно сказала я.

— Сама себе его придумала, — призналась девочка. — У Стаса была одна, ее так звали.

— Настя предупредила тебя о моем приходе?

— Ага.

— Извини, это невозможно. Мы никогда не встречались, не знакомы друг с другом.

Стелла села на скамейку, порылась в кармане, вытащила пачку сигарет и начала щелкать дешевой зажигалкой.

— В твоем возрасте вредно курить, — не выдержала я.

— Мне четырнадцать, — обиделась крошка.

— Сколько? — ахнула я.

Стелла поджала губы.

— Я никак не вырасту.

— Тогда курение тем более опасно.

Не обращая ни малейшего внимания на мое замечание, Стелла глубоко затянулась, выпустила изо рта серое облако и хмыкнула.

— Объясни, что тебе сказала Настя! — потребовала я.

— Чего непонятного? — спросила Стелла. — Настя предупредила: «Если я исчезну, не бойся. Человек придет, я тебя не брошу». Она обещала меня с собой забрать.

— Куда?

Стелла нахмурилась.

— Ну, с дороги увести хочет.

— Ты обслуживаешь клиентов! — ужаснулась я.

Девочка скривилась.

— Че особенного? Жрать захочешь, запрыгаешь. Меня бабка Стасу продала, он ей три ящика водки выкатил.

— Бабушка отдала тебя за спиртное?!

— Нормально, — зевнула Стелла. — Ты Стасу не верь. Слышала я брехалово про шоколад, который девки едят. Враки это! Настя мне за помощь новую жизнь обещала, сказала, появится гонец. А тут ты!

— Стеллочка, — ласково сказала я, — извини, я пока не могу разобраться: ты сейчас ведешь речь о проститутке Насте?

Девочка затоптала сигарету.

— Ну! Она особенная.

— То есть?

Стелла засмеялась.

— Остальные тупые. Лидка читать не умеет, Ирка еле-еле говорит. Танька ваще чумовая — ей Стас наркоты отсыпает, иначе она на точке не стоит. И все в Москву из Дерьмовска приехали, плечевые удачливые.

— Кто?

Стелла снисходительно посмотрела на меня.

— Похоже, ты жизни не знаешь! Плечевая — это девка, которая с дальнобойщиками водится. Водитель в рейсе иногда по неделе ездит, скучно ему, вот и сажает Лидку, кормит ее в дороге. Ну и трахает. Лидке весело с мужиком, она с ним туда-сюда поездит и к другому пересядет. Вот и рассекают по трассам. Самые фартовые до Москвы добираются, а уж здесь кто как устроится. А Настька местная, столичная. И она иностранный язык знает, не по-нашенски читает.

— Вот уж маловероятно, — усомнилась я в правдивости информации. — Образованная девушка найдет более пристойное занятие, чем проституция.

— Настя на шоссе не стояла, она элитных клиентов обслуживала, в гостинице.

— Все равно! — уперлась я. — Наверное, она наврала тебе про свои таланты. Если я сейчас скажу, что по-китайски понимаю, как ты проверишь?

— Ниче она не брехала! — уперлась и Стелла. — Настёна умная! Лолка кроссворд разгадывала, и вопрос ей попался... Ой, не помню, трудный, в общем. Никто ответа не знал, а Настя влегкую сказала.

Я кивнула. Умение вписывать в клеточки правильные слова не говорит о большом интеллекте, скорей уж о хорошей памяти. Задания повторяются, и скоро начинаешь отвечать автоматически: сорт яблок из четырех букв, первая «а» — анис. Впрочем, я могу поверить, что Настя закончила десять классов, тогда на фоне остальных проституток она со своим образованием казалась академиком.

— Месяц назад, — журчала Стелла, — меня Стас отметелил. За сбой имиджа.

Я с удивлением посмотрела на девочку. Странная фраза в устах ребенка. Стелла поняла выражение моего лица по-своему и пустилась в объяснения:

— Видишь, как я одета? Есть такие мужики — западают на грязь. Ну типа подобрали второклашку убогую, что в мусорном бачке сидит, с помойки ест, привезли на квартиру, отмыли, накормили и трахнули.

— Послушай, это сумасшедшие! — возмутилась я. — Им требуется помощь психиатра.

Стелла вытерла нос кулаком.

— Говорю же, ты жизни не знаешь. До фига кругом уродов. Стас велит мне в палатке сидеть, иногда клиент валом прет, а иногда его нет. Если вечер пустым начался... ну не сняли тебя до полуночи... то покатит и до утра без бабок. Завсегда эта примета срабатывает.

Я поежилась, Стелла спокойно повествует о вещах, которые взрослым-то людям знать не следует, а уж детям и подавно. Детям положено заниматься спортом, учебой и развивающими играми. Но не всем ребятам везет в жизни, не у каждого есть заботливые родители.

...В тот день Стелла оказалась невостребованной, до двух часов ею никто не заинтересовался. У остальных девчонок дела тоже шли плохо, а Стас неожиданно умотал в неизвестном направлении. Оставшись без присмотра, Стелла скинула с себя убогое платье, влезла в джинсы и пуловер, а потом взяла чужую косметичку и стала наводить марафет (девочка переживает по поводу своего крошечного роста, а макияж, по ее мнению, добавляет ей солидности).

Не успела Стелла разрисовать по полной программе лицо, как с улицы раздался голос Стаса:

— Сикуха, выгляни!

Стелла, не стерев косметику, выскочила из ларька. Сутенер стоял спиной к будке и говорил полному дядьке, выглядывавшему из джипа:

— Ей десять, ничего хорошего она не видела. Отмоешь, покормишь — и делай че хочешь!

— Эта, што ль, в третий класс ходит? — ткнул в Стеллу жирным пальцем потенциальный клиент. — Ну ваще!

Стас обернулся и покраснел.

— Ростом с мышь, — издевательски протянул толстяк, — а морда... Не, поищи других дураков, твоя школьница пол-Москвы обслужила. Она, типа, карлик!

Стекло быстро поднялось, внедорожник понесся в сторону области.

— Сука! — зашипел Стас и схватил Стеллу. — Размалевалась! Ну ща кровью умоешься!

Наподдавав провинившемуся подростку, сутенер ушел. Девочка поплелась в подземный переход — там был туалет, куда сердобольная дежурная всегда пускала Стеллу бесплатно.

Вздрагивая от озноба, малолетняя проститутка

стала смывать с лица остатки макияжа, перемешанные с кровью, текущей из распухшего носа.

— Больно? — участливо спросил кто-то за ее спиной.

— Отстань, — огрызнулась Стелла.

Легкая рука легла на плечо, девочка стряхнула ее, но через секунду вновь ощутила прикосновение.

— Че надо? — заорала Стелла. Обернулась и увидела Настю.

Глава 15

— Стас постарался? — мягко спросила Настя.

— НЛО упало, — мрачно ответила Стелла. — Инопланетяне с молотками вылезли и мне в нос напихали!

Настя тихонько засмеялась.

— Правильно, никогда не сдавайся и не жалуйся на жизнь. Многим хуже, чем тебе. Пошли, поедим.

— Я без денег, — угрюмо призналась Стелла.

— Так я приглашаю, — пояснила Настя. — Надо только подальше отъехать, не на глазах же у Стаса кофе пить.

Угостив Стеллу, Настя спросила:

— Нравится на дороге работать?

Девочка засмеялась.

— А тебе?

— Сейчас речь не обо мне. Если в четырнадцать клиентов обслуживать, то к шестнадцати в развалину превратишься.

— И че ты предлагаешь? — со вздохом поинтересовалась Стелла. — Позвонить папе-банкиру и заплакать: «Забери меня отсюда, увези в загородный дом»?

— Неплохое решение, — кивнула Настя. — Но, как я понимаю, родителей у нас нет?

— За обед спасибо, а в душу не лезь, — предостерегла Стелла.

— Хочешь свалить? — внезапно предложила Настя.

Стелла помотала головой.

— Стас все равно найдет, мало мне не покажется. И куда идти?

— Есть вариант, — обтекаемо ответила Настя. — Только ты мне помочь должна. Удастся мой план — обе дернем и заживем шикарно. У меня квартира есть.

— Своя? — настороженно поинтересовалась Стелла.

— Личная, — подтвердила Настя. — Спрячемся, не отыщут. Москва большая, работать будем.

— Вдвоем на шоссе?

— Никогда! — отрезала Настя. — Я много чего умею. А ты учиться пойдешь.

— Жесть!

— Не хочешь?

— Ни фига у нас не получится.

Настя обняла Стеллу.

— Еще как получится! Главное — верить. Значит, так. На глазах у Стаса мы не общаемся, если я тебя дразнить стану — не обижайся. Если вдруг пропаду, не волнуйся, это ненадолго. Услышишь сплетню про мою смерть — не верь. Жива буду, здорова, слух нужен для отвода глаз. Жди молча! Либо я сама приду, либо от меня человек появится, начнет про Настю расспрашивать и пароль скажет, вот тогда и уходи с ним спокойно. Знай: я его за тобой прислала. Ясно?

И Стелла поверила Насте. Вам, наверное, покажется странной наивность малолетней проститутки, но четырнадцатилетняя девочка, несмотря на полное отсутствие иллюзий, вдруг начала мечтать об обычной жизни. Настя была очень убедительна, она сумела найти нужные слова.

За день до своего исчезновения старшая подруга украдкой поговорила со Стеллой, велела той:

— Ночью езжай на улицу Коробко, дом пять. Заруливай во двор, встань лицом к подъездам, отсчитай от левого угла шестое окно и влезь в квартиру.

— Меня в ментовку загребут, — занервничала Стелла, — обвинят в воровстве.

— Ночью во дворе никого нет.

— С чего это люди раму незапертой держат? — колебалась Стелла.

— Слушай меня внимательно! — зашептала Настя. — На пластике снизу имеются винтики, нажмешь на головки одновременно три раза, и стеклопакет вверх уедет.

— Вау! — выдохнула Стелла.

— В квартире никого не будет. В ней три комнаты, пройдешь в самую маленькую, там есть тайник, я объясню, как его найти. Найдешь в захоронке паспорт и принесешь мне.

— Отчего ты сама не скатаешься, раз попасть туда так просто? — удивилась Стелла.

— Мне туда никак нельзя, а документ очень нужен. Получу его, и скоро мы вдвоем убежим. Только ничего там не трогай, не переставляй, не прикасайся к вещам! Твое дело — тайник.

И Стелла согласилась. Самое интересное, что все прошло без сучка без задоринки. Во дворе не оказалось ни одной живой души, люди мирно спали в теплых постелях. Стелла отсчитала шестое окно, нащупала винты, попала в квартиру, нашла паспорт, выскользнула назад и привезла красную книжечку Насте. Та расцеловала Стеллу, пообещала той скорое освобождение от Стаса и... пропала.

Стелла не стала горевать, ведь Настя предупредила ее о таком повороте событий. Значит, надо затаиться и ждать, спектакль разыгрывается по плану...

— А теперь вот ты притопала, — демонстрируя

выбитый сбоку зуб, завершила повествование девочка. — Все, как Настя обещала! И пароль назвала.

— Я сказала кодовое слово? — изумилась я.

— Ну да, — кивнула Стелла, — Франкенштейн. Я его долго заучивала, никак в башке не укладывалось. Я ведь сначала сто евро клянчить стала, думала деньжонок срубить, маленькой некоторые дают. Ну не целую сотню и не в евриках, но перепадает. А ты меня увидела и говоришь: «Франкенштейн». И я сразу сообразила: от Насти ты.

Я вынула платок и сделала вид, что вытаскиваю из глаза соринку. Похоже, пропавшая проститутка увлекается литературой, не зря она в качестве пароля избрала имя чудовища, придуманного писательницей Мэри Шелли. Франкенштейн ныне почти забыт, теперь на пике моды Фредди Крюгер, человек-паук, Бэтмен и иже с ними. Наверное, Настя полагала, что случайный прохожий не станет произносить имя Франкенштейн. Но судьба сыграла с девушкой злую шутку: к Стелле пришла я, случайно воскликнувшая от испуга: «Прямо Франкенштейн!» Какова вероятность подобного совпадения? Один шанс на миллион. Но это произошло!

— Пришлось все равно сто евро выклянчивать, — объясняла свое поведение Стелла. — Со мной Алиска сидела, ты ее не видела, но она хорошо чужие разговоры слышит.

— Мальчик в комбинезоне?

— Это девочка, — засмеялась Стелла, — Стас велел ей так одеваться.

— Понятно, — прошептала я.

— Алиска дура и сука, выдать меня могла, — деловито продолжала Стелла, — любопытная крыса, вечно уши греет. Точно б заинтересовалась, с чего я еврики цыганила, а потом перестала и убежала. Не, я деньги выманила, Алиска с ними и удрапала. Уж извини, это для безопасности. Ты меня заберешь?

Я вздрогнула. Вот ситуация! Оставить девочку нельзя, но что мне с ней делать?

— Так идем? Лучше прям сейчас, — настаивала Стелла. — Стас с Романовскими крутизной меряется, про нас забыл.

Я взяла Стеллу за руку:

— Побежали.

Дома я сразу запихнула Стеллу в ванну, потом напоила ее чаем и спросила:

— Не побоишься одна остаться?

Девочка усмехнулась:

— Нет.

— Тогда спокойно отдыхай, включай телик, читай книги, полазай в компьютере.

— Я не умею им пользоваться, — скривилась Стелла.

— Потом научишься, — пообещала я. — Короче, делай что хочешь, но никуда не уходи.

— Уж не дура!

— Вот и славно.

— А ты куда? — проявила любопытство Стелла.

— По делу съезжу и вернусь. Отдыхай спокойно, не волнуйся.

— Ладно, — согласилась она и взяла пульт от телевизора, а я легла на диван и тоже уставилась в экран.

— Не поедешь никуда? — спросила около полуночи Стелла.

— Еще рано. Мне позднее понадобится уйти, поэтому я и спрашивала, не побоишься ли ты одна ночью в чужой квартире остаться.

Стелла не ответила, я приподнялась на локте и увидела, что девочка спит, свернувшись клубком. Гостья была такой маленькой, беззащитной, хрупкой, что небольшое кресло оказалось для нее просторным ложем.

Нужный дом на улице Коробко стоял буквой «П». На всякий случай я очень внимательно осмотрелась по сторонам. Хоть и ночь, да вдруг где-нибудь пристроилась парочка или несколько пьянчужек допивают, скажем, вон в той беседке последнюю бутылку. Но во дворе не было ни души.

Я отсчитала шестое окно от левого угла, мысленно перекрестилась, пошарила руками по раме, нащупала две железные точки и начала нажимать на них. Скрытый механизм не подвел, послышался тихий щелчок, стеклопакет плавно ушел вверх.

Прежде чем зажечь свет, я опустила рулонки. Шторы оказались плотными, клеенчатыми, такие не пропустят ни одного луча. Только помешала большая ваза с искусственными цветами, стоявшая на подоконнике в кухне, но я просто перенесла ее на стол.

Комнат, как и говорила Стелла, было три, и ничего особенного я в них не обнаружила — стандартная мебель и такая давно не модная деталь интерьера, как ковер на стене. В столовой громоздилась горка, забитая посудой, большую площадь занимал здоровенный диван. Судя по отсутствию пыли, сюда иногда приходили с уборкой. Но в отключенном холодильнике не было продуктов, в шкафчиках, тянувшихся над плитой и мойкой, обнаружились лишь вскрытая пачка чая и тарелка с окаменелым печеньем. В ванной на полочке у раковины не было никаких баночек.

Миновав столовую и кабинет, я добралась до спальни, обставленной более современной мебелью — светлой, сделанной из прессованных опилок, и после некоторого колебания открыла встроенный гардероб. И вновь ничего удивительного: пара блузок, джинсы, несколько юбок...

— Настя, — прошептали из коридора, — ты пришла?

На секунду я примерзла ногами к полу, потом юркнула в шкаф и задвинула створку.

— Не прячься, — свистел голос, — это я!

Дверь поехала в сторону, свет ударил мне в лицо.

— Вы кто? — вскрикнула немолодая женщина.

— Тише, прошу вас, тише, я вовсе не собираюсь никого грабить! Меня прислала Настя, за паспортом, — взмолилась я.

Тетка замолчала, постояла секунду, потом деловито сказала:

— Елена Петровна.

— Виола, — представилась я в ответ.

— С Настей вместе работаете? — уточнила Елена Петровна.

— Да, — живо согласилась я.

— Как она?

— Нормально!

— Да разве с вашей работенкой нормально бывает? — горько вздохнула Елена Петровна. — Вылезай. Есть хочешь?

— Не откажусь от ужина.

— Сейчас я принесу из своей квартиры блинчики, — заговорщицки подмигнула мне Елена Петровна, — ступай на кухню.

— Вы соседка! — догадалась я.

— Настя про меня не рассказывала? — остановилась на полдороге женщина.

— Ну... в общем... не особо откровенничала...

— Не сомневаюсь в Настином умении держать язык за зубами, — перебила меня Елена Петровна. — Охохоюшки! Решила всех преступников поймать? Пора бы семью завести!

Я, успев пройти пару метров по длинному коридору, схватилась за стену.

— Что? Каких преступников?

Елена Петровна погрозила мне пальцем.

— Настя от меня секретов не имела! Кто ее воспитал?

— Кто? — эхом повторила я.

Елена Петровна постучала себя по груди.

— Ляля. Так она меня называет. И тебе можно, раз вы вместе работаете. Сейчас я еду принесу...

Спустя полчаса, съев очень вкусные блинчики с творогом, я спросила у Елены Петровны:

— Как вы догадались, что в соседней квартире кто-то есть?

— Я бессонницей маюсь, — охотно пояснила та, — по ночам как привидение брожу. Лягу в кровать, подушку поворочаю и, если погода хорошая, во двор выползаю, на скамеечке сижу.

— Вы видели, как я в окно лезла! Но ведь я внимательно посмотрела по сторонам и никого не заметила.

Ляля показала рукой на вазу с искусственными цветами.

— Маячок снят.

— Вы о чем?

— Букет — наш знак. Если он на окне стоит — Насти нет, исчезнет ваза — вернулась она, мне можно осторожно сюда сунуться. Знак этот только для меня. Выбралась я сейчас кислорода глотнуть, посмотрела по привычке на Настюшины окошки и обрадовалась: она пришла! Мы очень давно не виделись. Больше года.

— Настя столько времени не появлялась дома?

— Проверяешь, что я знаю? Сказано, все! Думаешь, Настя мне ничего не рассказывала? Права не имела? Лучше говори, как там она? Не болеет? А то у нее горло слабое.

Я попыталась прийти в себя, Елена Петровна, заметив на моем лице странное выражение, схватилась за сердце.

— Ее убили? Говори правду!

— Не знаю! — честно призналась я. — Ищу Настю или свою подругу Нику.

Женщина сделала пару глубоких вздохов, потом нарочито спокойным голосом произнесла:

— Виола, все мои родственники: дедушка, папа, мать — служили в органах, отдали жизнь на благо Родины, защищали ее. Много я потерь перенесла, но понимаю, что государственные интересы важнее личных. Что с Настей? Я готова к любым новостям!

— В отеле «Оноре», — решила я рассказать правду, — нашли труп женщины с изуродованным лицом. Погибшую идентифицировали как Нику Терешкину. Около трупа сидел убийца, ее муж, он сжимал в рукс молоток и говорил: «Прости, прости. Я убил жену! Она мне изменила!» Его арестовали, посадили в СИЗО, и там он умер от сердечного приступа, дело закрыто. Труп Терешкиной кремировали. У следователя не возникло никаких вопросов, но я совершенно случайно выяснила: похоже, убили не Нику, а Настю. Хотя точной уверенности у меня нет. Я никогда не встречалась с вашей воспитанницей, не видела ее, но мне необходимо точно знать, что произошло в отеле «Оноре».

— Как же ты узнала про квартиру и про фокус с окном? — настороженно спросила Елена Петровна.

Я быстро рассказала про Стеллу.

— Ясно, — пробормотала Ляля. — А зачем ты пришла?

— Если Настя жива, она где-то прячется.

— Может, и так.

— Я хотела найти в квартире что-нибудь... дневник... письма... документы... фото... Вы знаете ее друзей?

Женщина оперлась руками о стол.

— Зачем ты меня обманываешь?

— У меня и в мыслях не было говорить неправду!

— Ты не имеешь отношения к органам! Немедленно объясни, кто ты такая, — зашипела Елена Петровна. — Друзья ей понадобились... Здорово сказано!

Внезапно мне стало страшно — с лица милой дамы стекла улыбка, глаза превратились в щелки. Не успела я охнуть, как в руке старухи оказался маленький, но совершенно настоящий пистолет, круглое дуло поднялось на уровень моего лба.

— Я попадаю в бегущую мишень без промаха, — предупредила Ляля, — лучше не шевелись и отвечай на мои вопросы. Четко, ясно, коротко! Если дернешься, я открою тебе третий глаз, но воспользоваться им ты не успеешь. Чего молчишь, язык проглотила? Не дрожи, я сдуру не пальну! Эх, молодежь, считаете нас отстоем, ни на что не годными тряпками... Давай, колись, голуба. Начнем с паспортных данных. Согласна?

Пораженная метаморфозой, произошедшей с пенсионеркой, я осторожно кивнула. Никогда бы не подумала, что милейшая женщина, только что угостившая меня замечательными блинчиками с творогом, выхватит пушку и приступит к допросу. И где она прятала оружие? Я не успела заметить, откуда она его достала.

Глава 16

По мере моего рассказа с лица Елены Петровны сползало напряжение.

— Значит, Арина Виолова? — переспросила она, когда фонтан сведений иссяк. — Сама книжки пишешь или просто фамилию на обложке ставишь?

— Начитались желтой прессы? — не выдержала я. — Не верьте! Никто не отрицает существования издательских проектов, но тогда автора публике не представляют, он нигде не появляется, интервью не раздает. А я постоянно где-то выступаю.

— Да уж видела, — улыбнулась дама. — То-то мне твое лицо знакомым показалось. Кстати, я люблю детективы и твои читала. Ничего, забавно. Только, не обижайся, на правду совсем не похоже!

— В истине ничего привлекательного нет, — с вызовом заявила я. — Хоть я не обладаю бурной фантазией, в основном описываю события, в которых участвовала сама.

— Полагаешь, Настя погибла? — резко спросила Елена Петровна.

— После общения с вами уж и не знаю, что думать, — сказала я. — Насколько я поняла, Настя — сотрудник милиции.

Соседка помотала головой и, подняв указательный палец правой руки, сказала:

— Нет, бери выше.

— Не понимаю.

Ляля округлила глаза.

— А ты подумай.

— ФСБ?

Она опустила руку.

— В квартире чисто, «жучков» нет, я проверяла. Можем говорить свободно.

— Значит, она точно жива! — воскликнула я.

— Отчего ты сделала такой вывод?

— Криминалисты дали заключение, что умершая женщина за короткий период дважды вступала в интимный контакт, причем с разными мужчинами, в сумочке у погибшей обнаружили пакетики с презервативами, а еще она лечила гонорею. Следовательно, это не Настя.

— Почему? — одними губами спросила Елена Петровна.

— Ну неужели вы не сообразили? Результаты вскрытия свидетельствуют: неизвестная из отеля — проститутка. Непонятно, правда, как на ней очутилась одежда Насти, но мне сейчас пришел в голову простой ответ: Настя могла обменяться костюмом с некой путаной и...

— Анастасия работала под видом продажной женщины, — перебила меня собеседница, — что предполагает наличие средств защиты в сумочке.

Я кивнула.

— Презерватив прихватить не проблема. Вот с гонореей сложнее — откуда она у сотрудницы органов? Опять же двое разных мужчин. Лаборатория не ошибается, ДНК человека индивидуальна, анализы не врут.

Елена Петровна нахмурилась.

— Все ложится стежками, получается картина. Гонорея почти профессиональное заболевание у путан. Хорошо, она не СПИД подцепила. Еще раз объясняю: Настенька была проституткой.

— Она изображала продажную женщину, — напомнила я. — Согласитесь, есть разница!

Ляля встала и начала бесцельно ходить по кухне.

— Нет, ты не понимаешь, — сказала она наконец. — Настя внедрилась в среду, стала одной из них. Нельзя притворяться, мигом вычислят. Догадываешься, что случается с раскрытым агентом? Впрочем, лучше тебе не знать!

— Вы хотите сказать, что она на самом деле обслуживала клиентов?

— А как же, — прошептала Елена Петровна. — Иначе ее быстро бы раскусили.

— Это невозможно! Невероятно!

— Эх, писательница... Ну сообрази! Значит, в борделе девки работают, мужиков ублажают, а агент чего, в комнате запирается?

— Настя не в публичном доме, она при сутенере...

— Еще лучше! — воскликнула Елена Петровна. — Да моментом убили бы! Один раз отказала кобелю, во второй раз не получится. Проститутка обязана любой каприз клиента выполнять! Зачем к ним мужики ходят? Нереализованные желания осуществлять! Обычные женщины кое-что никогда не сделают, а девка с обочины — вещь, кукла, тело без души.

— Вы говорите страшные вещи! — прошептала я. — Не верю!

Елена Петровна обхватила голову руками и застонала.

— Убили! Ох, чуяла я беду! Неделю назад сон мне привиделся. Иду будто я по улице, а в небе ворона на белого голубя налетела, клюет его, рвет на части, кровь брызгами летит. Надо прогнать черную птицу, да у меня ноги в землю вросли, ни туда, ни сюда. Смотрю, перышки метелью полетели, сожрала, холера, голубка. Ну до чего мне тревожно стало! Ох, не к добру это видение.

Ляля положила голову на стол и тихо заплакала. Я вскочила, обняла ее.

— Подождите, вдруг она жива!

— Нет, нет, — монотонно повторяла та, — все умерли. Ну зачем они так? Меня оставили! Теперь Настя. Я виновата, я виновата! Ох, следовало ей запретить, не рассказывать... Но я дура... В память! А они хороши, не пожалели девочку! Ужасные вещи я говорю? Деточка, ты ж не знаешь, какие агенты бывают. А каково консервами жить? Всегда на взводе!

— Консервы? — окончательно потерялась я. — Это кто?

Внезапно Ляля выпрямилась, схватила посудное полотенце, вытерла лицо и сказала:

— Те, кто годами своего часа ждут. Но не о них речь. Мои все умерли, теперь настал Настин черед. Не осталось никого. И я уйду! Очень скоро. Жаль, в Бога не верю, никого там, на небесах, не встречу. Гроб в землю зароют, к червям. Какие там светлые ангелы! Не видать мне их, конец игры. Карты не пересдать. Ну за что?

— Хотите, я в аптеку сбегаю? — предложила я.

— Нет, — твердо ответила Елена Петровна. — Хорошо! Решено, пошли!

— Куда?

— Ко мне, в соседнюю квартиру, разговор у нас не простой, лучше его не здесь вести. А ну-ка, живенько гаси везде свет.

Я вскочила и пошла к выключателю.

— Эй, писательница! — вздрогнула Ляля. — Ты гель-то поднови, он, похоже, стерся. На столешнице вон след от руки остался.

Я посмотрела на полированное дерево.

— Гель?

— Ну да. Для рук.

— Вымыть руки? Зачем?

Секунду женщина сидела молча, затем подняла брови:

— Не знаешь про жидкие перчатки?

— Нет, — нехотя призналась я.

— Берется баллончик со специальным раствором, — пояснила Елена Петровна, — обрабатываются ладони, и тогда не остается отпечатков. А ты прямо так хваталась за предметы? Ничего себе! Начнут искать, мигом обнаружат.

— Вы тоже сейчас и сахарницу переставляли, и шкафчики открывали, — попыталась отбиться я.

Настина соседка рассмеялась.

— Мне отговориться легко. Настя уехала, велела за квартирой присматривать, я захожу, проверяю. Моих отпечатков здесь море, а вот твои откуда? Стой, сама электричество выключу.

Ляля засновала по квартире. Сначала она погасила свет, потом подняла рулонки, поставила на подоконник в кухне вазу с искусственными цветами и поманила меня рукой.

Очень тихо, на цыпочках, мы вышли из квартиры Насти и проскользнули в соседнюю дверь.

— Хорошо, — выдохнула Елена Петровна, устроившись в кресле, — сейчас все тебе расскажу. Только дай честное слово, что напишешь книгу, сообщишь детали. Пусть они попрыгают!

— Кто?

— Они! — зло повторила хозяйка. — Они, подлые! Я давно правду просекла. Не нужны им простые люди, нашим начальничкам. Хорошо хоть, мои до бардака не дожили. Нет, что творится, а? Все порушили! А Настя, наивная... Ты за нее отомстишь. И за всех! Понимаешь?

— Не очень, — осторожно ответила я. — Кто такие «они»? Зачем мстить? И о чем писать книгу?

Елена Петровна сложила руки на груди.

— Начну от печки. К сожалению, моя мать очень рано скончалась. Ушла из жизни, когда мне исполнилось шесть лет...

С самого детства Леночка знала жестокую правду: мама погибла в поезде. Ехала в купе, попутчики сошли ночью, а Анну Семеновну не разбудили, не сказали ей: «Закройте задвижку в купе». Оплошностью воспользовались, очевидно, профессиональные воры. А может, Аню ограбили бывшие соседи — истину так и не удалось установить. Около шести утра в коридор вагона из купе вышла пассажирка. Пошатываясь, она сделала несколько шагов и упала. Проводница бросилась к ней, несчастная еле слышно пробормотала:

— Кто-то унес мои документы и деньги. Очень сердце болит!

На станции вызвали врача, вот только медицина опоздала, пассажирка умерла. Никакого криминала в ее смерти не усмотрели, у бедняги случился инфаркт — очевидно, обнаружив пропажу вещей, дама так переволновалась, что у нее не выдержало сердце.

Лялин папа женился во второй раз, но дочка от этого не пострадала. В детстве Лялечка вообще редко задумывалась о родственниках. Мамы своей она не помнила и, как бы дико это ни звучало, от отсутствия ее не мучилась — у девочки была тетя Марта, которая дарила ей любовь, ласку и внимание.

Раз в году Марта водила Лялечку на могилу мамы и говорила:

— Здравствуй, Анечка, посмотри, как выросла Лялечка. Деточка, где цветочки?

Девочка покорно клала к подножию памятника букетик, но никаких эмоций при этом не испытывала, в памяти от мамы не осталось ничего.

У Лялечки было счастливое детство. Тетя Марта вела хозяйство, она не работала, а отец был военным и часто уезжал в командировки. Никаких подробностей Лялечка не знала, она только жалела, что папа редко бывает дома.

Марта была строгой, не давала ей послаблений, ровно в восемь вечера падчерице предписывалось идти спать, а в шесть утра вскакивать по будильнику. Уроки, прогулка, чтение книг, занятия в музыкальной школе... все подчинялось старому распорядку. Марта не терпела лентяек, требовала помогать ей, и к десяти годам Лялечка умела сварить суп, навертеть котлет, а в дневнике у нее стояли только самые лучшие отметки. Ляля любила Марту, но одновременно и боялась ее. А вот папу обожала. Петр входил домой ясным солнышком, в кармане у него всегда имелись подарки — то вкусные конфеты, то игрушки.

— Нельзя баловать ребенка, — качала головой Марта. — В первую очередь кнут, во вторую пряник. Только так мы вырастим достойного члена общества.

— Немного ласки ей не помешает, — усмехался Петр, — маленькую девочку следует изредка целовать.

— Глупости! — вспыхивала Марта. — Ребенок от сахарного сиропа портится.

Школу Лялечка закончила с золотой медалью, но четкого представления о том, чем заняться, она не имела, поэтому с радостью приняла совет любимого отца. А он сказал:

— Иди в университет на экономический факультет. Получишь диплом, устрою тебя в хорошее место.

Студенческие годы Ляля провела восхитительно. Тетя Марта ослабила вожжи.

— Ты уже взрослая, — со вздохом сказала она падчерице. — Надеюсь, я заложила правильный фундамент и ты не наделаешь глупостей. Только не возвращайся домой за полночь.

— Ни за что, тетечка! — пообещала Ляля. — Да и зачем так поздно гулять?

Марта улыбнулась.

— Вот влюбишься и поймешь.

Лялечка постаралась не измениться в лице. Она давно испытывала нежное чувство к мальчику по имени Женя, жившему в соседней квартире.

Здесь уместно сказать, что дом, в котором прошла жизнь Ляли, являлся, как раньше было принято говорить, ведомственным. Не очень большое пятиэтажное здание постройки тридцатых годов населяли военные. Отец Евгения, как и Лялин, служил в каком-то полку, но форму не носил. Впрочем, своего отца Лялечка тоже никогда не видела в гимнастерке и фуражке.

Женю с Лялей связывала дружба еще с детского сада — они ходили в одну группу, и девочка не помнила дня, когда не была влюблена в этого мальчика. В семь лет они вместе пошли в школу, а вот после выпускного бала их пути разошлись, Евгений поступил в МАИ, решил стать авиаконструктором. Но дружба их не распалась. Правда, со стороны Жени это была именно дружба, а вот Лялечка готова была отдать жизнь за любимого. И вот что странно: Петр с Мартой и родители Жени, Валерий с Ольгой, великолепно знали об отношениях между детьми, и, если учесть, что семьи обитали на одной лестничной площадке, это предполагало наличие доброй дружбы и между старшими поколениями, но Петр никогда не здоровался с Валерием, а Ольга норовила мышкой проскочить мимо Марты, только бы лишний раз не заговорить с соседкой. Впрочем, когда Ляля заглядывала к Жене, его родичи были милы, да и Марта всегда угощала мальчика чаем.

Когда Ляля перешла на третий курс, умер Валерий. Поехал, как обычно, в командировку, заснул в купе и не проснулся. Узнав о его кончине, Лялечка кинулась к соседям. Не успела она позвонить в дверь, как та распахнулась. На пороге стояла, покачиваясь, Ольга.

— Явилась! — вдруг захохотала она. — Прилетела падаль клевать? На что ты надеешься? Хочешь Женькиной женой стать? Не мечтай, нам в семье убийцы не нужны. Вот он что наделал!

— Кто? — отшатнулась Лялечка, никогда до сих пор не видевшая Ольгу в подобном состоянии.

— А твой папочка распрекрасный! — завизжала Оля. — Сначала жену свел на тот свет, а теперь и Валерку... Ненавижу! Пошла вон! Не знаешь, чем он занимается? Ха! Спроси-ка у него! Я в курсе! Я в курсе! Он и меня убьет! Если я умру, это будет его рук дело!

Ольга стала издавать вовсе несвязные звуки, затем она упала на колени и принялась биться лбом о порог.

— Жень! — закричала Лялечка, пытаясь остановить и поднять мать любимого. — Скорей, сюда!

Но парня не оказалось дома. Ляля с огромным трудом подняла Ольгу и потащила ее в спальню.

— Мне плохо, — пробормотала Ольга, когда девушка взгромоздила ее на кровать.

— Сейчас, сейчас, — засуетилась Ляля, — я врача вызову.

— А ну, сядь! — неожиданно приказала Ольга. — Может, оно и к лучшему, что я сорвалась. Наорала на тебя...

— Я не обижаюсь, — быстро сказала Лялечка, — понимаю, как вам тяжело.

Ольга приподнялась на локтях.

— Понимаешь? Дура! Слушай внимательно. Как ты считаешь, чего мы с Мартой и Петром рожи друг от друга воротим?

— Не знаю, — откровенно ответила Лялечка, — я не задумывалась на эту тему.

Ольга засмеялась.

— Тайна, покрытая мраком. Ты свою мать помнишь?

— Нет, — призналась девушка.

— Фото ее видела?

— Пара снимков есть в альбоме.

— Надо же! Я думала, они все уничтожили, — протянула Ольга. — Хорошо, что ты не маленькая, переживешь правду. Хочешь за Женьку замуж?

— Нет! — вспыхнула Ляля. — Мы просто дружим.

— Замечательно, — издевательски протянула Ольга. — Надеюсь, не успели согрешить?

— Что вы такое говорите! — покраснела Ляля. — Разве можно!

— С твоими генами еще не то в голову придет, — прошипела Ольга. — Хотя, похоже, ты дура, дура, дура!

— Наверное, мне лучше уйти, — дрожащим голосом вымолвила девушка.

— А ну сидеть! — заорала Ольга. — Смотреть в лицо и отвечать! Вообще ты про мать что слышала?

— Ничего, — замотала головой Ляля. — Тетя Марта не рассказывает о ней.

— Неужели ты никогда не интересовалась?

— Нет.

— Дура! — попугаем повторила Ольга. — Марта сволочь. Видела же все, понимала! Ладно, слушай. Никогда тебе с Женькой не быть вместе, скорей всего вы брат и сестра.

Глава 17

Ляля, забыв о хорошем воспитании, рухнула на кровать около Ольги.

— Как это? — прошептала она.

Соседка села и подпихнула под спину подушку.

— Это старая история. Анька, твоя мать, была замужем за Петром, а Марта, ее сестра, при семье приживалкой жила. Петька сам родом из Литвы, как он в Москву попал, неизвестно. Только когда мы квартиры получали, они втроем въехали: сам, Анька и Марта. Поселили нас на одной лестничной клетке, и мы сразу подружились...

Красивая яркая Аня совсем не походила на блеклую Марту, и характеры у сестер оказались разные. Старшая, Анечка, хохотушка без какой-либо склонности к размышлениям, жила, словно стрекоза из известной басни, а Марта походила на трудолюбивого муравья. Старшая сестра не приближалась ни к плите, ни к корыту, ни к утюгу, а младшая убивалась на ниве домашнего хозяйства. Оля лишь удивлялась, глядя на странную семью. Было непонятно, что связывает Петю и Анну, ему по характеру больше подходила Марта.

Почти одновременно в молодых семьях появились дети, и, как порой случается, Валера слегка отдалился от Оли. Хоть они и работали в одной организации, да сидели на разных этажах, Оля служила простой машинисткой. Кстати, и Аня стучала на машинке, но по работе они не пересекались. А вот Марту Ольга видела каждый день по семь-восемь часов кряду — та заведовала, как раньше говорили, машбюро, имела отгороженный кабинет, руководила «барышнями».

Ужасные события, полностью изменившие жизнь пятерых людей, произошли двадцать восьмого февраля. Рано утром Петр уехал в командировку,

Марта отправилась на работу. Валера остался дома, пожаловавшись жене на плохое самочувствие:

— Голова болит, кости ломит, полежу денек в кровати, глядишь, поборю простуду. Позвоню начальству, отпрошусь на сутки.

Оля расцеловала супруга и убежала. Около полудня она поняла, что заразилась от мужа, — в носу и горле будто скребли когтями кошки, ее сильно знобило. Чувствуя, что с каждой минутой ей становится хуже, Оля пошла в кабинет к Марте и взмолилась:

— Отпусти меня домой, я загриппововала.

— С моей стороны противодействия не будет, — как всегда, спокойно ответила та, — но без бюллетеня уйти нельзя. Сходи в медпункт и считай себя свободной.

Оля сбегала к доктору, получила освобождение от работы, а потом поехала домой. Думая, что больной муж крепко спит, Ольга тихо открыла дверь, на цыпочках вошла в спальню и застыла на пороге.

Валера лежал в кровати. Только он был не один, а обнимал абсолютно голую... Аню. Парочка настолько увлеклась любовной игрой, что не заметила ни прихода, ни спешного ухода Ольги.

Законная жена, не чуя под собой ног от обиды, выскочила на лестничную клетку и замерла у распахнутой двери квартиры. Она не знала, что делать дальше, куда идти. У Олечки были подруги, но ведь они начнут задавать вопросы: что произошло да почему ты ушла из дома? К тому же обманутой жене действительно было плохо, поднималась температура.

Почти в прострации Ольга навалилась на перила. И тут из подъехавшего лифта вышел Петр.

— Чего случилось? — изумился он, увидав расстроенную соседку.

— Ты же в командировке, — выдавила из себя Ольга.

— Отложили ее, вот завез домой вещи, — улыбнулся он. — А ты почему на лестнице?

Может, не заболей в тот момент Ольга, она бы нашла, как выкрутиться из щекотливого положения, но в голове ее стоял гул, мозг отказывался соображать, вот она и ляпнула:

— Ключи забыла.

Петр погасил улыбку.

— Так дверь открыта.

— Да ну? — фальшиво удивилась Оля.

Сосед поставил чемодан на пол и сделал шаг.

— Не надо! — бросилась к нему Ольга. — Не ходи туда!

Она вела себя очень глупо. Наверное, тоже сказывалась болезнь.

Петр нахмурился еще сильней, отодвинул Олю и уверенно пошел по коридору. Олечка зажмурилась. Через пару секунд до ее слуха донесся вопль:

— Помогите!

Оля сбросила оцепенение. В подъезде живут люди из одного ведомства, не следует давать повод для сплетен. Она влетела в свою квартиру, тщательно заперла дверь изнутри и побежала в спальню.

Аня сидела, замотавшись в одеяло, Валера, голый, прижимался к подоконнику.

— Спасите! — заорала неверная супруга, заметив Олю.

— Заткнись и собирайся, — на удивление спокойно велел Петр.

— Нет! — взвизгнула Аня и закрылась с головой.

— Тебя тут не оставят, — глухо заметил Петр.

— Не уйду! — выла Аня.

Муж глянул на любовника.

— Объясни ей: нам шум не нужен.

— Анна, — еле слышно проговорил хозяин квартиры, — уходи.

— Немедленно! — топнула ногой Ольга. — Как ты могла?

Аня выставила наружу нос.

— Ты сама виновата.

— Я? — поразилась Оля. — И ты еще имеешь наглость винить кого-то?

— А не надо мужика на голодном пайке держать, — пошла вразнос Аня. — Ты с ним не спишь, вот он меня и изнасиловал.

— Ничего подобного! — побелел Валерий.

— Насиловал, — упорствовала любовница, посматривая на законного мужа, — подвергал сексуальным пыткам.

— Врет она! — бросился к Петру Валерий. — Не верь! Мы с ней четыре года вместе! Странное изнасилование...

— Сколько? — чуть не упала Оля. — Повтори!

Валера захлопнул рот.

— Пошли, — сухо сказал жене Петр, — нечего тут голышом сверкать. На, халат накинь!

То, что даже в такую минуту он заботится о распутной жене, предлагает ей пеньюар, взбесило Ольгу до крайности.

— Ну ты и сука! — гневно воскликнула она. — Такому парню изменила, скотина!

Аня вскочила с кровати и, совершенно не стесняясь своей наготы, заявила:

— Какому? Да что ты про него знаешь? Убийца! Дадут ему приказ, и чик-брык, родную мать на тот свет отправит. Я с ним спать не могу, он кровью пахнет. Мы уже несколько лет друг друга не касаемся! Что, мне теперь монашкой жить?

— А Ляля откуда? — оторопела Оля.

— Догадайся! — с вызовом бросила Аня и юркнула под одеяло. — Не пойду с Петром, он меня убьет. По-тихому, как остальных. Ну-ка расскажи им все! Все, все!

Валера стал серым, а Петр неторопливо подошел к жене и коротко ударил ее по лицу. Голова Анны мотнулась на шее, женщина упала без сознания. Петр подхватил ее вместе с одеялом и, не говоря ни слова, унес прочь.

Оля осталась с Валерой.

— Это правда, насчет четырех лет? — спросила она.

Муж кивнул.

— Ну ты и подонок! — возмутилась Оля. — Значит, и со мной, и с ней? Одновременно?

Валера опустил глаза.

— Господи, что же делать? — заметалась Ольга. — Развод! Завтра же!

— Вспомни, где мы работаем, — выдохнул Валера.

Оля прикусила язык.

— Хочешь всего лишиться? — продолжал муж. — Квартиру отнимут, мы нигде не устроимся. Хорошо, если в живых останемся!

— Ты меня не любишь, — заплакала Оля.

— Милая, — бросился к ней супруг, — бес меня попутал, я не хотел! Она сама приходила, соблазняла! Кто ж откажется? У нас Женька растет... Давай все забудем! Начнем с нуля, ради мальчика!

— Я попытаюсь, — кивнула Оля. — Только скажи, насчет Ляли это правда?

— Честно?

— Конечно.

— Не знаю, — уныло ответил Валерий. — Когда девчонка родилась, я попытался правду выяснить, но Анька лишь смеялась и отвечала: «А ты мучайся».

— Мерзавка! — стукнула кулаком по столу Оля. — Чтоб отныне ты с ней даже здороваться перестал...

Ольга замолчала. Ляля попыталась унять неистовое сердцебиение и тихо спросила:

— А дальше что было?

— Умерла Аня, сердечный приступ с ней приключился! — с вызовом ответила соседка. — Как она предсказала, так и случилось, в поезде тапки отбросила. Петр женился на Марте, к нам не заходил, да и нас не тянуло в гости к прежним приятелям. Вот только вы с Женей слишком крепко подружились.

— Женька мой брат! — отшатнулась Ляля. — Он знает?

— Пока нет. Но я непременно расскажу ему.

— Почему же раньше его не предупредили? — спросила Ляля.

— Если б вы собрались пожениться, я вмешалась бы, — ответила Ольга. — Только видишь, что вышло — Петр Валерку убил. Долго выжидал и дождался подходящего момента. Он по накатанной схеме работает. Человек-смерть!

— Почему вы так называете моего папу? — прошептала Ляля.

Ольга начала смеяться. Сначала тихо, потом все сильнее. По щекам вдовы потекли слезы, но хохот не умолкал. Ляля бросилась домой за валерьянкой и увидела Марту, которая как раз вернулась с работы.

— Что случилось? — испугалась мачеха, глядя на падчерицу.

— Оле плохо, — прошептала Ляля. — Может, «Скорую» вызвать?

Марта побежала к соседке.

На похоронах мужа Оли не было, ее поместили в больницу. Женя сидел у кровати матери. Однажды ночью, после полуночи, он позвонил Ляле и сказал:

— Все.

— Что? — похолодела Ляля. — Твоя мама умерла?

— Типун тебе на язык! — испуганно воскликнул он. — Наоборот, очнулась, она вполне здорова! Но теперь я знаю правду про нас.

— И что дальше? — пробормотала Ляля.

— Я очень тебя люблю, — заявил Женя. — Всегда, с самого детства, понимал: ты самый близкий и родной мне человек. Но, прости, я никогда не испытывал к тебе никаких других чувств, только чистую братскую любовь и нежность. Понимаешь?

— Да, — прошептала Ляля.

— Я все удивлялся, — откровенничал Женя, — почему только дружба? Иногда мне нравились другие девушки, физически, но духовно только ты.

— Я поняла, — перебила его Ляля, — можно без подробностей.

— Но теперь-то фигуры встали по местам, партия сложилась, — торжественно объявил Женя. — Мы — брат с сестрой! Я каким-то непостижимым образом ощущал это, ты, впрочем, тоже, вот почему нам так хорошо вместе. Но, как ты догадываешься, тайну следует сохранить, ни одна живая душа не должна о ней знать.

Ляля, забыв о том, что Женя ее не видит, лишь кивала.

— Но почему вы сразу поверили в то, что Женя — ваш брат? — спросила я Елену Петровну. — Я поняла, что даже сама Аня не могла назвать отца своего ребенка. Она спала одновременно с Петром и Валерием. Вдруг вы родились от ее законного мужа?

— Ситуация пятьдесят на пятьдесят, — мрачно ответила Ляля, — ужасная неопределенность. Мы с Женей, как на грех, оказались похожи — светловолосые и при этом кареглазые. В детстве вместе болели, что тоже косвенно свидетельствует о родстве.

— Простите?

— Ну, допустим, я подхватываю корь, а через пару дней и Женя сыпью покрывается. Так обычно происходит с ближайшими родственниками, у них одинаковый иммунный статус, — пояснила Елена Петровна.

Я пожала плечами.

— Все объяснимо. На свете полно светловолосых людей с темными глазами, а корь — инфекционная болезнь, думаю, одновременно с вами ее получало полшколы. Вы с Женей находились в тесном контакте, отсюда и одновременные заболевания.

— Мысль о том, что мы можем быть братом и сестрой, разом лишила нас всякого желания вступать в брак, — протянула собеседница.

— Следовало сделать анализ! — запальчиво воскликнула я.

Елена Петровна усмехнулась.

— Милая, мы бы никогда не поехали в лабораторию. Не забудь, где работали наши родители! Да и не слышали в годы нашей молодости про ДНК-тесты. Нет, мы с Женей сразу поняли: нам нельзя идти в загс. Зато мы можем спокойно дружить. Знаешь, даже лучше иметь преданного брата. Муж способен изменить, уйти к другой, а кровный родственник никогда!

— Но вы лишь наполовину родные!

— И что?

— Ничего, — ответила я. — Так и жили? Замуж вы не вышли?

— Нет, — помотала головой Елена Петровна. — После того как получила диплом, я осталась в аспирантуре, начала писать диссертацию. Накануне защиты приехал в учебное заведение мужчина, назвался Иваном Ивановичем, предложил мне работать в... ну...

— Понимаю, — кивнула я. — И вы согласились?

Елена Петровна начала аккуратно стряхивать с клеенки несуществующие крошки.

— Дорогая, — сказала она наконец, — выбора-то у меня не было. Петр и Марта всю жизнь там служили, отец занимал определенное положение, был на отличном счету. Ясное дело, дочери предписывалось продолжать дело родителей. Даже и помыслить нельзя было об отказе. Жене, кстати, тоже предложили надеть погоны.

— И он согласился?

— Конечно, — кивнула Елена Петровна. — Ты пойми, в те годы служба в Большом доме считалась почетной. Да и денежной была, кстати. Простой лейтенант был по статусу, пожалуй, даже выше обычного общевойскового майора. Хороший оклад, социальный, как теперь принято говорить, пакет, паек, всякие другие возможности, машины мы без очереди получали, дачные участки. А главное — ощущение собственной значимости. Я очень гордилась своей службой. Работала ради счастья людей, на благо государства, участвовала в строительстве социализма. Пойми, мы были истинными патриотами Отечества, забывали о личном ради великих целей.

— А замуж вы не вышли!

— Да, не нашлось хорошего человека, хотя сватались многие, — неожиданно кокетливо ответила Ляля. — Но поскольку я работала в серьезной организации, то абы за кого, просто с улицы, выскочить было нельзя. Всякий раз я докладывала начальству, жениха проверяли, просвечивали рентгеном.

— Мрак! — ужаснулась я. — Хуже концлагеря.

Елена Петровна замахала руками.

— Что ты! Это абсолютно правильно! Жена мужу в кровати все выложит, любые государственные тайны. Нельзя ничего о службе дома болтать. Но разве на язык бабий замок повесишь?

Я вспомнила Олега, который немедленно сообщал мне об интересных делах, попадавших в его руки, и парировала:

— Мужчины не лучше, болтуны первостатейные.

— Вот-вот, — согласилась Елена Петровна, — о том и речь. А враг, он не дремлет, может подослать к ответственному сотруднику шпиона. Поэтому у многих наших семейного счастья нет. Женечке, правда, повезло. Да и меня, в конечном счете, наградил Господь за мучения.

— Вы о чем?

Ляля встала и начала расхаживать по своей уютной кухне.

— Отец умер, когда меня взяли на работу.

— Его убили? — подскочила я.

— Нет, — изумилась Елена Петровна. — Тромб у него оторвался, он дома скончался, в выходной, первого мая. Мы только с демонстрации пришли. Утром, когда из дома выходили, солнце светило, тепло было, вот и не прихватили ни плаща, ни зонтика, а когда колонной на Красную площадь вступили, тут как хлынуло! Вмиг промокли!

...Вернувшись в квартиру, Петр сразу пошел в ванную — он сильно продрог и не хотел разболеться. А перед тем, как встать под горячий душ, он опрокинул стопку водки. Марта и Ляля сели за стол. Прождав Петра около получаса, женщины насторожились и начали стучать в дверь, за которой слышался плеск воды. В конце концов они сломали дверь и обнаружили Петра мертвым. Вскрытие проводили очень тщательно, но криминалисты не обнаружили никаких намеков на преступление. Сначала водка, потом горячий душ, затем оторвавшийся тромб закупорил один из главных сосудов.

Вскоре после кончины мужа умерла и Марта, сильно тосковавшая по нему. Ненадолго пережила своих заклятых друзей и Ольга. Женя и Ляля остались одни.

Глава 18

Несколько лет молодые люди были заняты только работой. Ляля взяла на себя все бытовые заботы: готовила, стирала, убирала, вела нехитрое домашнее хозяйство. А потом Женя женился на тихой, похожей на белую мышку Галочке. Супругу он нашел на работе — Галина служила секретарем, была многократно проверенным сотрудником. Лучшей пары и не сыскать, отдел кадров не имел ничего против этого брака. Сыграли свадьбу, ясное дело, свидетелем со стороны жениха стала Ляля.

Если вы думаете, что подруга детства и сестра начала сживать со света супругу Жени, то глубоко ошибаетесь. Ляля никогда бы не сделала ничего плохого Гале. Сразу после свадьбы Ляля устранилась от ведения домашнего хозяйства и постаралась пореже бывать у молодоженов, но Галина запротестовала.

— Лялечка, — сказала она, — вы дружите с рождения, зачем же нарушать традиции? Я очень рада видеть тебя! Всегда! Ты Жене как сестра. У меня близких родственников нет, давай и мне сестрой станешь.

Ляля, насторожившись, спросила у Жени:

— Ты рассказал Гале нашу историю?

— Да, — кивнул тот.

— Очень неосмотрительно, — не одобрила она.

— Родителей больше нет, — напомнил Женя.

— Не следует чернить их память, — не успокаивалась Ляля.

— Галочка лишнего слова не скажет, — пообещал он. И оказался прав. Тихая белая мышка тщательно хранила секрет.

Галочка оказалась великолепной женой и замечательной подругой. Женя был счастлив, Ляля тоже. Единственное, что омрачало общую радость, это отсутствие ребенка.

Ради того, чтобы родить малыша, Галя пошла лечиться. Лишь тот, у кого нет желанного ребеночка, поймет, через что пришлось ей пройти. Но в конце концов болезненные манипуляции завершились успехом, Галочка забеременела.

Девять следующих месяцев прошли под угрозой выкидыша, Галя лежала на сохранении. Именно лежала, ходить и даже сидеть врачи ей запретили. А еще доктора велели ни в коем случае не волновать беременную, поэтому, когда Ляля попала в больницу с ужасным диагнозом — рак груди, Женя ничего не сообщил супруге.

Ему пришлось туго, несколько месяцев он разрывался между двумя клиниками. Ляле сделали операцию, она была очень слаба, нуждалась в постоянном уходе. Хорошо хоть Галочка, воспитанная службой, не проявляла любопытства. Она один раз спросила у мужа:

— Где Ляля? Почему не навещает меня?

Женя округлил глаза и коротко рубанул:

— Рабочая необходимость!

— Ясно, — кивнула Галя и более вопросов не задавала.

Но все, даже самое плохое, когда-нибудь да кончается. Ляля вернулась домой, а вскоре приехала из клиники и Галочка вместе с новорожденной Настей. И снова потянулись счастливые годы.

Лялю отправили на пенсию, дали ей инвалидность. Несмотря на диагноз, Елена Петровна ощущала себя совершенно здоровой и могла бы просить начальство оставить ее на службе. Но Ляля была рада ранней отставке — можно не сдавать крошечную Настю в ясли. Малышку она полюбила патологически, теперь вся жизнь Ляли была посвящена девочке. Женя и Галя работали, часто ездили в командировки, прослыли на службе безотказными сотрудниками, бойко шагали вверх по карьерной лестнице, их погоны делались все тяжелей от увеличивающихся по размеру звезд. Настенька родителей практически не видела, их с успехом заменила ей Ляля.

Нет, она ни в коем случае не претендовала на роль матери. Елена Петровна каждый день повторяла Насте:

— Надо гордиться своими родителями, они служат государству!

Настя воспитывалась правильно, и, когда Женя с Галей встречались с дочерью, девочка была счастлива. Но со всеми проблемами Настюша шла, как она говорила, к нянюшке. Ей она доверяла свои тайны, с ней советовалась по всем вопросам.

Видя горячую любовь племянницы, Елена Петровна старательно взращивала в душе девочки такие же чувства по отношению к родителям. Чем старше становилась подопечная, тем больше Ляля рассказывала ей о работе папы с мамой. Конечно, правду Елена Петровна сообщить не могла, да она и сама теперь в подробностях не знала, чем занимаются брат и невестка, но внушала девочке:

— Твои папа и мама стоят на страже интересов народа!

В конце концов Настя твердо уверилась: ее родители — самые уважаемые люди на свете, а их работа невероятно ответственна.

Настя была замечательным ребенком, училась отлично, особых проблем не доставляла, ее любили и учителя, и одноклассники. Девочка бегала на дополнительные занятия, рисовала, танцевала, пела, а после окончания школы очень легко поступила на экономический факультет, профессию ей помогла выбрать Ляля.

Когда Настя писала диплом, в семье случилась беда. Женя и Галя попали в аварию, из машины вынули два трупа. Елена Петровна поседела от горя, Настя выплакала все глаза и растеряла веселость. Госэкзамены она чуть не завалила, но педагоги, осведомленные о несчастье, проявили к девушке сострадание.

— Надо тебе устраиваться на работу, — опомнилась через некоторое время Ляля.

— Я уже оформляюсь, — ответила Настя.

— Куда? — ахнула Елена Петровна. — Почему со мной не посоветовалась?

Настенька обняла тетю.

— Думаешь, мама с папой погибли случайно?

— Это была автокатастрофа, — тихо ответила Ляля. — Ты же знаешь подробности: пьяный урод выскочил им на встречку. Ладно бы он в «Жигулях» сидел, так ведь на тракторе ехал! Женя ничего не сумел сделать.

— Это официальная версия, — сухо отбрила ее Настя, — а на самом деле их уничтожили враги.

— Что ты, милая! — начала Елена Петровна. — Ну какие у Женечки с Галочкой враги? Они были святыми людьми! Никому плохого слова не сказали.

— Я уже не маленькая, — мрачно перебила ее Настя. — И потом, я беседовала с Олегом Петровичем.

— С кем? — напряглась Ляля.

— Начальником управления, в котором служили родители.

— Не может быть, — испугалась Елена Петровна. — Зачем?

— Я встаю на место выбывших из строя, — торжественно заявила Настя.

— Не надо! — встрепенулась Ляля.

— Почему?

— Ну... просто не надо, — повторила Елена Петровна. — Это трудная служба, можно не устроить личную жизнь, придется заниматься не всегда приятной работой.

— Кто-то же должен убирать грязь! — парировала Настя.

— Ты имеешь высшее образование, свободно владеешь иностранными языками, великолепно рисуешь, танцуешь, поешь. Может, тебе еще на актрису поучиться? — стала соблазнять воспитанницу Ляля. — Сцена, успех, аплодисменты... Подумай, дорогая!

Настя улыбнулась.

— С четырнадцати лет я знала, куда пойду служить. Ты ведь мне объяснила, каким делом заняты папа с мамой — самым необходимым, они служат Отечеству!

Вот когда Елена Петровна горько пожалела о своих восторженных рассказах.

— Но откуда ты узнала про отдел, где служили родители? — только и сумела спросить она. — С улицы прийти и справки навести нельзя. Кто тебя отвел к Олегу Петровичу?

Настя молча подошла к небольшому секретеру.

— Эта вещь принадлежала отцу, так?

— Да, — кивнула Ляля. — Старинная мебель, очень красивая.

— Откуда она у нас?

Очень удивленная таким поворотом беседы, Ляля ответила:

— В свое время твой дед Валерий купил его для своей жены.

— Знаешь секрет?

— Чей? Дедушкин? — напряглась Ляля, которая никогда не раскрывала Насте семейные тайны.

— И его тоже, — вдруг весело заявила Настя. — Но сейчас я спрашивала вот про это.

Не успела Ляля моргнуть, как воспитанница ловко поднырнула под полированную столешницу, послышался щелчок, легкий скрип, треск...

— Вот, смотри, — велела Настя.

— Это что? — изумилась Елена Петровна.

— В секретере есть тайник, — пояснила воспитанница. — Я случайно его обнаружила. Помнишь, когда я училась в восьмом классе, тебя в санаторий отправили?

— Было дело, — растерянно подтвердила Ляля.

— А родители в командировку укатили.

— Помню.

Настя села в кресло.

— Я осталась одна и решила сделать всем сюрприз — убрать квартиру. Затеяла генеральную уборку, занавески перестирала, книги перетерла, мебель полиролью обработала. Очень старалась! Залезла под секретер, решила его и снизу протереть, тряпкой зацепила за какой-то выступ, нажала на завитушку... Открылся ящик, а в нем дневник бабушки Оли, она его каждый день вела.

— Не может быть! — обомлела Ляля.

— Самым тщательным образом все записывала.

— Вот казус! — прошептала Ляля.

— И прятала хорошо. Уж не знаю, был ли тайный ящик в секретере с самого начала или бабушка его специально сделала, — сказала Настя. — Там много про работу.

— Она не имела права писать о службе!

— Но все же записывала, — улыбнулась Настя. — Очень интересно. А еще про историю отношений Анны с моим дедушкой Валерием.

— Это ложь! — на всякий случай крикнула Ляля. — Анна была... э... не совсем нормальна.

Настя положила на стол несколько толстых тетрадей.

— Всего их двенадцать штук, — пояснила она, — и все лежали в тайнике. Ольга не сомневалась: твой, Ляля, отец — Валерий. Там есть точный расчет, буквально по дням.

— Мало ли кто что напишет... — потеряла самообладание Ляля. — Меня, слава богу, Марта воспитывала, она была нормальная. Я биологическую мать совершенно не помню.

— А ты изучи документы, — посоветовала Настя. — Интересная вещь!

Ляля кинулась к столу, схватила одну тетрадку, прижала к груди и простонала:

— Все неправда! Отец — замечательный человек... А Валера никогда не спал с Анной...

Настя обняла Лялю за плечи и усадила на диван.

— Успокойся! Что ты так разволновалась? Мы с тобой родные племянница с тетей. И еще. Моя мама знала о тайнике, там лежат и ее записи, тоже очень откровенные. Вот из них я про Олега Петровича и узнала.

— Петр и Анна просто дружили с Валерием и Ольгой, — дрожащим голосом продолжала бубнить свое Ляля.

— Ты защищаешь честь давно умерших родителей? — грустно спросила Настя. — Отлично тебя понимаю, только это уже никому не нужно. Никого не осталось, лишь ты да я, а мы — роднее некуда. Я и правда счастлива, что одной крови с тобой. Ясно?

Ляля прижалась к Насте.

— Ближе тебя у меня никого нет!

— Знаю, — кивнула девушка. — Теперь понимаешь, почему я хочу заменить маму с папой? Они погибли, защищая Отечество. Ты же сама когда-то была их коллегой!

— Очень давно, — промямлила Елена Петровна. — И не на оперативной работе — я занималась ерундой, бумажки перекладывала. Хотя имею наградное оружие, начальство в свое время меня отметило. Просто за чепуху вручили!

— У нас чепухи не бывает, — объявила Настя, — каждый на своем месте нужен.

Елена Петровна в изнеможении откинулась на спинку дивана. Слова «у нас чепухи не бывает» племянница произнесла таким торжественным тоном, что стало понятно: вопрос о месте работы для Насти решен раз и навсегда.

Глава 19

Елена Петровна подняла взгляд и пару секунд молчала, потом устало продолжила:

— Я уже говорила, какая талантливая девочка Настя. Ее исключительные качества очень скоро оценило начальство, задания становились все труднее и опаснее...

Год назад племянница сказала ей:

— Лялечка, я временно уйду из дома.

— Куда? — испугалась тетка.

Настя сначала замялась, но потом решилась:

— Ладно, расскажу. Вместе с Интерполом мы вышли на строго законспирированную международную организацию торговцев живым товаром. Ее члены похищают детей и переправляют их в разные страны мира, поставляют богатым педофилам для утех.

— Ох, мерзавцы! — возмутилась Ляля.

— Верно, — кивнула Настя, — мерзавцы и еще убийцы: «отработанный товар» они уничтожают.

— Носит же земля таких подлецов! — вскипела тетка.

— Я с тобой совершенно согласна, — подхватила племянница. — Но уличить преступников сложно, еще труднее выявить всех участников цепочки, дойти до паука, раскинувшего паутину. Поэтому я временно покину тебя, стану внедренным агентом.

Ляля не сдержала вскрика. Она, хотя и работала в организации на одной из самых низших должностей, великолепно понимала опасность, которой согласилась себя подвергнуть Настя.

— Но почему ты? — залепетала тетка.

— Так решили. Это приказ, а он не обсуждается, — спокойно ответила Настя. — Но если хочешь знать, я изъявила желание сама. Думаю, папа с мамой меня бы одобрили.

Ляля сгорбилась, ей стало страшно. Если с Настей стрясется беда, она не сможет жить. Неужели господь отнимет у нее единственного родного, горячо любимого человека?

— Мы иногда будем видеться, — тихо сказала Настя. — Я придумала вот какую штуку. Ты по ночам, около часа, выходи гулять во двор. Если кто из соседей вопросы задавать начнет, пожалуйся на бессонницу, а сама на окошко кухни поглядывай. Стоит ваза с букетом — нет меня, исчезла икебана — я дома, тогда тихонько дверь отпирай.

В Ляле поднял голову профессионал. Хоть она и не была на оперативной работе, но все же соприкасалась с ней, читала документы. Кстати, Елена Петровна великолепно стреляет и никогда не была мямлей.

— Опасно носить при себе ключи от квартиры, — заявила она, — это может вызвать подозрения. У агента другая биография, в ней отсутствую я и все остальные родственники, ты уже не ты, а какая-нибудь Настя Елкина. Имя скорей всего для простоты оставят. Сколько их, этих Насть! Понимаешь, какую жизнь тебе придется вести? Не дай бог, увидит злой взгляд колечко с ключами, задастся вопросом, какую дверь они открывают, потянут за ниточку... Не на таких мелочах горели! Слышала про пачку сигарет?

Настя кивнула.

— Естественно. Один из наших агентов, работавших в Европе, купил «Кэмел» в мягкой упаковке и абсолютно спокойно вскрыл ее одним рывком, удалил всю верхнюю полосу из фольги, чем вызвал удивление собеседника. Европейцы отрывают только небольшую часть блестящей бумаги, а потом через отверстие вытряхивают сигареты. Этого незначительного действия хватило для зарождения подозрений. В конце концов наш сотрудник был раскрыт[1].

— Вот-вот, — покачала головой Ляля. — А ты собралась ключи с собой на задание брать. Придумай, где их спрятать.

Настя снисходительно улыбнулась и рассказала

---

[1] Подлинный факт, описанный в воспоминаниях разведчика Абеля. (*Прим. автора.*)

про окно, которое легко можно открыть снаружи. Племянница была умна, она и не собиралась брать с собой ключи...

— Вот так мы с ней и расстались, — завершила рассказ Елена Петровна. — Сегодня я впервые за год увидела, что букета нет, и пошла потихоньку сюда. Как ты все-таки думаешь, Настя погибла?

— Теперь боюсь, что да, — тихо, со вздохом, ответила я. — Наверное, ее раскрыли.

— При чем же тут муж той женщины — твоей подруги, Ники Терешкиной? — внезапно поинтересовалась Елена Петровна, продемонстрировав замечательную память. — По какой причине он оказался в гостинице?

Я пожала плечами.

— Пока непонятно. Вроде Ника собиралась встретиться там с любовником, а Василий вычислил место, где его жена надумала весело провести время... Ой, что-то концы с концами не сходятся!

— Так ты уверена в смерти Насти или нет? — упорно настаивала Ляля. — Я что-то вдруг сомневаться начала. Сначала-то чуть не умерла от горя, когда с тобой повстречалась, прямо разума лишилась, стала все выбалтывать. Я вообще-то не из тех, кто языком метет, а тут просто... понесло меня, тормоза отказали... Вот только туман рассеялся — я думаю, жива Настя. Я ведь ее чувствую! Знаю, тяжело девочке, но она выдержит и непременно ко мне вернется. Я бы беду почуяла сердцем!

И что было ответить на это заявление? Я очень хорошо понимаю, по какой причине Елена Петровна разоткровенничалась со мной. Ни один человек не способен постоянно сдерживаться, рано или поздно давление пара снесет крышку и наружу вылетит тщательно сохраняемое содержимое. А еще, наверное, Ляле больно смотреть на то, что творится вокруг. Ведь она и ее родственники служили совсем иной стране, другому строю. Бизнесмены тогда назывались фарцовщиками, Америка являлась империей зла, а СССР был «впереди планеты всей». Кроме того, Ляля тоскует о Насте, волнуется за нее, а тут появляюсь я с историей про гостиницу и девочку Стеллу. Ясное дело, у Елены Петровны всколыхнулся осадок на дне души, и она выболтала тщательно хранимые секреты, попросила меня написать книгу. Как она сказала? «Хочу отомстить нашим начальничкам, им все по барабану». Истерическая реакция на стресс, вследствие чего я стала поверенной чужих тайн. Но сейчас Ляля остыла и взяла эмоции под контроль.

— Ну и дура же я! — воскликнула Елена Петровна. — Ты уж извини, наболтала черт знает чего... Как разволнуюсь, такая фантазия просыпается! Вру без остановки, потом удивляюсь, откуда что берется.

Ляля замолчала и вдруг, забыв про свою неуклюжую попытку внушить гостье, что весь ее рассказ был неправдой, воскликнула:

— Настя жива! Мое сердце не лжет!

— Я понимаю вашу надежду, — кивнула я. — Но у Ники никоим образом не могло быть двух мужчин сразу.

— Почему? — скривилась Ляля.

— Терешкина — обычная женщина не первой молодости: дочь, муж, работа, никакого экстрима. Любовника она завела совсем недавно, впала в кризис среднего возраста, захотела встрепенуться. Ну никак она не могла сначала с одним в кровать лечь, потом, спустя короткое время, с другим! И еще эта плохо залеченная гонорея. Абсолютно не похоже на Нику. А вот для проститутки это обычный набор. И еще: одежда на трупе была не Терешкиной.

— Не смеши, — фыркнула Ляля, — переодеться легко.

— С какой стати Нике натягивать на себя шмотки Насти? — Я попыталась вернуть Елену Петровну с небес на землю. — Они не были знакомы, просто Ника очутились в той же гостинице, где бывала Настя.

— Зачем твоя Терешкина туда приперлась? — сердито перебила меня Ляля.

— Я объясняла уже: для встрсчи с любовником.

— Тело кто-нибудь опознал?

— Конечно, коллега по работе, завуч Ирина Сергеевна.

— А почему она? У Терешкиной нет родствснников?

— Есть. Дочь Вера. Но ей решили тело матери не показывать. Труп изуродован молотком до неузнаваемости. Нику хоронили в закрытом гробу.

— Красиво получается, — хмыкнула Ляля. — Говоришь, такие травмы, что и определить личность нельзя? Как же завуч коллегу опознала?

Я заморгала.

— Не знаю. Может, по шрамам, родинкам.

— Они в школе голыми ходят? — прищурилась Елена Петровна.

— Нет, конечно. Терешкина с Ермаковой могли вместе посещать баню, бассейн...

Елена Петровна встала.

— Закрытый гроб, крематорий, а не кладбище... Все подсказывает: кто-то сделал так, что установить личность погибшей было невозможно. Хочешь знать мое мнение? В урне пепел женщины, имя которой пока неизвестно. Но это не Настя и не Ника.

— А кто? — разинула я рот.

— Понятия не имею. Думаю, некий режиссер поставил замечательный спектакль. Милиция считает, что погибла Ника, даже преступника арестовали, ты веришь в смерть Насти, но на самом деле убит кто-то другой.

— А где Настя?

— Не знаю, может быть, на задании, — заявила Ляля.

Мне стало жалко Елену Петровну. Не слишком-то счастливая судьба досталась женщине — у нее был один близкий человек, и тот погиб. Ляля не хочет признать факты и теперь готова поверить в любую чушь и ждать возвращения своей племянницы.

— И кстати, если убита Настя, — ровным голосом вещала собеседница, — то куда подевалась Терешкина?

Я вздрогнула. Такая мысль и мне приходила в голову.

— Почему твоя подруга не объявилась? — продолжала Ляля. — Не помчалась в милицию, не сказала: «Я жива»? А ее муж Василий? Он что, налетел на женщину с молотком и стал бить ее, не сообразив, кого видит?

— Ярцев находился в состоянии аффекта, — пролепетала я.

— Ты посмотри на ситуацию трезво. Охваченный ревностью мужик вбегает в номер гостиницы, где, как он думает, его жена изменяет ему с любовником. Подскакивает к кровати, видит совершенно незнакомую девушку и все равно лупит ее молотком?! Он что, псих? Я имею в виду в клиническом смысле слова.

— Нет, он нормальный человек. После работы самая большая радость для него — телик и пиво, — признала я. — Именно по причине Васиной аморфности Ника и решилась изменить ему.

— Вот-вот! — воскликнула Ляля. — Такой не впадет в буйство. Такой, даже если решил сгоряча убить изменницу и прихватил молоток, непременно остановится, наткнувшись на незнакомку. Извинится и уйдет. А где любовник Ники? Он что, спокойно разрешил убить спутницу? Позволил бить ее? Не полез в драку?

Елена Петровна задавала сейчас те же вопросы,

что возникли и у меня. И я отвечала так, как самой себе недавно.

— Он испугался и удрал, подлый трус!

— Они не заперли номер? — настойчиво твердила Ляля. — Или Василий ломал дверь? В истории полно странностей и несостыковок. Думаю, они обе живы. И Настя, и Ника. А произошедшее в «Оноре» — просто спектакль.

— Но зачем было устраивать его?

— Не знаю.

— Если верить вашей версии, то Терешкина и Настя могут быть знакомы. Что их связывало? — спросила я.

— Не знаю.

— Кто тогда погиб в отеле?

— Понятия не имею. Хотя могу предположить: проститутка, одна из подопечных сутенера Стаса.

— Но Василия обвинили в убийстве жены и арестовали!

— Что тебя удивляет? Тот, кто задумывал спектакль, хорошо его организовал, подставив мужа, — предположила Ляля. — Кстати, ты тело Ярцева видела?

Я попыталась сосредоточиться, но ничего не получилось. Как назло, вспомнилась ситуация с отелем, в котором каждый месяц происходит убийство. От постояльцев информацию не скрывают, более того, клиентов просят помочь милиции, в конце концов справедливость торжествует, преступника ловят, но... его не арестовывают. Просто бред какой-то! История с гостиницей явно выдумана Олегом, чтобы подразнить бывшую жену! А я сейчас занимаюсь реальным расследованием! Очнись, Вилка!

— Ярцева? Нет. Его еще не отдали для похорон, — вернулась я к действительности.

— Ну-ну, — покачала головой Ляля. — Имей в

виду: иногда органы идут на обман — заявляют о кончине человека, а тот жив-здоров.

— Зачем такое проделывать с Васей?! — заорала я.

Ляля приложила палец к губам.

— Тс... Не вопи. Шум нам не помощник. Ищи Нику, думаю, она знает ответы на все вопросы. А Настя жива. Она непременно вернется.

— Вы уверены?

— Стопроцентно.

— Елена Петровна, — не выдержала я, — иногда нужно признать жестокую правду. Не стоит обманываться, Настя...

— Выполняет особое задание, — перебила меня женщина. — И я ее непременно увижу, через год, два, три, но увижу. Ничего, подожду, я еще не дряхлая, вполне здоровая женщина.

— Настя...

— Она жива! Я это чувствую! — торжественно объявила Ляля.

У меня не нашлось никаких аргументов. Елена Петровна — умная женщина, но в данном случае она просто не желает признавать очевидные вещи.

На следующий день я прибежала в гимназию без пяти десять и сразу помчалась на урок. Завуч Ирина Сергеевна была где-то в здании — ее ужасный ярко-желтый портфель лежал на столе. Можно было подождать Ермакову и побеседовать с ней, но мне не хотелось пока раскрываться, поэтому я предпочла изображать классную даму, хотя на самом деле явилась расспросить завуча, как она сумела опознать Нику.

У девятиклассников был урок химии, я села за последнюю парту, прикрыла глаза и тут же услышала шепот Тимы:

— Эй, привет!

— Доброе утро, — ответила я.

— Как дела?

— Великолепно.

— Мы еще не поймали вора, — еле слышно сообщил Тимофей, — целый день висели в гардеробной, и никого.

— Тишина в классе! — заорала учительница и треснула указкой по столу.

— Во психованная, — понизил голос парень. — Слушай, с картиной облом вышел. Ее мне не продали!

— Ты о чем?

— Забыла? — обиделся мальчик.

— Извини, да.

— У моей тети день рождения, — забубнил он, — я не мог придумать, че ей подарить, а ты посоветовала прикол. Съездить в Третьяковскую галерею, купить там картину с тремя богатырями.

— И при помощи фотошопа вставить вместо изображений Ильи Муромца, Добрыни Никитича и Алеши Поповича фото любимых кошек твоей тети! — вспомнила я свою креативную идею.

— Суперприкол, — захихикал Тима, — но вышел облом. Картины нет.

— Надо же, там раньше всегда торговал ларек, — протянула я.

— Я его не нашел, — вздохнул парень. — Вернее, я обнаружил полотно, но мне его не продали.

— Странно, — хмыкнула я. — Не так давно одна моя знакомая приобрела в Третьяковке постер «Девочка с персиками». Может, продавец тебя неправильно понял? Ты объяснил, что хочешь?

— Я что, похож на идиота? — возмутился Тима. — При мазне бабка стояла, древняя, хуже мумии, чихнешь — развалится. Я сначала нормальных поискал, не хотел со старухой связываться, они все ку-ку. Только никого больше не обнаружил, пришлось к убогой подкатывать. Спрашиваю: «Можно вот эту картинку купить?»

— Значит, репродукция имелась в продаже?

— Ха! Бабуська морду скривила и в ответ: «Вам с рамой или вырезать?»

— Но почему ты говоришь, что случился облом?

Тима чихнул.

— Ты дослушай.

— Продолжай, — милостиво разрешила я и вот что узнала.

Тимофей окинул картину взглядом и решил, что тащить на себе здоровенную раму не стоит, поэтому вежливо ответил:

— Багет себе оставьте, мне только картина нужна.

— Зачем же тебе холст понадобился? — проявила любопытство вредная старуха.

Тима обозлился и хотел сказать ей нечто вроде: «Какое ваше дело», — но потом решил, что в музее нужно быть вежливым, и заулыбался:

— Тете хочу на день рождения подарить. Типа, прикол. Вместо парней фотошопом кошек воткнуть.

Божий одуванчик вздрогнул.

— Каких кошек? Куда? — бестолково стала спрашивать она.

Тима пустился в объяснения. Ему пришлось нелегко — пенсионерка никогда не имела дела с компьютером и не понимала, что задумал подросток.

— Стереть изображение богатырей? — в конце концов ахнула «мумия».

— Ну, типа так, а потом вшопить кисок, — удивляясь собственному долготерпению, растолковывал парень. — Сначала их нафоткать, затем ченч устроить.

Бабулька рухнула на стул, бархатную обивку которого давно со смаком слопала моль.

— Это полотно Васнецова, — обморочным голосом вдруг заявила она. — Понимаешь? Самого Васнецова! И картина называется не «Три богатыря», а просто «Богатыри». Неуч!

— Вот черт, — расстроился Тема, — как не повезло. Уже купили! Че делать-то? Такой прикол был бы суперский. И откуда этот Васнецов взялся? Сидел бы дома, так нет, приперся и схапал!

В расстроенных чувствах Тима огляделся и увидел еще одно изображение, на сей раз на картине было два главных героя: серый волк и девушка. Девятиклассник воспрял духом.

— О! — ткнул он пальцем в понравившееся полотно. — Это тоже подойдет... Его хочу!

— Это тоже принадлежит Васнецову, — простонала бабка.

Тимофей скривился.

— А вон та девчонка у болота?

— Где? — встрепенулась пенсионерка. — О каком болоте ты ведешь речь?

— Ну вон слева, — пояснил он. — Сидит там какая-то мымра с кислой рожей. Ее купить можно?

Старуха с усилием встала на дрожащие ноги.

— Мальчик, здесь все принадлежит Васнецову! — пафосно заявила она.

— Вот ё-моё! — в сердцах топнул ногой Тима. — Телефончик не дадите?

— Чей? — взвизгнула бабулька.

— Васнецова. Может, он продаст че-нибудь, — с надеждой спросил Тимофей.

— Анна Сергеевна! — заорала бабка. — Сюда!

Невесть откуда появилось еще одно ископаемое и недовольно пробурчало:

— Вы почему кричите, Мария Николаевна?

— Он хочет купить Васнецова! — сказала Мария Николаевна. — Просит его телефон!

Брови Анны Сергеевны сошлись к переносице.

— Молодой человек, вы в курсе, сколько стоит полотно?

— Мне по фигу! — отмахнулся Тима. — У меня кредитка, называйте цену.

— Очень дорого! — хором ответили бабки.

Потом Анна Сергеевна добавила:

— Народное достояние бесценно.

— У всего есть стоимость, — ответил сын бизнесмена.

Старухи переглянулись.

— Думаю, холст вам все же не по карману, — язвительно заметила Анна Сергеевна. — Точную сумму не скажу, но предполагаю, что она исчисляется сотнями тысяч в валюте.

Тима вытаращил глаза. На его взгляд, мазня не тянула и на тысячу евро, бабки явно сбрендили. Но, делать нечего, сохраняя хладнокровие, он попрощался с мумиями и ушел...

— Постой! — отмерла я. — Ты вел разговор о приобретении КАРТИНЫ?

— Ну не вазы же! — раздраженно ответил Тимофей. — Ты сама посоветовала в галерею сходить.

— И ты явился в зал Васнецова?

— Вот гад! Скупил все!

— Тима, я отправляла тебя в ларек за репродукциями, а не в залы, где висят подлинники, — только и сумела сказать я.

— Там никаких палаток нет, — отрезал мальчик. — Одни комнаты, и картинки в рамах.

— Это же Третьяковская галерея!

— И что? — удивился Тима. — Мы с мамой ездили в галерею где-то в центр. Там нормальные люди торговали, никто хрен знает сколько бабок за ерунду не просил. А здесь чума! Придется другой подарок придумывать.

Зазвенел звонок, школьники сорвались с мест.

— Дети, дети! — взывала химичка. — Я не успела рассказать домашнее задание! Постойте!

— Сорок пять минут гундела и не уложилась, — возмутился Тима, запихивая в рюкзак тетрадки. — Если я на урок опоздаю, мне в дневник двойбан, а училке че? Надо и им дневнички завести. Тогда будет по справедливости: они нас оценивают, а мы их!

Глава 20

Схватив туго набитый рюкзак, Тимофей убежал, я покосилась на красную от злости преподавательницу. В словах подростка есть свой резон. Если школьникам запрещается опаздывать на урок, то почему учителю можно задерживаться? Педагог обязан следить за временем, отнимать у детей перемену нельзя. И в идее выставлять отметки учителям есть здравое зерно.

Тима вовсе не дурак, но ситуация с Третьяковской галереей просто чудовищна. Представляю, что испытали несчастные хранительницы, когда на них налетел подросток, желавший приобрести подлинники Васнецова. А если учесть, что малограмотный Тима посчитал живописца владельцем холстов, потребовал телефон давно умершего художника, то понятно, почему пенсионерки затряслись от негодования.

Может, нужно составить для школьников список мест, которые необходимо посетить? Сделать для них путеводитель с комментариями? Ну, например: «Музей изобразительных искусств имени А.С. Пушкина. Там находятся картины и статуи, имеется греческий зал. Великий Пушкин не имеет к экспозиции никакого отношения». Я вздрогнула. А почему тогда музей носит его имя? Правильнее было бы назвать его именем, допустим, Ивана Цветаева, отца поэтессы Марины Цветаевой. Он был основателем музея и вполне заслужил эту честь. Вот литературный музей имени А.С. Пушкина — это объяснимо. С другой стороны, в Москве полно других странностей. До недавнего времени метрополитен носил имя В.И. Ленина. Руководитель партии большевиков не копал подземку, не носился с мотыгой и тачкой, он умер задолго до того, как началось проектирование первой ветки. Думаю, следовало назвать метро в честь его первого строителя. И потом, если честно, я считала, что картина Васнецова называется «Три богатыря», а оказалось, что числительного там нет. Сама хороша, недоучка.

Я потрясла головой и отправилась в учительскую. Не стоит размышлять о пустяках, есть дела поважней — мне необходимо поговорить с завучем.

— Дорогая Виола, — расплылась в улыбке Ирина Сергеевна, — надеюсь, вы комфортно ощущаете себя в нашем сплоченном коллективе?

— Скажите, — решительно приступила я к дознанию, — это вы опознавали тело Ники Терешкиной?

Завуч вздрогнула.

— Ужас! Я чуть не умерла! Завели меня в морг — какой-то подвал, под потолком трубы, темно, — выдвинули каталку, подняли простыню... Я едва разума не лишилась! Не дай бог еще раз подобное увидеть! Знаете, я сразу зажмурилась.

— И опознавали личность с закрытыми глазами?

— Нет, конечно, — прижала руки к груди Ирина Сергеевна. — А почему вы интересуетесь?

— Да Верочка, дочь Ники, сейчас очень переживает, что не пошла в морг, — соврала я. — Странно, однако, милиция обратилась почему-то к вам, а не к ближайшей родственнице.

Ермакова склонила голову набок.

— Ужасное происшествие, пятно на коллективе! Виола, могу я вас попросить об одолжении?

— Да, конечно.

— Вы попали к нам случайно и понимаете... Ох, неудобно говорить! И люди сюда прийти могут.

— Сейчас урок начнется, — напомнила я.

— Давайте переместимся в мой кабинет? — предложила Ирина Сергеевна.

— С удовольствием, — ответила я.

Закрыв дверь изнутри на ключ, завуч вздохнула:

— Теперь можно беседовать спокойно. А то есть

у нас в коллективе личности, которые, кхм... обожают подслушивать, собирают сплетни, разносят их. Не понимают пагубности своего поведения. Конкуренция на ниве образования огромна, и гимназия, чтобы выжить, должна иметь безупречную репутацию. А у нас в последнее время беда за бедой. Мне постоянно приходится... как бы это сказать... затаптывать костры. Сплошной стресс! Сначала географичка указкой ученика стукнула, пришлось ее увольнять, потом кто-то стал шарить в гардеробной по карманам. Ловим, ловим, но обнаружить вора не получается. А «на закуску» смерть Ники. Очень вас прошу! Понимаете, наши не знают правды.

— Вы не сообщили коллективу о смерти Терешкиной? — поразилась я.

— О ее смерти всем известно, — потупилась завуч, — но без подробностей про гостиницу и мужа. И очень, очень прошу вас сохранить тайну!

— Почему? Рано или поздно весть доберется до гимназии.

— Нет, нет! — замотала головой Ермакова. — Вероника здесь ни с кем, кроме меня, не поддерживала отношений. Мы были очень близки, я скорблю изо всех сил... поверьте, плачу каждый день... но... у меня муж, сын, репутация... замечательный оклад... меня уволят... я должна сохранять лицо коллектива...

В голосе завуча послышались истеричные нотки.

— Я знаю, кто вы, — прошептала она едва слышно. — Вы писательница Арина Виолова. Надели парик, он, конечно, изменяет внешность... я думала... Ника пообещала мне... деньги... Лёня... он не способен... Терешкина... О господи! Я больше не могу! Силы иссякли!

Из глаз завуча полились слезы, Ирина Сергеевна схватила пачку бумажных платков и стала вытирать нос.

— Если моя тайна раскрыта, лучше поговорим

откровенно, — предложила я. — Похоже, вы попали в тяжелое положение.

Ермакова скомкала бумажку.

— Тяжелое? Да просто ужасное! Хоть в петлю лезь!

— Из любой ситуации есть выход, — бойко заявила я.

— Оптимизм — замечательная вещь, — горько отозвалась Ирина Сергеевна, — но в моем случае он неуместен.

— Давайте вместе попытаемся исправить положение, — предложила я.

Завуч стиснула кулаки.

— Вы можете поделиться неприятностью с мужем? — спросила я.

— Нет! — вскрикнула завуч. — Это исключено!

— А с сыном?

— Вы с ума сошли?!

— Одной тяжело нести беду, ее нужно разделить с кем-то. Есть ли у вас верные подруги?

— Нет, — прошептала Ермакова, — никого.

— Значит, помочь вам некому, — констатировала я.

Ермакова схватилась за виски руками и начала раскачиваться из стороны в сторону.

— На вашем месте, наверное, стоит рискнуть, — сказала я. — Лучше опереться даже на незнакомого человека.

— Если вы кому-нибудь расскажете, мне не жить, — прошептала Ирина Сергеевна. — Хотя... Все равно, лучше умереть! Господи! Ника... Лёня... деньги... благотворительность... я хотела помочь бедным детям... поверьте... они счастливы теперь...

— Давайте-ка по порядку, — предложила я.

Ирина Сергеевна неожиданно успокоилась.

— Хорошо, я попытаюсь, но предупреждаю сразу... дело невероятное... поразительное.

— Меня трудно удивить!

Завуч внезапно улыбнулась.

— Меня тоже, но Нике это удалось.

...Терешкина попала в гимназию по рекомендации одного из родителей, богатого и чиновного Федора Глызина.

— Замечательная женщина, — охарактеризовал он Нику. — Возьмите ее к себе, не пожалеете.

Ирина Сергеевна пригласила Нику на собеседование и осталась довольна как внешним видом, так и внутренним содержанием претендентки. К сожалению, в учебном заведении большая текучка кадров. Педагоги охотно идут на работу в частную структуру, но не всякий способен в ней удержаться. Основная масса преподавателей привыкла к покорным родителям и детям, на которых без всякой опаски можно повышать голос. В муниципальных школах учитель сродни богу, он вершитель судеб детей, способен капитально испортить жизнь не только ребенку, но и всей его семье. «Школьные годы чудесные», — поется в известной песне, но для многих они становятся мучительными.

В частной гимназии дела обстоят с точностью до наоборот. Отцы и матери, отдавшие немалые деньги за учебу, требуют хороших отметок. Если деточка получает двойку, то разъяренные родичи не наказывают недорослей, нет! Они кидаются к директору и произносят изумительную фразу:

— Ваши педагоги не способны вложить в голову малыша знания!

И тот принимает необходимые меры. Думаете, директор велит учителю дополнительно заниматься с «митрофаном»? Приказывает оставить двоечника после уроков для вдалбливания в его голову основ науки? Вовсе нет, педагогу устраивают показательную головомойку и строго-настрого предупреждают:

— Еще раз влепишь такому-то плохую отметку, прощайся с местом работы и жирной зарплатой.

И, о чудо, не проходит и недели, как в дневнике недоросля расцветают пятерки, остолоп превращается в Эйнштейна...

— Очень глупо, — перебила я Ирину Сергеевну. — Нужны не оценки, а знания!

— Тонкое наблюдение, — неожиданно съязвила Ермакова.

— Выпускникам предстоит сдавать экзамены в вуз, — продолжала я. — Каким образом они пройдут испытание?

— Щенячья наивность, — с легким презрением отметила завуч. — Эти детки уедут в Англию, Америку, Германию. Родители отдадут баснословные деньги и пристроят идиотов.

— Насколько мне известно, западные университеты очень ревностно относятся к своей репутации.

Ирина Сергеевна навалилась грудью на письменный стол.

— Не все. И потом, кто ведет речь об Оксфорде, Кембридже, Беркли и иже с ними? Например, Женя Николаев попал в некий заштатный институт в Америке, не помню, как он называется. Ходил на лекции два года, получил бумажку, весьма красивую, в печатях и штампах. Мол, окончил курс по специальности пиар и реклама. На мой взгляд, малоформатная школа в какой-нибудь нашей деревне под названием Широкие Калоши дала бы ему лучшие знания. Но Николаев сейчас работает в престижной фирме, ездит на иномарке. Так уж устроен российский человек: видит «корочки», подтверждающие заокеанское образование, и моментально застывает в восторге. О, роскошный специалист! Он обучался в АМЕРИКЕ! Никто детально не интересуется, чему же его там учили. Так что за наших выпускничков беспокоиться не надо. Знаете, сколько отец Николаева заплатил за, с позволения сказать, высшее образование отпрыска? В общей сумме пятьдесят тысяч долларов!

— Круто, — признала я.

Внезапно по лицу Ирины Сергеевны снова потекли слезы.

— Ну почему все так несправедливо? — судорожно зашептала она. — Всю жизнь мне не везет! Вышла замуж рано, родила сына, с девятнадцати лет при пеленках. Ни мамы, ни бабушки, способных помочь, не было, я сама ребенка волокла. Муж аспирантуру заканчивал, утром уйдет, вечером придет, сделает малышу «козу», поужинает и к телевизору. Что я видела? Зарплата копеечная, на новые сапоги год надо копить. Лёня стал кандидатом наук, но денег не прибавилось. В перестройку ближайшие его знакомые, такие же «остепененные», начали лапами бить. Один строительную фирму открыл, другой продукты экспортировать стал. Сначала, конечно, ничего хорошего, сплошные убытки и страх. Но сейчас! Первый в загородном коттедже на Рублевке живет, второй вообще в Испанию перебрался. А Лёня? Уж как я его упрашивала: начни свое дело. Нет! Морду скорчит и бубнит: «Милая, я занимаюсь наукой, создан для великих открытий». И результат? Сидит в НИИ у двадцатого окна, оклад кошке на смех! Боже, да он же просто патологический лентяй! Всю жизнь я пашу. С огромным трудом в гимназию устроилась, еле пролезла, и что? Думаете, директор всю работу тянет? Милая, да на моей памяти восемь начальников сменилось. Восемь! Руководство тасуется, а Ирина Сергеевна огород копает. Ну почему меня директором не назначат, а? Объясните?

Ермакова схватила со стола газету и начала ею обмахиваться.

— Не знаю, — осторожно ответила я.

— И жизнь никак не становится легче, — чуть

спокойнее продолжала завуч. — Сын женился, молодые у нас поселились, близнецов родили, вдвоем теперь с невесткой на кухне толкаемся. Она ведет себя прилично, ничего плохого сказать не могу, но иногда как взглянет — у меня желудок сводит.

— Понимаю, — сочувственно кивнула я.

Ермакова отшвырнула смятую газету.

— Господи, что вы можете понять? Муж сел писать книгу. Шестой год кропает! Запирается в комнате и к компьютеру. Если войду к нему, он бесится, орет: «Не дают сосредоточиться! Это ты виновата, что я до сих пор Нобелевскую премию не получил!» В другой спальне молодые, к ним не сунешься. И куда мне после тяжелого рабочего дня приткнуться? На кухне маюсь, над головой постирушка, на плите суп!

— К сожалению, так живет большинство россиян, — тихо сказала я.

— И тут в нашу гимназию пришла Ника, — не обращая внимания на мое замечание, рассказывала Ирина. — Ничего вроде особенного в ней не было, такая, как все. Мы не сразу подружились, нам это ни к чему было.

Ермакова запнулась, набрала полную грудь воздуха, выдохнула и протянула:

— Зачем я так долго о себе рассказывала? Чтобы вам стало понятно: жизнь моя беспросветна. Сплошной кошмар. Нищета и досуг на кухне. И вдруг Ника! С ее возможностями, деньгами, украшениями...

Завуч замолчала и уставилась в окно. Я вежливо покашляла, затем решилась прервать затянувшуюся паузу:

— Ирина, Ника никогда не жила на широкую ногу. Василий зарабатывал копейки. Он очень похож на вашего мужа — предоставил супруге одной бороться с жизненными неурядицами. А еще Ярцев может выпить. У Терешкиной не было бриллиантов, изумрудов или жемчугов, уж поверьте мне! Мы общались не один год. Вероника иногда прибегала к нам одалживать денег — не дотягивала до получки.

Ирина Сергеевна неожиданно расхохоталась:

— Ты дура!

Я с изумлением уставилась на завуча. Ничего себе заявленьице...

— Полнейшая идиотка! — добавила Ермакова. — Дружила с Терешкиной и ничегошеньки о ней не знала! Ладно, слушай. У меня есть одна невинная забава, которая помогла мне раскусить Нику...

Я потрясла головой и постаралась сосредоточиться на повествовании.

Глава 21

Любому человеку требуется отдых, Ирина Сергеевна не составляет исключения. Только где расслабиться? Дома возможности нет, денег на поездки в какой-нибудь Париж тоже нет, и Ермакова придумала фишку: когда ей становилось совсем невыносимо, завуч шла в... ювелирный магазин и начинала самозабвенно мерить украшения, которые никогда не смогла бы приобрести. Продавцы в лавках всегда предельно внимательны, они великолепно знают: не следует смотреть на внешний вид клиента. Иногда из карманов грязных брюк лапотных мужиков появляются платиновые кредитки или толстые пачки денег. Поэтому Ирине Сергеевне всегда с улыбкой показывали кольца, браслеты, серьги. Завуч придирчиво перебирала блестящие «игрушки», а затем, изобразив недовольство, уходила.

При посещении очередного салона Ирина Сергеевна, замерев от восторга, приложила к шее потрясающей красоты ожерелье из изумрудов, взяла зеркало и вдруг услышала из-за колонны звонкий женский голос:

— Не слишком чистой воды камушек.

— Вы правы, — согласился невидимый продавец.

— Вон тот перстень получше. Это ведь сапфиры?

— Да. Есть два варианта оправы, видите?

— Лучше в золоте.

— Платина благороднее.

— Но в желтой отделке камень «играет». А тут что? О! Хочу это!

— То кольцо, что слева?

— Да, именно его.

— Подойдите к окну, полюбуйтесь камнем в дневном свете.

— Маловероятно, что я стану носить его до наступления вечера. Это не комильфо.

— Сейчас меняются нравы, бриллианты носят и в полдень.

Покупательница засмеялась.

— Странно было бы услышать в ювелирном бутике иное высказывание.

— Согласен, — мигом дал задний ход продавец, — то, что сейчас у вас на пальце, вечерний вариант. Но можно подобрать более... э... легкий. Вот, смотрите. Изумительная вещь!

— Вы всерьез?

— Очаровательное колечко.

— Предлагаете это мне? Такую безвкусицу?

— Виноват, ошибся!

— Вернемся к первому кольцу. Сколько?

Очевидно, продавец продемонстрировал ценник, потому что дама воскликнула:

— С учетом скидки?

— Простите, но мы не имеем дисконтных карт.

— Молодой человек, немедленно позовите старшего менеджера! — воскликнула покупательница.

За колонной повисла тишина. Ирина Сергеевна, испытывая самую черную зависть к женщине, которая в отличие от нее на самом деле собралась приобрести украшение, положила колье на бархатный подносик и сурово заявила:

— Не подходит.

— Великолепно смотрится, — не согласилась девушка за прилавком.

— Лучше дайте рубины, — потребовала Ермакова.

Продавщица безропотно исполнила ее просьбу. Тем временем за колонной разыгрывался второй акт спектакля.

— Боже! — воскликнул другой мужчина. — Дорогая! — Чмок-чмок.

— Савелий, милый! — Чмок-чмок.

— Что желаете?

— Вот это колечко.

— Отличный выбор.

— Милая безделица.

— Два карата и роскошное оформление.

— Слегка аляповато, ну да ладно. Сколько?

— Вот, дорогая, учитывая вашу спецскидку, получится вполне приемлемая сумма.

Послышался скрип, шорох...

— Очень мило, — засмеялась дама. — А то вон тот молодой человек нагло уверял, будто цена не изменится даже для меня.

— Пошел прочь, идиот! — рявкнул менеджер. — Извините, дорогая, теперь не то, что раньше, приходится брать на работу полных дураков.

— Держите. Здесь все.

— Чудесно, дорогая. Сейчас оформлю чек. Чай, кофе, минеральная вода?

— Нет, нет, я отойду к окну, еще раз посмотрю на перстень при естественном освещении.

— Ну конечно, дорогая! Любуйтесь! Красота невероятная! Великолепное приобретение!

На глаза Ирины Сергеевны навернулись злые слезы. Ну что за несправедливость! Одним раритетные камни, а ей пшик?

— Рубины смотрятся шикарно, — некстати влезла продавщица.

— Вы мне надоели! — вспыхнула Ермакова. — Лезете с разговорами, не даете выбрать вещь! До свидания!

Швырнув на прилавок кроваво-красные камни в золотой оправе, завуч решительно шагнула к двери.

В ту же секунду из-за колонны вынырнула дама, только что ставшая обладательницей дорогого украшения. Счастливая покупательница шла, выставив вперед руку, явно любуясь приобретением.

Пути женщин пересеклись, они столкнулись в прямом смысле слова и одновременно воскликнули:

— Извините!

Дама подняла голову.

— Ты? — вскрикнула она.

— Ника! — подскочила Ермакова. — Господи! Ты шикарно выглядишь!

— Ну... как всегда, — промямлила коллега.

— Норковая шуба! — продолжала изумляться завуч.

— Это синтетика, — бойко солгала Терешкина.

— Серьги с бриллиантами, — не успокаивалась Ермакова.

— Ерунда, это стразы.

— Все равно дорогая вещь, — гнула свое Ирина Сергеевна.

— Что ты, пустячок.

— А кольцо?

— Какое?

— На пальце.

— У меня?

— Да, да! Можно посмотреть? — не сумела сдержать завистливого вздоха Ирина.

— Ну... пожалуйста, — с явной неохотой согласилась Ника.

— Замечательный камень, — прошептала Ермакова.

— Он не мой! — живо открестилась от приобретения Терешкина.

— Я слышала твою беседу с продавцом, — сказала Ирина.

— Э... э... подруга попросила купить, — выкрутилась Ника.

— Да ну? — усомнилась Ирина.

— Понимаешь, у нее есть любовник, — зачастила классная дама, — богатый человек. Он дает мне бабки, я приобретаю цацки, а затем якобы дарю их Наташе. Иначе муж заревнует.

— Шуба тоже подружкина?

— Верно.

— И серьги?

— Точно.

— Смешно! — фыркнула Ермакова. — Может, кто и поверит твоему вранью, но только не я.

Ника покраснела и ринулась в атаку.

— А ты здесь зачем?

— Так, — обтекаемо ответила завуч.

— Я тоже слышала разговор, — не успокаивалась Ника, — изумруды тебе не подходят, просишь рубины. На какие шиши гуляешь?

Ирина Сергеевна опустила глаза.

— Меня обвиняешь, а сама? — собакой кидалась на завуча Ника.

— Тише, — попросила Ермакова и, схватив коллегу за плечи, потащила ее из бутика, — не надо кричать.

— Ты первая начала, — отрезала Ника.

— Я просто спросила.

— В свободное время я делаю, что хочу!

— Откуда у тебя деньги на драгоценности? — не вытерпела Ирина Сергеевна.

— Ты в налоговой подрабатываешь? — скривилась Ника. — Получаешь процент за доносы? Твой папа, случаем, не Морозовым звался? А у тебя из какого колодца бабки?

— Я просто пришла посмотреть, — тихо ответила завуч.

— Ой, ой! — не поверила ей классная дама.

— Люблю камни, — призналась Ирина Сергеевна.

— Лучше забудем о нашей встрече, — предложила Ника. — Если сболтнешь в гимназии, я тоже молчать не стану.

— Я только мерила украшения.

— Не смеши!

— Ничего не купила. А ты приобрела шикарный перстень.

— Для подруги.

— Ха!

— Сама сука!

— Сволочь! — не выдержала Ирина Сергеевна. — Взяточница, мерзавка! Завтра же к директору пойду. С родителей бабки тянешь!

Ника вскинула правую руку, завуч шарахнулась в сторону.

— Не бойся, — вдруг сказала Терешкина. — Посмотри, нравится?

Ермакова прикусила губу, к ее горлу подкатил горький ком, руки похолодели, глаза невольно наполнились слезами.

— Шикарно? — Ника вертела перед коллегой пальцами. — У меня таких много. А часики? Настоящий раритет, сорок два брюлика. И шубка не из норки, это соболь. Хочешь такую?

Нервы Ирины Сергеевны не выдержали, слезы потоком хлынули по щекам.

— Ой-ой-ой, как у нас все запущено, — протянула Ника. — Иди сюда.

Дальнейшее Ермакова помнила смутно. Терешкина втолкнула ее в симпатичную иномарку, сама села за руль, довезла завуча до МКАДа, свернула на проселочную дорогу... В конце концов женщины очутились около милого загородного домика.

Особняк был небольшим и скромным, но Ирине он показался дворцом.

— Входи, — приказала Ника и отперла дверь.

Ермакова безропотно вошла в прихожую, получила тапки, проследовала в просторную гостиную, села в кресло и тут только обрела дар речи.

— Это все твое?

— Думаешь, я, как Машенька из сказки про трех медведей, забрела в чужую избушку? — засмеялась Ника. — Естественно, мое.

— Зачем же тогда тебе в школе за копейки работать? — изумилась Ирина.

Ника ухмыльнулась.

— Не скажи, в гимназии отлично платят.

— Неужели тебе муж на булавки не дает? На брюлики отсыпает, а на кино сама зарабатываешь?

Ника села около Ирины.

— Мой Василий идиот. Оклад в пять тысяч рублей — предел его возможностей.

— А это откуда? — обвела Ермакова рукой гостиную. — Сколько в доме этажей?

— Один и мансарда. Не очень много.

— Офигительно! — перешла на сленг подростков завуч. — Кто подарил тебе хоромы?

— Сама заработала, — пояснила Терешкина.

— Только не говори, что нашла миллиард на дороге, — съехидничала Ермакова.

— Нет, конечно, — ухмыльнулась Ника. — Ладно, похоже, нас судьба специально вместе свела. Скажи, ты хочешь иметь собственный дом?

— Мне на него за десять жизней не насобирать!

— Ответь, хочешь особняк?

— Да!

— А камушки? Настоящие рубины и изумруды, да не просто мерить, а покупать?

— Да, — в изнеможении подтвердила Ирина.

— Отлично, — потерла руки Терешкина. — Еще

скажи: ты задумывалась о старости? Знаешь, какую пенсию нам государство за честный труд даст?

— Несколько тысяч.

— Рублей! — уточнила Ника. — С голоду можно подохнуть, на кефир не хватит. У тебя есть на кого рассчитывать?

— Муж не опора, — неожиданно разоткровенничалась завуч, — сын женат, там супруга очень бойкая, двое детей подрастают.

— У меня аналогичная ситуация, — кивнула Терешкина. — Васька долдон, давно бы его бросила, но только лучше иметь статус замужней дамы. Дочка жуткая эгоистка, она стакан воды не принесет. Вот я и решила сама о себе позаботиться. Шутку с ними сыграю. Еще немного, и я сделаю милой семье ручкой! Смоюсь в тихое место на море, куплю домик, заживу спокойно одна, мужики только приходящие будут. Я женщина горячая, секс люблю, а от Васьки толку нет. Короче, впереди у меня сплошное счастье! Хочешь мой совет?

— Говори, — прошептала Ирина.

— Приобрети недвижимость, она безостановочно дорожает, — деловито заявила Ника. — Деньги надо вкладывать в дома! Потом продашь — и к теплой воде. Утрешь нос всем. Что тебя хорошего ждет? Станешь за мужем горшок выносить, внуков на горбу тянуть! Главное, никому ни слова об имуществе. Мои ничего не знают! То-то им сюрприз будет, когда исчезнет мамочка. Варила кашку и смылась!

— У меня нет денег! — закричала Ирина. — Перестань издеваться.

— Появятся, — рубанула Терешкина. — Если будешь меня слушаться, получишь полный пакет. Вторую половину жизни проведешь в шоколаде. О'кей?

Ермакова прижала к груди кулаки и посмотрела на меня.

Я с огромным трудом пришла в себя.

— У Ники имелся дом?

— И очень хороший, — подтвердила завуч.

— Невероятно!

— Почему?

— Терешкина постоянно жаловалась на безденежье.

— Ну не могла же она рассказать правду.

— Ника очень скромно одевалась.

— Это ловкая маскировка.

— Верится с трудом. На прошлый день рождения я ей подарила золотые сережки, не очень дорогис, так Никуша заплакала от радости, — бубнила я. — А Вера! Ее дочь не имела хорошей одежды. У них порой с матерью скандалы случались. Дочка нападала на родительницу, требовала обновок, а Ника парировала: «Не в шмотках счастье». Впрочем, иногда они ездили на рынок и там приобретали Верочке дешевые вещи.

Ермакова встала и начала ходить между письменным столом и окном.

— Ника не любила Веру, называла ее захребетницей, лентяйкой. Девушка, похоже, платила матери той же монетой.

— Нет, нет, ты ошибаешься! Конечно, случались у них размолвки, но в общем и целом отношения были хорошие. Может, без теплоты и доверительности, но вполне нормальные.

— Ты ничего не знаешь, Ника откровенничала только со мной, — прошептала Ирина. — Но... но... Боже! В какую историю я попала!

— Говори спокойно. И для начала ответь: где брала деньги?

Ермакова нервно оглянулась.

— Дай честное слово, что поможешь мне!

— Непременно, — опрометчиво пообещала я.

— Ника говорила: ты порядочная.

— Надеюсь, она не ошибалась, до сих пор я не

делала людям гадостей. Во всяком случае специально, — улыбнулась я.

— Со связями!

— Мои возможности, как правило, сильно преувеличивают.

— Так поможешь мне?

— Ну как я могу помочь, если не знаю, в чем дело?

— Слушай, — решилась Ирина. — Мы продавали старшеклассников.

— Как? — подскочила я.

— За деньги, — спокойно пояснила завуч.

— Господи, кому?

— Ну... разным людям, в основном с Востока.

— В смысле, школьников? — Я никак не могла прийти в себя от изумления.

— Ага, — кивнула завуч.

— Но кому нужны подростки? Ладно бы младенцы. Малыша можно усыновить, он не вспомнит о настоящих родителях. Но здоровые лбы... И как их можно увезти? Под наркозом? С кляпом во рту? С ума сойти! Невероятно!

— Они сами радостно бежали, — скривилась Ирина Сергеевна. — Вот, например, Олеся Смагина. Ты в курсе, что гимназии за благотворительность налоговая льгота положена?

Я кивнула, Ермакова схватила сигареты.

— Смагина из нищей семьи. Ее мать, наша уборщица Зина, с тряпкой по этажам носится. У дуры-бабы десять детей! Ни ума, ни расчетливости — наплодила нищету! Муж пьяница, только одно дело и знает, что кроликом трудиться. Олеся хорошо развита физически, в четвертом классе бюст пятого номера вырос. И полненькая, с животом, бедрами. А соображения меньше, чем у кошки. Ну какая ее судьба ждала? Учиться не хотела ничему. Вообще! Ни шить, ни вязать, ни читать, ни считать. Что ей предстояло? Выйти замуж за алкоголика. А мы ей шикарную судьбу устроили. Укатила наша Олеся в арабскую страну, стала женой богатого мусульманина, сейчас рахат-лукум у бассейна лопает. Понимаешь?

— Нет! — честно призналась я.

— Все очень просто, — сказала Ирина Сергеевна, — сейчас поясню.

Глава 22

На Востоке ценятся незрелые девочки, двенадцать лет — самый брачный возраст. А еще тамошним мужчинам очень нравятся полные блондинки с голубыми глазами. Кстати, чем юная особа глупее, тем лучше. Если у нее неоконченное школьное образование, такая красавица имеет очень высокую цену на ярмарке невест. Вот только эмансипация распространилась повсюду. Все чаще мусульманки не хотят заниматься только домом и детьми, а рвутся получить образование и делать карьеру. Да и родители пошли другие, многие не торопятся выдавать замуж дочку в детском возрасте, отправляют ее за границу, в европейские страны или в Америку. Ну и кто возвращается потом на родину? Самоуверенная дама, которая не собирается прислуживать мужу и его родителям. А между прочим, многие мусульманские мужчины хотят иметь не одну, а три жены, и Коран это разрешает.

Но где найти невест, так сказать, хорошего качества? Конечно, можно отправиться в сельский район, там легче обнаружить деву, правильно воспитанную родителями, она умеет читать и способна написать собственное имя, но это все ее навыки. Вот только беда — к такому персику, как правило, прилагается толпа бедных родственников, искренне считающих: раз их дочери-племяннице-внучке повезло выйти за богатого, то в шоколаде должна быть вся семья. Ясное дело, родители невесты получают нехилый калым, но ведь отцом с матерью дело не ограничивается, в придачу к молодой жене муж получит с десяток ее сестер, и каждой на руку придется повесить золотые браслеты, шейку обвить ожерельем... Причем хорошо, если дело обойдется лишь ювелирными изделиями. Ведь неприлично, если тесть и теща обеспеченного человека проживают в глинобитной хижине, а халву едят только по большим праздникам, окружающие начнут сплетничать, бормотать на всех углах: «Похоже, дела у Хусейна пошатнулись, родственники, словно странствующие дервиши, в рваных сандалиях ходят».

Симпатичная, фигуристая девочка лет тринадцати, желающая выйти замуж, а потом безропотно рожать детей и проводить время дома, — мечта для многих восточных мужчин. А если еще у невесты нет родственников... Представляете ценность подобного варианта?

Где Ника находила покупателей на живой товар, Ирина Сергеевна не знала. Она играла в «бизнесе» строго отведенную ей роль. Вот, допустим, та же Олеся Смагина. Когда горе-ученица получила дневник, в котором стояла запись: «Переведена в восьмой класс», Ермакова отправилась к девочке домой.

Дверь ей открыла Зина. Уборщица страшно удивилась, увидав на пороге завуча.

— Чего случилось? — заголосила тетка.

— Войти можно? — поинтересовалась Ирина.

— Не убрано у меня, — сопротивлялась многодетная мать.

— Ничего, я по делу, — не дрогнула Ирина.

— Муж заболел, — сочиняла поломойка.

— Я не боюсь инфекции, — нагло заявила Ермакова и вошла в загаженную двушку.

Пейзаж выглядел удручающе: двухэтажные нары, сколоченные из досок, куча разновозрастных чумазых детей и пьяный мужик. Олеся, самая старшая из отпрысков, стирала в ванной гору ребячьих колготок.

— Зина, — сурово начала Ирина, аккуратно устроившись на краешке колченогой табуретки, — ты видела дневник Олеси?

— Слава богу, в восьмой класс перетащили, — перекрестилась уборщица.

— Вот именно, — кивнула завуч, — очень правильное слово ты подобрала, «перетащили»! С огромным трудом твоя дочка переползла, на одних тройках выехала. И, скажу честно, поставлены они ей из чистой жалости! Олеся — лентяйка, домашние задания не выполняет, на уроках болтает, вертится и...

— Леська! — заорала Зина. — Подь сюды!

Не успела девочка войти на кухню, как добрая мама отвесила ей оплеуху и заорала:

— Ах ты сучонка! Дармоедка! Жопу отрастила, жрешь за троих, дешевле тебя похоронить, чем прокормить! Вот, послушай, че про тебя Ирина Сергеевна рассказывает! Позор школы!

Девочка заревела, а Ермакова замахала руками.

— Зина, Зина, не шуми! Я не ругаться пришла, а с деловым предложением. Олеся, скажи, тебе нравится учиться?

— Не-а, — честно ответила девочка и тут же получила от матери новую зуботычину и окрик:

— Дура! Кланяйся завучу и благодари! Ходишь в гимназию бесплатно!

— Перестань, Зина! — стукнула кулаком по столу Ермакова. — Дай с ребенком побеседовать, сиди молча! Скажи, Лесенька, каковы твои планы на жизнь?

— Колготки достирать, — шмыгнула носом Олеся, — а потом телик позырить, если мать к Ленке отпустит. Наш-то папка пропил.

— Ой, беда, ой, горе! — завыла Зина. — Вынес из квартиры нажитое подчистую!

— Солнышко, — ласково продолжала Ирина, — хотела бы ты жить на берегу теплого моря, в собственном доме, с прислугой и добрым мужем, родить деток и никогда ни о чем не волноваться?

Олеся разинула рот, а завуч продолжала рисовать упоительную картину:

— Супруг будет взрослым, умным человеком, абсолютно не похожим на твоего, с позволения сказать, отца. Непьющий, ласковый, очень щедрый, богатый. В его доме золотая посуда, парчовые занавески, в каждой комнате телевизор. А еще тебе купят все, что ты захочешь.

— И в школе не надо заниматься? — подпрыгнула Олеся.

— Никогда, — заверила Ирина Сергеевна.

— Куда идти? — деловито осведомилась девочка. — Прям щас замуж побегу.

— Где ж такой вариант найти? — задала вопрос Зинаида.

Ирина Сергеевна прищурилась.

— Вам повезло. Родственник одного из наших учеников влюбился в Олесю. Кстати, вот от него подарок.

— Вау! — завопила Леся, увидав бархатную коробочку с дешевой золотой цепочкой.

— Дай сюда! — занервничала Зина.

— Мое, не хапай! — вцепилась в упаковку Олеся.

— Иди, солнышко, поиграй, — улыбнулась Ирина, — а мы с мамой потолкуем.

Через неделю после беседы Олеся исчезла из Москвы. Никто из окружающих не насторожился и не стал задавать вопросов. Подруг у Зины не было, впрочем, уборщица очень скоро приобрела избушку в деревне и съехала туда со всей семьей. Городскую квартиру она сдала и стала жить намного лучше, чем прежде. Осенью, когда дети вернулись в класс, Ермакова объявила:

— Олеся ушла в другую школу.

Бывшие одноклассники не расстроились. Со Смагиной никто не дружил, уход двоечницы никого не удивил. И так давно было ясно, что Олесе трудно учиться в престижной гимназии...

Ирина Сергеевна остановилась и снова начала обмахиваться газетой.

— Значит, Смагина сейчас где-то на Востоке? — уточнила я.

Завуч кивнула.

— Вы получили деньги?

— Да.

— И сколько?

— Коммерческая тайна.

Я усмехнулась.

— Ладно, в конце концов важна не сумма, а факт ее обретения.

— Мы с Никой творили добрые дела! — воскликнула Ермакова. — Помогли Зинаиде, Олесе. Устроили девочке счастье.

— Вам известна ее судьба?

— Нет. Но я уверена, что у Смагиной все отлично.

— А жениха ее видели?

— Нет.

— С его родителями беседовали?

— Нет.

— Вот здорово! — не выдержала я.

— Мое дело — найти подходящую кандидатуру, — опустила глаза Ирина Сергеевна, — остальное — забота Ники. Она занималась оформлением документов и переговорами с покупателями. Я имею обширный круг знакомств, часто езжу на совещания, семинары, беседую с коллегами. С одним ля-ля, с другой... вот и видишь рыбку. Я очень хорошо умею общаться.

— И давно рекрутором служите?

— Да уж года два, — после некоторого колебания призналась Ермакова.

— Многим детям счастье устроили?

— Не считала, — призналась Ирина Сергеевна. — Мое дело маленькое. Ну, допустим, Ника говорит: «Есть азербайджанец, ищет невесту двенадцати-тринадцати лет, желательно светловолосую, с пышной грудью, тихую, скромную». Или: «Новый клиент араб, ему нужна стройная, темноволосая девочка, грубиянка и нахалка. Мужчине хочется такую воспитывать». Ну я и начинаю подыскивать. Ни разу облома не было, рано или поздно находила подходящую кандидатуру.

— И никто не поднял шума?

— Зачем? — искренне удивилась Ирина Сергеевна. — Никакого повода для возмущения. Девочка счастлива, родители в восторге, жених на седьмом небе.

— Ловко, — покачала я головой. — Вам никогда не приходило в голову, что детей покупали для секс-услуг? Что через некоторое время живая игрушка окажется в борделе или ее вообще убьют?

— Ну и ужас тебе в голову пришел! — подскочила Ирина Сергеевна. — Девочки счастливы замужем!

Я уставилась на нее. Интересно, она великолепная актриса или кретинка? Скорее второе, трудно поверить в такое умение прикидываться. Сейчас Ирина Сергеевна изобразила на лице гамму сменяющих друг друга чувств: изумление, негодование, испуг...

— Документы оформляла Ника, — продолжала Ермакова. — Уж не знаю, каким образом. Вроде девочки уезжали учиться в колледж. Нет, нет, какое рабство! У них имелись паспорта, все нужные бумаги. Мы безупречно работали, без единой запинки!

— Что же сейчас вас так взволновало? Отчего вы так напуганы?

Ермакова сжала в кулаке пачку сигарет.

— Ну... было одно дельце... я не хотела... Но дали такие деньги! Володя Рыбаков сам пожелал...

— Вы продали мальчика? — нахмурилась я. — Что, тоже замуж выдали?

— Нет, конечно, — махнула рукой завуч. — Там другая ситуация. Володя остался в России, его усыновили.

— Сколько лет парнишке?

— На момент перехода в новую семью ему исполнилось тринадцать, — прошептала Ирина Сергеевна. — Ох, чуяло мое сердце!

— Что же за человек решил взять под крыло подростка? Обычно усыновляют пеленочных младенцев, ладно детсадовцев, но у школьника, даже первоклассника, почти нет шансов найти новых маму и папу.

— Тут совершенно особый случай, — простонала Ирина Сергеевна. — Боже! Я предупреждала! Но Ника словно с цепи сорвалась. Да и сумма была невероятно велика. Я еще подумала: в последний раз, больше не стану помогать Терешкиной, уйду на пенсию, поселюсь в домике, начну разводить розы...

— Вернемся к Рыбакову!

— Володя учился в нашей гимназии.

— Тоже налоговая льгота?

— Нет, нет, за него отец плату внес.

— Как же вы решились замахнуться на мальчика с богатым папой?

Ирина Сергеевна вскочила, потом снова села.

— Володя — его сын от первого брака.

— Ясно, — кивнула я.

— Отец его женился второй раз, на немке по имени Карина, — живописала ситуацию завуч, — перебрался на жительство в Германию, сюда больше не приезжает, но деньги на сына давал. А мать Володи, между нами говоря, проститутка.

— На дороге стоит? — уточнила я.

— Нет, — с досадой отмахнулась Ермакова. — Иногда я видела ее фото в журналах, вся в драгоценностях, и подпись: «Светская дама Илона Рыбакова с банкиром N» или «Илона и коммерсант М». Она по богачам специализируется, а по сути шлюха. Работать, как, допустим, я, честно, от звонка до звонка, не желает. Молодежь теперь умная, им подавай все и сразу.

Я постаралась сохранить на лице милую улыбку. Да уж, представительница старшего поколения госпожа Ермакова — достойный пример для подражания.

— Конечно, Володя мешал светской крысе, — продолжала швырять камни в незнакомую мне Илону завуч. — Когда мальчику семь лет было, мать его за четырехлетку выдавала.

— И получалось? — заинтересовалась я.

— Легко, — кивнула Ирина Сергеевна. — Рыбаков щуплый, малорослый, очень тихий, слова лишнего от него не услышишь. Да оно и понятно — с такой-то мамашей...

Но все-таки Володя подрастал, Илоне стало трудно объявлять сына крошкой, пришлось признать: ребенок посещает школу. А разве у юной девушки может быть взрослое чадо? Илона отдалилась от парнишки. На занятия его привозил водитель, дома за ним приглядывала домработница, а бесшабашная маменька крутила романы. Ермакова жалела милого, скромного мальчика, у которого в классе не было друзей. Ну что за судьба ждет подростка? Исполнится ему восемнадцать, отец прекратит платить алименты, останется юноша нищим. Илона выскочит замуж, на отпрыска совсем махнет рукой.

И тут появился Александр Львович. Ермакова, как всегда, клиента не видела, но Ника рассказывала о нем взахлеб.

— Богатый, умный, интеллигентный, замечательный и... хочет усыновить Володю. Увидел его случайно на улице, и все! Теперь не спит, не ест. Комнату приготовил, учителей нашел! Ира, надо обработать парня. У тебя получится.

— Очень сомневаюсь, что Илона даст согласие, — вздохнула завуч. — Сын — ее счет в банке. Если мальчик окажется в другой семье, то бывший муж, Георгий Константинович, прекратит отстегивать ей тысячи. И потом, что он-то, настоящий отец, скажет?

— Спокойно, — потерла руки Ника, — без паники. С Илоной проблем не будет. Она собралась замуж, избранник очень богат. Наша невеста смело скостила себе десять лет, ей теперь всего двадцать два года. И как она объяснит наличие сыночка-семиклассника? Она что, родила его, учась в третьем классе? Действуй смело, главное — Володя.

Трудно поверить, но дело станцевалось за два часа. Мамаша не сумела скрыть бурной радости от предложения и кинулась подростку на шею.

— Солнышко, пойми, маме хочется счастья!

— Ага, — кивнул Рыбаков.

— Потом все уладится, — щебетала кукушка.

— Угу, — согласился Володя.

— Многие в подобных ситуациях отдают детей в интернат, а я хорошая, отправлю тебя в богатый дом, — вещала Илона.

Мальчик посмотрел на Ирину Сергеевну.

— Когда переезжать? Могу прямо сейчас...

— Видно, сладко ребенку жилось в материнском доме, — подвела итог Ермакова. — Сразу убежать от светской дамы рвался!

— Как же вам удалось переоформить документы мальчика? — изумилась я. — Или отец дал согласие на усыновление?

— Нет, — усмехнулась Ирина. — Илона сообщила мужу, что выходит замуж. Георгий Константинович обрадовался. В случае повторного брака наша львица лишалась права на денежное содержание от первого супруга, но алименты на сына он был обязан платить до восемнадцатилетия парня. Илона спокойно сообщила бывшему супругу: «Володю лучше отправить учиться в Англию, в закрытый колледж. В Москве педагоги балуют детей, знаний не дают, а в Великобритании изумительная дисциплина и знающие воспитатели. Если ты сразу оплатишь шестилетнее пребывание парня в колледже, мы в расчете. Никаких алиментов больше не надо. Я честная женщина, не собираюсь наживаться за твой счет».

— Понимаю, — кивнула я, — Георгий Константинович отстегнул немалую сумму, которую Илона забрала себе, а Володя отправился к новому, так сказать, папе. Сделать фальшивые документы подростку не так уж трудно. И все шито-крыто. Илона выскочила замуж, а Георгию Константиновичу никакого дела до старшего сына нет, небось у него от немки другие дети родились. «Папочка» Александр Львович может делать с несчастным Володей что угодно. Вы понимаете, зачем он так добивался мальчика?

— Конечно, — кивнула Ермакова. — У Александра Львовича был сын, который умер в младенчестве. Рыбаков фотографически похож на погибшего малыша. Очень простое объяснение.

Мне захотелось стукнуть Ирину Сергеевну каким-нибудь тяжелым предметом по башке. Значит, престарелый педофил похоронил младенца, а потом случайно встретил семиклассника, который словно две капли воды похож на прелестного малютку? Ничего глупее в жизни не слышала. Новорожденный и подросток? Наверное, просто одно лицо! И вновь возникает вопрос: Ермакова сволочь или стоеросовая дура?

Глава 23

— Александр Львович заплатил много, — повела плечами Ирина, — и я сказала Нике: «Извини, дорогая, дальше плыви без меня».

Ника расстроилась, принялась уговаривать Ирину Сергеевну изменить решение, сулила ей баснословные барыши. Но завуч упорно твердила:

— Пора остановиться. Мне денег хватит!

— Глупо, — кипела Ника, — мы можем еще подзаработать.

И тут Ермакова, как напророчила, взяла да и ляпнула:

— Надо вовремя прикрыть лавочку, не дай бог неприятность случится.

Разговор происходил в пятницу, Ника, услыхав последнее заявление завуча, обозлилась.

— Не каркай! Хорошо, давай сейчас обойдемся без принятия судьбоносных решений. Отдохни в выходные, а в понедельник вернемся к нашей беседе.

Субботу Ирина провела, как всегда, на кухне. К сыну и невестке пришли гости, муж, старательно изображавший из себя писателя, обозлился на шумевшую молодежь и устроил скандал. Ермакова молча выслушала несправедливые упреки и отправилась стирать белье. Никакого горького осадка в ее душе не осталось — Ирина Сергеевна знала: через пару месяцев ноги ее тут не будет, она уедет в маленький домик у моря. Просто оставит прощальное письмо, и только ее и видели.

Во время стирки зазвонил телефон. На том конце провода оказалась Ника.

— Ирина Сергеевна, в гимназии трубу прорвало, в женском туалете, — холодно и официально сообщила она.

— С ума сойти! — испугалась завуч, а Терешкина потребовала:

— Приезжайте.

Ермакова кинулась в прихожую.

— Топаешь, как слон! — возмутился муж. — Хочешь нормально поработать, так не дадут!

— У меня форс-мажор, — решила поделиться бедой жена, — в школе трубу...

— Мне неинтересно, — скривился супруг. — Твоя работа всех доконала. Никакого внимания ни мне, ни сыну, все о чужих детях беспокоишься. Кстати, раз уж пойдешь на улицу, купи сигарет, но только дорогих, с двойным фильтром.

Нику завуч нашла в пустой учительской. Та сидела у стола и курила.

— Аварийку вызвали? — запыхавшись, спросила Ермакова.

— Труба в порядке, — ответила Терешкина, — поговорить надо.

Ирина Сергеевна пришла в негодование:

— Но ведь мы договорились обсудить ситуацию в понедельник.

— У нас беда, — оборвала ее Ника.

— Какая? — испугалась Ермакова.

— Большая! Слушай внимательно.

Завуч обвалилась на стул. В глубине души она надеялась, что Ника сейчас придумала некую ложь, чтобы заставить ее по-прежнему заниматься обработкой детей и их родителей, но Терешкина сообщила неожиданное:

— Георгий Константинович Рыбаков ищет сына Володю. Разгорается жуткий скандал.

— Что? — вытаращила глаза Ирина Сергеевна.

— Что, что... — зло передразнила ее классная дама. — Не перебивай.

...У богатого бизнесмена и его совсем не бедной немецкой жены было двое детей. Многие мужчины, вступив во второй брак, спокойно забывают про отпрысков от первого. Георгий Константинович не был исключением, все надежды он связывал с младшими детьми, Володя же его не интересовал. Скорей всего, Рыбаков бы вычеркнул старшего мальчика из завещания, но тут неожиданно случилось несчастье: супруга его вместе с детьми отправилась отдыхать в Грецию, и они утонули во время морской прогулки — что-то произошло с катером.

Потеряв семью, бизнесмен сначала попытался залить горе водкой, затем решил загрузить себя работой. Но когда ни один из методов борьбы с депрессией не дал результата, он отправился в монастырь к какому-то монаху за советом. Схимник выслушал его и жестко сказал:

— Никакие несчастия не происходят сами по себе. Твоего могло не быть, ты сам посеял беду.

— Как это? — растерялся Георгий Константинович.

— Следовало жить с одной женой, — пояснил монах, — сына воспитывать, а ты про родную кровь забыл, иноземщину наплодил. Теперь кайся. Не соединись ты с басурманкой, не родились бы дети, не погибли бы в море!

Георгий Константинович удрученно притих, а священнослужитель с удовольствием продолжал:

— Чего по умершим горевать? Им хорошо у престола Господнего.

— Бизнес кому передать? — по-детски наивно спросил Рыбаков. — А имущество? Дом у меня, поместье, деньги, собрание картин. Все детям готовил, а теперь нет их!

Монах погрозил ему пальцем.

— Суета! И лжешь ты, имеешь наследника. Про старшего сына забыл? Ему все достаться было должно, он и получит. Езжай к нему, искупай вину.

Георгий Константинович послушался совета и рванул в Москву. Едва успев войти в свою квартиру, он принялся разыскивать Илону.

Его бывшая благоверная совершенно не скрывалась — бегала по тусовкам, щеголяла в красивых украшениях и была счастлива с новым супругом.

— Чего надо? — весьма недовольно поинтересовалась она, когда Георгий, раздобыв ее телефон, дозвонился до экс-госпожи Рыбаковой. — Договорились же не трогать друг друга.

— Нужна ты мне! — с трудом удержался от ругани бизнесмен. — Где Володька?

— В Англии, — живо ответила Илона.

— Город назови.

— Лондон.

— Дай адрес школы.

— Не помню, — стала изворачиваться Илона.

— Ладно, говори телефон.

— Чей? — прикинулась она полнейшей идиоткой.

— Вовкин, мобильный.

— Зачем тебе?

— Поговорить хочу с парнем.

— Не старайся, он не желает иметь с тобой дела! — пошла в наступление Илона. — Вчера мне сказал: «Мамочка, если этот спермодонор вспомнит про меня, пошли его подальше».

— Дай номер! — взревел Георгий.

— Замолчи! — взвизгнула Илона. — Права не имеешь орать, я тебе никто, изволь вежливо беседовать. И потом, ты же сам от него отрекся.

— Чего ты несешь! — возмутился Рыбаков.

— Забыл? — ехидно отметила мадам. — Могу напомнить. Когда деньги на колледж отваливал, нотариальную бумагу мне сунул, а в ней черным по белому написано: «Алименты выплачены полностью, никаких претензий со стороны Владимира принимать не стану, он мне не сын». Может, я не дословно процитировала, но по сути верно. Небось немка тебя научила? Подстраховаться заставила?

— И ты показала парню документ?

— А як же, — захихикала Илона.

— Сука!

— Я тебя тоже люблю, прощай, — парировала нахалка.

Георгий Константинович сжал кулаки и решил не сдаваться. Он нанял человека, который начал методично искать в Лондоне ученика по имени Владимир Георгиевич Рыбаков. Не прошло и недели, как выяснилось — ни в одном тамошнем колледже Володя не учится. Более того, он не въезжал в Великобританию и даже не пересекал границы России.

Взбешенный бизнесмен вновь соединился с женой, наговорил ей много хорошего. Илона испугалась и пообещала связать его с сыном.

— Милый, — курлыкала она, — твой сыщик просто облажался. Вовка учится в супершколе, администрация гарантирует полнейшее инкогнито, дети регистрируются под чужими именами. Ладно, оставь свой номер, Вова сам тебе позвонит, я его попрошу.

Действительно, ближе к вечеру Георгию Константиновичу позвонил паренек и сказал:

— Здравствуй, папа.

Рыбаков, который в последний раз видел сына десять лет назад, естественно, не мог узнать голос и ответил:

— Привет, сыночек. Как дела?

— Роскошно, — хмыкнул ломающийся басок. — Только, думаю, беседовать нам не о чем. Я жив, здоров, учусь, но не желаю с тобой общаться.

Георгий Константинович рассказал ему о несчастье со второй женой и детьми.

— Жаль, — равнодушно ответил юноша. — Прими мои соболезнования, но я не желаю быть твоим наследником. Прощай!

— Давай купим тебе машину, — начал соблазнять парня отец. — Квартиру!

— Нет, — отрезал Володя.

— Скажи адрес колледжа!

— Нет.

— Как с тобой связываться? — взмолился папаша. — Номер засекречен, не определяется.

— Прощай, — буркнул Володя. — И не мучай мамочку!

Рыбаков услышал частые гудки. Но он решил не сдаваться — нанял еще одного детектива, и тот узнал номер телефона, с которого звонили Георгию. Отец немедленно перезвонил сыну.

— Слушаю, — ответил знакомый ему хрипловатый басок.

— Володя? — воскликнул Рыбаков.

— Ошибка, — спокойно обронил юноша и отсоединился.

Георгий Константинович повторил попытку.

— Вова?

— Здесь такого нет, отвяжись, — раздалось из трубки уже не столь вежливо.

Но бизнесмен не привык отступать, он снова взялся за аппарат и, о чудо, услышал нежный голосок:

— Алло.

— Позовите Володю, — тупо повторил Рыбаков.

— Вы не туда попали, — защебетала девушка.

— Погодите! — занервничал Георгий. — Не бросайте трубку! Это номер восемь девятьсот три...

— Да, — подтвердила собеседница, — только он принадлежит Лёхе, а тот сейчас клиентке голову моет, подойти не может.

— Куда я попал? — взвыл Георгий Константинович.

— Салон «Профо», — гордо ответила собеседница. — Алексей — наш ведущий мастер. К нему звезды в очередь стоят.

Тут только Рыбаков сообразил: Илона обманула его, попросила знакомого разыграть спектакль. Георгий Константинович привык действовать жестко, поэтому вновь обратился к бывшей жене и заявил:

— Или ты говоришь, где Володя, или пеняй на себя! Приеду к тебе домой и устрою разбор полетов.

— Хорошо! — испугалась Илона и звякнула Нике.

Выслушав вопли бывшей клиентки, Терешкина занервничала.

— От меня-то вам что надо?

— Немедленно найди парня, и пусть он поговорит с Георгием, — велела мамаша.

— Офигела? — ляпнула Ника. — Выпитую воду в кружку не вернуть! Дело сделано.

— Я тебе бабки огромадные заплатила! — завизжала Илона.

— Работа выполнена, парень в другой семье. Какие претензии?

— Верни его.

— Это невозможно!

— Ладно, — зашипела Илона, — не желаешь по-хорошему, получи, что заслужила.

Ника бросила трубку. А ровно через пять минут ей перезвонил мужик и заявил:

— Меня зовут Георгий Константинович Рыбаков. Илона сказала, что вы знаете, где Володя, — устраивали его в колледж и не сказали матери в какой.

— Что же теперь будет? — побледнела Ирина Сергеевна, оценив размер беды.

— Нормально, — дернула шеей Ника. — Решу проблему: куплю новую симку, и никто мне больше не дозвонится.

— Илона твой адрес знает? — заволновалась Ермакова.

— Ага, по прописке, — без тени улыбки отреагировала Терешкина. — И еще номер банковского счета у нее есть.

— Как опрометчиво! Разве можно сообщать о себе столько подробностей? — всплеснула руками Ермакова.

— Ты дура? — ухмыльнулась Ника. — У Илоны только мобильный. Кстати, я представилась ей Верой Ивановной. А вот тебя она видела. Кто переговоры вел? Ирочка! Сечешь фишку? Не дрейфь, прорвемся. Но на всякий случай имей в виду: мы с тобой общаемся только в школе. Ясно?

— Думаешь, нас могут привлечь? — посерела Ермакова.

— За что? — хмыкнула подельница. — Ничего плохого мы не делаем и никаких следов не оставляем.

Ника говорила очень уверенно, и у Ирины Сергеевны отлегло от сердца. Завуч поверила в полнейшую безопасность и успокоилась. А зря. В среду Ника прислала Ермаковой сообщение: «Где всегда».

После уроков Ирина Сергеевна побежала в небольшое кафе. Ника уже ждала компаньоншу в зале.

— Он узнал мое настоящее имя, — с плохо скрытым испугом заявила она.

— Кто? — навострила уши завуч.

— Дед Пихто! — гаркнула Терешкина. И, уже тише, пояснила: — Георгий Константинович. На улице меня поймал, назвал Вероникой. Ваще, блин!

— Что за выражение? — машинально сделала замечание Ирина Сергеевна.

— Ты мне тут училку-то не включай! — пнула ее Ника. — Вот окажешься в милиции, там про Пушкина и расскажешь.

Ермакова чуть не лишилась чувств.

— Нас арестуют?

Ника внезапно обняла коллегу.

— Извини, я перенервничала. Ну вот каким образом он меня вычислил? Ладно, нас бьют, а мы крепчаем. Мне надо исчезнуть.

— Как?

— Совсем! — пожала плечами психолог. — Типа умереть. Тогда Георгий Константинович отвяжется. Главное, грамотно выйти из игры. Решено, я отбрасываю тапки!

— Зачем так сложно? — удивилась Ирина. — Можно просто.

— Как? — уставилась на нее Ника.

— Ну... уехать.

— Куда?

— К морю, в домик.

— Идиотка! — вновь заорала Терешкина. — Ну,

блин, дура махровая! Искать же начнут. И ведь отроют, от них на Луне не спрячешься.

— Если ты оставишь мужу и дочери записку, в которой подробно укажешь причину ухода, то шум не поднимется, — менторски заявила Ирина.

Пару секунд Ника сидела, не моргая, потом расхохоталась.

— Ой, кретинка! Знаешь, я ведь в последнее время, глядя на тебя, сомневаться начала. Ну не может человек таким идиотом быть, небось прикидывается! Теперь вижу: вполне даже способен.

— Ты меня оскорбляешь! — вскинула голову Ермакова и собралась подняться из-за столика. — Прощай, Ника!

Глава 24

Терешкина мрачно усмехнулась.

— Стой! Ты ничего не поняла!

— Не хочу иметь дело с хамкой, — заявила завуч.

— Ты не поняла! — повторила Ника.

— Что? — притормозила Ирина.

— Мы не одни в деле.

— О чем ты говоришь? — отшатнулась Ермакова.

— Считаешь, что бизнес мы вдвоем ворочаем? Ты людей уламываешь, а я все остальное?

— Ну да.

— Конечно, нет! Цепочка длинная.

— И сколько нас? — ахнула Ирина Сергеевна, только сейчас сообразив: Ника втравила ее в страшное дело.

— Не знаю, — прошептала Терешкина. — Я думала, ты догадываешься, что подобные дела вдвоем не провернуть. Все, умирать мне надо. Понарошку, конечно. Тогда все утешатся.

— А я? Как же я? Я-то как? — попугаем задолдонила Ирина.

— О тебе никто из паханов не знает, — прошептала Ника. — Полагают, я одна работаю. Мне деньги платят, я тебе часть отстегиваю.

Ермакова затрясла головой. На миг у нее зародилось нехорошее подозрение: Терешкина эксплуатировала ее, сама гребла деньги лопатой, а ей отсыпала малость, зато отрабатывать «гонорар» заставляла по полной! Но сейчас не время для выяснения отношений.

— Слушай меня внимательно, — приказала Ника. — Сделаем так. Я уеду в отпуск.

— Кто тебе его в разгар учебного года даст? — справедливо заметила Ермакова.

— Скажу, бабушка умерла в Екатеринбурге.

— Все равно ничего не выйдет, — уперлась Ирина. — Вон когда у нашего этого... Талдын... бын... сып... Ой, как только бедные дети его имя выговаривают? Ну, ты понимаешь, про кого я. Когда мать у него скончалась, и то его директор не отпустил.

— Ну на три-то дня можно.

— Не надейся!

— А если я приведу временную замену, попрошу подругу в классе посидеть, ты сумеешь идиота уговорить?

— Попробую, — согласилась Ермакова. — А кого ты пришлешь?

— Есть у меня одна, — заявила Ника. — Писательница! Арина Виолова, детективы кропает. Она выручит.

— Я ее знаю! — обрадовалась Ирина. — Читала ее книги. Забавные, только глупые.

— Она и сама довольно недалекая, ничего не заподозрит, — сказала Ника. — Я придумаю, что ей соврать. Супер, план вырисовывается!

Через час заговорщицы обсудили все детали и составили сценарий — элементарный, как веник. Но ведь чем дело проще, тем надежней.

Ника поедет в Екатеринбург — у нее там на самом деле живет дальняя родственница, с которой Терешкина черт знает сколько лет не виделась. Двоюродная тетка обитает не в самом городе, а в деревеньке, центрального водоснабжения там нет. Престарелая родственница попросит помочь ей по хозяйству — постирать постельное белье, и... Ника утонет. На берегу найдут таз и платок гостьи. Полоскала городская баба-неумеха простынки и сковырнулась в воду. Все умеючи делать надо, деревенские жительницы легко управляются со стиркой, а москвички изнеженные, привыкли только кнопки машин-автоматов нажимать. Тело не найдут, но никто не удивится — река быстрая, с омутами. Василий всплакнет, Вера порыдает на похоронах, вот, собственно говоря, и все.

— Не очень убедительная версия, — протянула я.

— У нас имелась и другая, — охотно поделилась Ирина. — Сначала мы хотели ограбление подстроить. Вроде как на Нику напали. Молотком по голове стукнули, лицо изуродовали, отняли кошелек. Да только организовать это сложно.

— Почему? — навострила я уши.

— Так ведь труп нужен, — в ужасе прижала руки к груди Ирина Сергеевна. — Если грабитель Нику убил, то тело остаться должно! А где его взять?

— Действительно, — согласилась я. — Но, похоже, что-то у вас пошло наперекосяк.

Ирина Сергеевна судорожно кивнула.

— Сначала все отлично складывалось. Директор возражать не стал, классная дама не учитель, материал не объясняет, ответственности меньше. Ей надо за порядком в кабинете следить и детям помощь оказывать. Если честно, у нас надзирательницы постоянно меняются — зарплата не очень большая, а хлопот много. Ника одна несколько лет продержалась.

— И понятно почему, — буркнула я. — Кто ж уйдет с грибной опушки?

— Что? — вздрогнула Ермакова.

— Ничего, рассказывайте дальше.

Ирина Сергеевна обхватила себя за плечи и затряслась, как чихуахуа на морозе.

— Вообрази мой ужас, когда вдруг позвонили из милиции и сказали, что Терешкина погибла, ее муж арестован за убийство жены, а дочь не способна опознать мать, в истерике бьется. Мол, посему придется вам как начальнице в морг ехать.

В полуобморочном состоянии Ермакова прикатила в морг и бросила взгляд на тело, лежащее на каталке...

— Катастрофа, — шептала она сейчас. — Господи, вот где ужас! Лица просто нет. Ничегошеньки! Месиво! Убийца и по шее прошелся, и по рукам. Пальцы раздробил. Лучше бы никогда подобного не видеть!

— Вы опознали Нику?

— Да, — пролепетала Ирина Сергеевна.

— Это точно была она?

Ермакова застонала.

— Господи! Там узнать ничего невозможно! Говорю же: фарш вместо лица!

— А волосы были Никины?

— Не помню, я их не видела.

— Но вы сказали, что это Ника?

— Да.

— Почему?

— Это Ника, — еле слышно повторила Ирина Сергеевна.

— Замечательное утверждение! — восхитилась я. — Очень логичное. Лица нет, волос вы не заметили, никакие родимые пятна или шрамы не разглядывали, одежду, судя по некоторым известным мне фактам, тоже в расчет не приняли, но уверенно опознали Нику. Вас не смутило, что убийца изуродовал всю верхнюю часть тела, включая руки?

— Нет, — прошептала Ирина. — Нику лишил жизни муж, а он... этот Василий... бил жену.

— Глупости! Ника никогда мне не рассказывала о побоях.

— Не каждая способна на такие откровения.

— А вы откуда знаете? — решила я загнать ее в угол.

Ирина Сергеевна вздохнула.

— Один раз в гимназии случился форс-мажор: к нам налоговая нагрянула вместе с ОМОНом. Маски-шоу! Парни в камуфляже не разрешили никому воспользоваться телефоном. Хорошо хоть они приехали после занятий, дети уже домой ушли, а из сотрудников всего четверо осталось: я, Ника, главбух и Турганова, которая вечно кроссворды разгадывает.

Я вспомнила симпатичную женщину, забывшую название фильма «Красная жара», и невольно улыбнулась.

— Ничего смешного! — с отчаянием воскликнула Ирина.

...Несколько часов шел обыск вместе с допросами, потом полицейские убрались восвояси, а перепуганные женщины остались в кабинете, они от страха не могли встать с места. Вдруг стукнула дверь, Ермакова в ужасе подскочила — ей показалось, что представители налоговой вернулись. Но в комнату влетел мужчина. Бешено вращая глазами, он бросился на Нику, отвесил ей пару затрещин и завизжал:

— Сука! Где шляешься? Опять по любовникам таскаешься?

Ирина Сергеевна замерла. Главбух и Алиса Турганова затряслись, а нежданный гость поволок всхлипывающую Нику к выходу.

На следующее утро Терешкина попросила Ермакову:

— Не рассказывай никому о вчерашнем инциденте.

Завуч прикинулась идиоткой.

— О визите налоговой уже всем известно.

Ника кивнула.

— Спасибо за деликатность. Больше муж сюда не сунется.

— Ты говорила, что Василий — абсолютный пофигист, — заметила Ермакова, — но вчерашний его приход свидетельствует о взрывном темпераменте.

Терешкина мрачно кивнула.

— Все правильно, я не лгала. Ярцеву глубоко плевать на внешние раздражители, его не потревожит даже атомная война.

— Плохо верится в это, — усомнилась завуч, — я видела, как он бесился.

— У мужа пару лет назад случился инсульт, — пояснила Ника, — теперь он пожизненно должен принимать таблетки, целый набор. Все бы ничего, но медикаменты иногда вызывают у Василия приступы ярости. Если накатит, он над собой контроль теряет.

— Почему ты позволяешь ему руки распускать? — возмутилась Ермакова.

Ника мрачно улыбнулась.

— Не в моих интересах сейчас развод затевать. И потом, подобный инцидент всего-то два раза и случился. Правда, в тех случаях муж просто матерился и топал ногами, кулаки он впервые в ход пустил. Но сейчас он уже шелковый. Я полчаса назад ходила к доктору, объяснила ему ситуацию, просила комбинацию препаратов скорректировать, но врач пояснил: «Увы, случается такое побочное действие, вам придется смириться с припадками ярости Василия, он не может бросить пить таблетки».

Рассказав о том эпизоде, Ирина Сергеевна пояснила мне:

— Поэтому, когда я увидела изуродованное тело, сразу поняла: Ярцев разум потерял. И поведала милиционерам про тот случай в учительской. Но сейчас... сейчас я сомневаюсь.

— В чем? — живо спросила я.

Ирина Сергеевна схватила меня за руку.

— Арина! Вернее, Виола! Извините, не знаю вашего отчества...

— У Арины его нет, — мягко ответила я, — а Виола предпочитает отзываться на имя. До сего момента мы великолепно обходились без церемоний, и вы даже перешли спонтанно на «ты». Или мне показалось?

— Виола, у тебя много связей! Помоги!

— Что случилось?

— Меня хотят убить, — затравленно прошептала Ирина Сергеевна, оглядываясь на окно. — Совсем как Нику! Я бы никогда не стала рассказывать вам... тебе... о нашем с Никой маленьком бизнесе... но... Терешкина говорила... ты порядочная... О боже! Достань паспорт, на любое имя... Пожалуйста! Я должна скрыться! Понимаешь, меня-то Илона знает, мы же с ней беседовали! Если Георгий Нику нашел, то и меня легко отыщет. Документы! Ника в свое время обещала их для меня сделать, но не успела, — твердила завуч. — Мне надо исчезнуть.

— Да в чем дело?

— Мне позвонил какой-то человек, — обморочным голосом зашептала Ермакова, — и заявил: «Хочешь остаться в живых, снимай все бабки со счетов, клади в чемодан, досыпь до кучи свои брюлики и жди приказа, куда тащить выкуп».

— Кого-то похитили?

— Нет, — с трудом сказала Ирина Сергеевна, — это плата за мою жизнь, иначе шантажист сообщит всем про мои дела с Никой. Понимаете, что со мной сделает Рыбаков? Убьет!

— Ну это вряд ли, — попыталась я успокоить завуча. — Скорее всего бизнесмен обратится в милицию.

— Час от часу не легче! — простонала Ирина Сергеевна. — Уж лучше умереть, чем позор. Я хотела сегодня бежать, но куда, как? Без нового паспорта, без другого имени это бессмысленно. Виола, моя жизнь в твоих руках! Что мне делать? Что?

— Только без паники! — скомандовала я. — Истерика — плохая советчица. Значит, так. Мерзавец будет еще звонить?

— Да, — простонала Ирина Сергеевна.

— Скажешь ему, — я решила тоже не церемониться и перейти на «ты» для простоты общения, — что банк не может быстро выдать большую сумму, купюры приготовят через три дня. Пусть подождет!

— О нет! Он меня убьет!

— До получения денег? Маловероятно, — усомнилась я. — Вот когда шантажист получит дензнаки, тогда за твою жизнь никто дорого не даст. Значит, так, поскольку гад, вполне вероятно, за тобой следит, надо действовать очень осторожно. Опасно вызывать у него подозрения. Прямо сейчас поезжай в банк!

— Куда? — напряглась Ермакова.

— Туда, где держишь деньги.

— Они не на счету, — фыркнула завуч. — Я что, дура, держать их в банке?

— Но шантажист-то не в курсе! Рули в любое крупное деньгохранилище, смело топай в вип-отдел, потребуй менеджера и начни с ним беседу. Заяви: хочу положить на счет миллион долларов, объясните условия.

Ермакова постучала себя указательным пальцем по лбу.

— Ты того? Да?

— Это ты идиотка! — взвилась я. — Наломала дров, теперь слушай умного человека! У шантажиста, если он за тобой следит, должно сложиться впечатление: Ирина Сергеевна посетила банк и довольно долго объяснялась с сотрудником вип-отдела. Усекла?

— Угу, — кивнула завуч.

— Затем отправляйся домой и сиди, не высовываясь. На работу не ходи, прикинься больной. Если мерзавец начнет звонить, разговаривай испуганно, обещай деньги, со всем соглашайся. Пусть он считает, что жертва напугана до потери пульса. Кстати, ты предполагаешь, куда могла спрятаться Ника? Допустим, афера с Екатеринбургом удалась бы, где тогда собиралась залечь на дно Терешкина?

— Она мне не сообщала адреса, — заплакала завуч.

Я вздохнула. Странно было бы услышать сейчас иное, но вопрос все равно следовало задать.

— Ты ведь мне поможешь? — с надеждой спросила Ирина Сергеевна.

— Не хочу, чтобы в этом деле появился еще один труп, — обтекаемо ответила я. — В общем, кати сейчас в банк.

— В какой?

— В любой.

— Поняла, — покорно согласилась Ермакова.

— И потом домой.

— Есть! — по-военному четко отозвалась Ирина Сергеевна.

С гудящей головой я вышла из гимназии и зашла в расположенный рядом супермаркет.

Отчего мы так наивны? Отдаем детей в школы и думаем, что там с ними ничего плохого не случится, ложимся в больницы, полагаясь на мастерство врачей, летаем самолетом, считая пилотов асами. Но, увы, среди преподавателей попадаются монстры (Чикатило, например, работал в учебном заведении), доктора порой путают аппендицит с инфарктом, а летчики принимают наркотики и сажают к штурвалу своих отпрысков — порули, сыночек, лайнером, ничего, что в нем сотни людей на высоте десяти тысяч метров. Неужели Ирина Сергеевна настолько недалекий человек, что верила в сказки про удачное замужество двенадцатилетних девочек и усыновление мальчика-подростка? Скольких детей с помощью горе-завуча отправили в секс-рабство?

Ермакова — преступница, я обязана сообщить о ней правоохранительным органам. С другой стороны, у меня никто не примет заявления. Будучи бывшей женой сотрудника МВД, я очень хорошо представляю, с какой «радостью» встретили бы меня, допустим, в прокуратуре.

Есть еще один фактор: Ника! Теперь я абсолютно уверена: Терешкина жива и здорова, в «Оноре» убили несчастную Настю. При всей своей двуличности Ника не способна переспать с несколькими мужиками, да и никогда бы она не надела мини-юбку. Ника оказалась хитрюгой, обманула всех, начиная с Ирины Сергеевны и заканчивая дочкой Верой. Так где она прячется?

Постояв в растерянности посреди торгового зала, я медленно двинулась к стеллажам с соками. Почему-то мне безумно захотелось пить.

Глава 25

Не сочтите меня квасной патриоткой, но я искренне считаю, что вкуснее наших продуктов нет. Автомобиль лучше приобретать немецкого производства, телевизоры японского, мебель итальянского, а колбаса, хлеб, масло, кефир, йогурты должны быть российскими.

Ну разве сравнятся с нашими шоколадками импортные конфеты? А их, с позволения сказать, пряники? Бедные европейцы никогда не пробовали те, которые производят в Туле, поэтому искренне считают вкусным продукт, похожий на кусок ваты в сахарной глазури. И разве можно сравнить жидкую белую массу с нашим замечательным творогом? Опять же курочки. Если есть выбор: купить замороженную еще при Наполеоне тушку, приехавшую из Европы, или взять свежую, парную цыпу из Подмосковья, угадайте, в какую сторону я побегу?

И никто из импортных производителей не способен сварить нормальное варенье, испечь овсяное печенье и вкусный хлеб. Вы же понимаете, что длинные багеты, вынимаемые из печки прямо в магазине, являются замороженными полуфабрикатами. Кстати, прежде чем угостить своего малыша аппетитным с виду леденцом на палочке, сначала внимательно прочитайте на обертке состав лакомства. На мой взгляд, лучше предложить дитятке сгрызть палочку, чем полизать прозрачную конфетку. В конце концов, «ручка» состоит из простой пластмассы, а вот съедобная часть содержит всю таблицу Менделеева.

Брюзжа себе под нос, я дошла до соков и оглядела длинные ряды пакетов. Хотите, научу выбирать самое вкусное питье? Значит, так! К импортным упаковкам даже не приближайтесь. Ну подумайте сами, способен ли натуральный продукт храниться около года без холодильника? Даже в рефрижераторе сок столько не продержится. Значит, идем мимо разноцветных, ярких упаковок с завлекательными надписями типа: «100% живой сок» или «абсолютно натуральный продукт». В наше время таких просто не существует, бывают наименее «захимиченные». Не смотрите на средние полки, не поленитесь нагнуться — то, что нужно, в магазинах заталкивают в неудобные места. Наша цель — пыльные трехлитровые банки, закупоренные простецкой железной крышкой, а на боку должна красоваться слегка помятая, косо наклеенная этикетка. Чем гаже выглядит тара, тем лучше. Кстати, на бумажке непременно должны стоять слова «село», «деревня», «область».

Самая правильная этикетка читается, например, так: «Энский край или невесть какая область, село бог знает чьего имени». Это там стоит заводик, где на самом деле из яблок давят сок и тут же разливают его в стеклянные емкости. Работают на конвейере простые трудолюбивые тетки, они закатывают соки как для себя.

А еще нужно посмотреть, откуда баночка с консервами. Если фруктовое изделие (сок или компот) прибыло из Краснодара, это хорошо, но коли оттуда же прикатила «Медвежатина в собственном соку», то перед вами явно туфта. Ну откуда в Краснодаре медведи? Думать надо и изучать выходные данные продукта, много интересного узнаете после прочтения этикеток.

Я притормозила, присела и вытащила баночку типа той, в которую раскладывали в советские времена майонез. Ну-ка поглядим! «Абрикосовый сок «Страна помидоров». Очень мило! А украшает этикетку изображение толстощекой девицы, которая держит в руках... арбузы. Кажется, я набрела на лучший товар. Вот тут мелкими буковками указано — «село Пиндюрск Морского района». Ясное дело, там самые сочные абрикосы, и я охотно верю, что в баночку не налили консервантов. Они дорогие, в Пиндюрске просто нет денег на подобные изыски. Там поступают по старинке — стараются качественно стерилизовать тару.

Оплатив покупку, я пошла к аптечному ларьку и пристроилась в небольшую очередь. Очень некстати заболела голова, сейчас куплю какой-нибудь цитрамон и запью его соком. Хотя, наверное, лучше взять для этой цели воду без газа. Внезапно меня стало подташнивать. Хорошо хоть народу у окошка немного — старушка, беседующая с провизоршей, и мужчина лет сорока пяти.

— Деточка, — ласково говорила бабушка, — нога болит, сил нет. Дай чего-нибудь!

— Не могу, — твердо заявила девушка в белом халате, — вам к врачу надо.

— Там же очередь! Продай лекарство, любое, чтобы ныть перестало.

— Надо сначала разобраться, отчего болит, — разумно ответила фармацевт. — Артрит, полиартрит, бурсит, а может, грыжа позвоночника? Если пить неправильное средство, хуже станет.

— Ох, как ноет! Выкручивает, прямо пилой вгрызается! — пожаловалась бабушка. — Дай, что ли, анальгину, да побольше.

— Ладно, — кивнула провизор, — но все же пойдите к доктору.

— Ты не болтай, а работай! — обозлился мужчина. — Размахалась тут языком... Лучше руками шевели.

— Не злись, сыночек, — миролюбиво протянула старуха. — Болит же!

— Сколько вам лет? — скривился дядька.

— Восемьдесят стукнуло, — с достоинством сообщила бабуся.

— Так чего вы хотите в вашем-то возрасте? — заржал нахал.

— Видишь ли, дружочек, — пропела пенсионерка, — другой-то ноге тоже восемьдесят, а она еще ничего, даже не скрипит! Выпью лекарство, может, и вторая опомнится.

— У вас есть клизма? — Мужик отпихнул бабулю от прилавка.

— Конечно, — ответила продавщица, — вот на витрине.

— Во, блин! — моментально возмутился покупатель. — Кто только такие цены придумывает? Большая стоит десять рублей, а маленькая двадцать. Наоборот должно быть!

— Вы для кого берете кружку? — решила уточнить провизор.

— Офигеть! — обозлился дядька. — Я не кружку хочу, а клизму.

Фармацевт покрылась румянцем.

— Мы, медики, так говорим — кружка Эсмарха. Это правильное название, как вы выразились, клизмы.

Мужик вскинул брови.

— Чей стакан?

— Кружка Эсмарха, — терпеливо повторила девушка.

— Ну сколько можно возиться? — послышался сердитый голос, и к аптечному ларьку подошла полная женщина с ярко накрашенным лицом. — Вань, тебя только за смертью посылать! Взял спринцовку?

— Хрень какую-то предлагают, — растерянно ответил Иван, — чужую кружку.

— На фига нам посуда? Клизма нужна.

— Успокойся, Нин, — попытался купировать ситуацию Ваня. Но жена уже оттеснила мужа от прилавка и улыбнулась провизорше:

— Здрасти! Мне нужна... эта... ну... с наконечником.

— Кружка Эсмарха, — не меняясь в лице, подсказала продавщица.

— Нет, нет! — замахала руками Нина. — Чужую посуду не надо, использованное мы никогда не покупаем! Может, оно и дешевле, зато противно, мало ли кто в руки брал.

Я хихикнула и тут же начала кашлять. Нина покосилась на меня и продолжала:

— Есть дома из чего чай пить, дайте клизму.

— Размер?

— Чего?

— Кружки Эсмарха.

— Сказано же! Не надо чашек! — взвизгнула Нина. — Ты, девка, совсем тупая? Клизму дай! Для задницы!

Провизорша потеряла ангельское терпение.

— Объем скажите, — рявкнула она.

— Чего? — тупо спросила Нина.

— Задницы, — съязвила фармацевт.

Я снова издала смешок, но Нина восприняла вопрос всерьез и развела руки в стороны.

— Вот такая, ну, типа с небольшую подушку.

Провизор выложила на стол нечто темно-синее и заявила:

— Сорок два рубля.

— Минуточку, — ожил Ваня. — Во народ! Каждый облажать норовит! Вона на витрине почти такая же тридцатку стоит.

— Вам эта больше подойдет, — посоветовала девушка.

— Че, подороже скинуть хочешь? — нахмурился Вася.

— Точно, — уперла руки в боки Нина. — И смотрится гадко, та, которая подешевле, розовенькая, симпотная. А эта черная и дорогая.

— Хозяин — барин, — сердито откликнулась провизор. — Но в витрине кружка Эсмарха без наконечника...

— Вот ё-моё! — побагровела Нина. — Тебя переклинило? Сказано сто разов: мы не хотим посуду, да еще чужую!

— Может, энтот Эсмарх чем плохим болел, — подхватил Ваня. — Попользовался кружечкой и вам сдал. Нам клизму! Новую!

— Розовенькую, покрасивше, — приказала Нина.

— Вы ее в буфет хотите поставить? — заорала провизор и швырнула на прилавок клизму цвета поросенка, заболевшего краснухой.

— Хамье, — резюмировала Нина, — пока из себя не выйдешь, будут барахло всовывать.

Фармацевт набрала полную грудь воздуха, раскрыла рот... и в эту самую драматическую минуту из моей сумочки понесся звонок мобильного. Я схватила трубку.

— Вилка, — закричала Майя Филипенко, — ты где?

— В магазине.

— Скорей приезжай сюда!

— Куда? — резонно поинтересовалась я.

— Домой! — истерически орала Майка. — Живей!

— Извини, — я попыталась привести в чувство Филипенко, — но я не знаю твой адрес и...

— Вали к Терешкиной! — завопила Майя. — Тут такое...

— Какое? — испугалась я.

— Увидишь, — пообещала Майя и отсоединилась.

В квартире у Ники царил полный бардак. Путаясь в расшвырянных тряпках, я дошла до большой комнаты и громко спросила:

— Что происходит? Тут Мамай прошел?

— А-а-а! — разом заорали стоявшие ко мне спиной Филипенко с Верой.

— О-о-о! — невольно присоединилась к ним я.

— С ума сошла? — топнула Майя. — Прекрати голосить.

— Вы первые начали, — возмутилась я, — у меня машинально вышло.

— Как ты сюда вошла? — насела на меня Филипенко.

— Через дверь, она открыта.

— Вер, запри, — распорядилась Майя, и дочь Ники послушно пошла в прихожую.

— Тут снимали кино «Взятие Гудермеса»? — спросила я. — Или Федор Бондарчук решил «Девятую роту»-два выпустить? Подходящее, однако, место нашел. Осталось только окошко разбить да люстру снять. О, кстати, где светильник? Вы его уже срезали?

— Прекрати ёрничать, — устало отозвалась

Майя. — Вера надумала навести порядок, вещи собрать, что не надо, выбросить или в церковь отнести, бедным людям.

— Бедным людям... — эхом повторила я. — Дочь избавляется от одежды покойных родителей?

— Ну да, — прозвучало за моей спиной, — не хранить же ее.

Я обернулась. Вера прошмыгнула в комнату и плюхнулась на диван.

— Квартира у нас небольшая, — сказала она, — моя комната из чулана сделана, вот я и захотела в родительскую спальню перебраться.

— Чулан? — изумилась я. — Что за ерунду ты несешь!

— Разве ты не знала? — хмыкнула Вера. — Апартаменты получал папа как передовик производства. Родителям дали двушку, но когда они в нее въехали, то обнаружили, что при спальне имеется кладовка — нечто вроде встроенного шкафа, а в большой комнате два окна. Мать тогда перенесла стену, вышла третья каморка. Незаконное, между прочим, дело, но получилось вроде хорошо: у меня спальня, у всех гостиная, и еще комната для родителей. Была двушка, стала трешка.

— Да, отлично, — одобрила я.

— Ты здесь не жила! — неожиданно огрызнулась Вера. — Стенку поставили из гипсокартона, и, если в гостиной чихали, я в кровати подпрыгивала. А папаша имел дурную привычку вставать в шесть утра и независимо от дня недели телик врубать. Вот мне здорово было! Поспать охота, а над ухом тынц-тынц-тынц... Чума!

— Понятно, — протянула я.

— Не фиг о ерунде трепаться! — взвилась Майя. — Лучше посмотри, Вилка, что мы нашли. Вон папочка лежит, можешь изучить.

Я подошла к столу, взяла листочки и начала внимательно их читать. «Свидетельство о собственности на дом», еще документы о приобретении одной квартиры... второй... третьей...

— Мы чуть с ума не сошли! — плаксиво воскликнула Вера. — Получается, что у мамы имелась куча жилплощади. Элитной! Почему тогда наша семья обитала в норе, а я за гипсокартонной перегородкой? В постоянном шуме, тынц-тынц-тынц...

— Ужас! — закатила глаза Майя. — Ужас!

— Не стоит впадать в панику, — предостерегла я. — Что страшного в документах?

— Вилка, ты идиотка, — в изнеможении проговорила Филипенко. — Вере надо срочно скрыться.

— Куда? Зачем? — удивилась я.

Майя схватила бутылку минералки, несколькими глотками опорожнила ее, икнула и запричитала:

— Ника — безголовая кретинка, хоть о покойных плохо и не говорят. Знаешь, чем она занималась? За что деньги получала?

У меня заколотилось сердце. Неужели Терешкина была до конца откровенна с Майей? Или Филипенко тоже вовлечена в аферу с детьми?

— Нет, — на всякий случай ответила я. — Вернее, да. Она работала в гимназии.

Майя всплеснула руками.

— Идиотка!

— Может, не стоит оскорблять друг друга? — обиделась я.

— Не ты идиотка, — отмахнулась Филипенко.

— Ну спасибо! — язвительно поблагодарила я.

— Ника — дура! — запальчиво сказала Майя. — Она давала свои документы людям, чтобы те на нее оформили жилплощадь.

Я разинула рот. Ай да Филипенко! И это она упрекает Нику в дурости. Отличное предположение!

— Небось связалась с бандитами, — неслась дальше Майя, не замечая реакции слушательницы, — те деньги отмывали. Я кино такое видела, недавно сериал прошел... назывался... э... не помню. Автор — Татьяна Устинова. Там девку заставляли недвижимость скупать, а потом ее убили, когда она не захотела дом возвращать. Главная героиня получала за свои услуги деньги и...

— Это точно не Устинова, — прервала я разошедшуюся Филипенко. — Татьяна подобной глупости никогда не напишет, она сюжет лихо закручивает.

— Да фиг с вами, писателями! — затопала ногами Майя. — К Вере банда домой скоро явится. Потребует свое имущество. Веруська, собирайся! Бежать! Скорей!

Колотясь, словно мышь, попавшая в буран, Филипенко схватила дорожную сумку и принялась без разбора запихивать в нее вещи.

— Стой, — тихо сказала дочь Терешкиной, — тут еще кой-чего обнаружилось. Пока ты, Майя, папины костюмы складывала, я тайник нашла.

— Где? Какой? — одновременно воскликнули мы с Филипенко.

Вера поманила нас пальцем.

— Идите сюда.

В полном молчании мы вошли в спальню Ники и Василия. Вера подошла к кровати и велела:

— Вилка, пощупай под матрасом, там найдешь кнопку.

Я покорно выполнила приказ.

— А теперь нажми на нее два раза подряд, — приказала девушка. — Видите?

— Офигеть! — завизжала Майя. — Ящик выезжает! Ну как ты его нашла?

Вера опустилась на пол, села по-турецки и начала раскачиваться из стороны в сторону.

— Мебель тут хорошая, — наконец выдавила она из себя, — мне хотелось сюда переехать. Отличная комната, просторная, с окном. Но ложиться на их матрас противно, я надумала свой купить. Решила измерить раму, полезла... ну и нашла кнопку... Случайно! Сама не знаю как... Значит, тайников было два. В первом документы, во втором...

— Драгоценности! — перебила ее Майя. — Вау! Да еще какие! Серьги... кольца... Ой, господи, ожерелье... Вилка, скажи, что оно из стекляшек!

— Очень похоже на натуральные бриллианты, — безжалостно констатировала я и тут заметила на тумбочке потрепанную плюшевую игрушку. — Ларсик! Вера, откуда здесь талисман Ники?

Девушка отбросила с лица волосы.

— Он тут всегда сидит.

— Но тигренок пропадал...

Вера нахмурилась.

— За тумбу завалился. Я начала убирать и нашла.

— Я совершенно уверена, что его там не было! — заголосила Майя, придя в себя от удивления. — Я всю комнату тогда изрыла в поисках талисмана!

— Ты его не заметила, — всхлипнула Вера, — лежал так неприметно, слился с ковром.

Я продолжала смотреть на осиротевшую игрушку. Ларсик какой-то странный. Что у него с лапами? И хвост короткий, уши непонятные...

— Вера, кто-то изрезал талисман! А потом решил реставрировать плюшевого уродца, зашил неровными стежками.

Девушка сгорбилась.

— Это отец, — прошептала она. — Не хотела вам говорить, да теперь уж все равно. Знаете, как мы жили?

— Очень счастливо, — затараторила Майя. — Образцовая семья! Пример для многих!

Вера выпрямилась и начала хохотать, по щекам девушки покатились слезы. Я бросилась на кухню за водой, а Филипенко принялась квохтать, беспорядочно размахивая руками:

— Верунчик, успокойся, сейчас валерьяночки

глотнешь... Вот горе-то! Сразу без обоих родителей осталась! Да еще так трагично, не у всякого человека психика выдержит...

Вера встала, опустошила принесенный мною стакан и внезапно рявкнула:

— Заткнись!

Филипенко замерла, не договорив фразы.

— Чужая жизнь потемки, — сказала Вера, — что у кого на самом деле происходит, знать нельзя. Образцовая семья... Слушай, Майя, правду!

Глава 26

Рассказ Веры не вызвал у меня удивления — я очень хорошо понимаю, что каждый человек имеет лицо и маску. Правда, в течение жизни последняя прирастает к хозяину, недаром древняя пословица гласит: «Улыбайся, даже если хочешь плакать, и скоро слезы высохнут». Мало кто из нас ведет себя на людях так, как с близкими, при посторонних мы стараемся выглядеть достойно, а в родном доме позволяем себе совсем другие реакции. Ну-ка спросите себя, станете ли вы орать на начальника, если тот не заметит хорошо выполненную вами работу? Устроите ему истерику с визгом и топотом? Закричите: «Вот так всегда, никто меня не ценит, я ухожу»? Нет? А почему? Ах, это же ваш босс, и с ним подобное поведение неприлично. Ну да, а дома можно закатить скандал, мы не считаем нужным держать эмоции в узде, если вокруг только близкие и родные. Вот парадокс. А ведь именно с ними, близкими и родными, необходимо быть ласковым, корректным, понимающим. От начальника можно уйти, а вот папа, мама, брат, сестра, ребенок — они навсегда. Впрочем, унести ноги можно и от семьи, но какие переживания начнутся потом... Значит, улыбаться и сдерживаться необходимо не столько на службе, сколько в родной обители. Но большинство людей поступает иначе.

Василий и Ника не были исключением. С ранних лет Вера слышала скандалы, в которых в основном мусолились две темы: мать упрекала отца в нежелании работать и полном безденежье, а тот бросался на жену с кулаками, требуя не смотреть на мужчин. Ярцев был ревнив, его злило, если Ника надевала юбку чуть выше колен или позволяла себе открытый сарафан.

— Каждый выходной они лаялись, — горько объясняла сейчас Вера. — Сначала поорут, потом телик вместе смотрят. Я фигела от их жизни. Лучше удавиться, чем так!

...Однажды Вера не выдержала и спросила у матери:

— Почему ты не разведешься с папой?

— Не твое дело! — зло ответила та. — Мала еще в отношения родителей вмешиваться! — Но потом неожиданно добавила: — Все-таки он муж и зарплату приносит, не хочу совсем нищей стать.

Тема денег была особо болезненной в семье. Сколько Вера себя помнила, столько мама копила рубли. Ника собирала на пальто, сапоги, посуду, летний отдых... Вера постоянно слышала от нее:

— Ешь с хлебом, мяса мало. Зачем взяла второе яблоко? Фрукты рассчитаны на неделю. Осторожнее с колготками! Какая еще новая кофта? В старой походишь!

Ника не хотела понимать, что дочь растет и мечтает о любви. А какой молодой человек благосклонно посмотрит на замарашку? Девочка пыталась выпросить у родителей сапоги, косметику или страстно желаемую бижутерию, но отец лениво отвечал:

— Мать семейную кассу ведет, к ней и обращайся!

А Ника приходила в ярость, услышав робкие просьбы девочки.

— Сумку? С ума сошла! Впрочем, ладно. Накоплю и к Новому году куплю ее тебе.

Вера, опустив голову, уходила в свою переделанную из чулана комнатенку и ложилась на кровать. Перспектива обнаружить под елкой сумку не радовала. Хотелось получить ее сейчас, в мае, но Ника никогда ничего не дарила дочери без повода. Все покупки делались к дате — на день рождения или к уже упомянутому Новому году. И Дед Мороз всегда приносил ботинки или платье. А на Восьмое марта Вера ничего не ждала. Ника справедливо полагала, что в женский день презенты дарят мужчины, а Василий традиционно притаскивал один пожухлый букет мимозы, самый затрапезный, дешевле которого не найдешь. Цветы получала Ника, дочь Ярцев за женщину не считал. А еще Веру доставал телевизор. Тынц-тынц-тынц... Каждый день! С раннего утра!

Потом отец заболел, и врачи прописали ему гору лекарств. Современная фармакология творит чудеса, Ярцев остался жив, но болезнь изменила его характер, причем далеко не в лучшую сторону. У Василия стали повторяться припадки ярости. В момент, когда ему переклинивало голову, отец делался невменяемым, мог налететь на Нику с кулаками. Один раз он сильно поколотил жену. Вера не поняла, из-за чего возник скандал, она услышала вопли матери: «Верочка, скорей! Убивают! На помощь!» И... не пошла в спальню к родителям. Пусть разбираются сами. Где двое дерутся, третий лишний. И потом, мать же не велела вмешиваться в дела взрослых, вот пусть сейчас сама и выкручивается...

— Веруся, — перебила девушку Майя, — ты какие-то ужасы рассказываешь. Вы же хорошо жили!

— Меня удивляет лишь одно, — протянула я. — Почему все же Вася и Ника не развелись? Пока ты, Вера, была маленькой, понятно — Терешкина сидела дома и зависела от зарплаты мужа. Но потом-то!

В последние годы Ника вполне прилично зарабатывала, ты уже заканчивала институт, собиралась пойти работать. Что держало твоих родителей вместе, если учесть, что Ярцев взял за привычку драться?

— Папа начал ревновать маму, — подхватила Вера, — как раньше. До смешного доходило! Наденет она летнее платье, его колбасит. «Не смей оголяться!» — кричит. Ну не цирк ли? Кому старуха нужна?

Я хотела сказать, что Ника вовсе не была старухой, ей только предстояло справить сорокалетие, но тут в разговор с грацией бегемота влезла Майя.

— Тебе, Вилка, не понять, — с презрением заявила она, — Ника была благородным человеком, не способным бросить больного мужа. Ярцев был ее крест, и Терешкина достойно несла его. Сколько раз она говорила: «Мне надо было развестись с Васей раньше, а теперь, когда у него здоровья нет и до смерти несколько лет осталось, подло его бросать». Вот каким человеком была Ника! Не то, что некоторые — чуть из дерьма вылезут и прежнего супруга кидают, не подходит он им для новой биографии.

Последнее ядовитое замечание явно было адресовано Виоле Таракановой, ставшей успешной писательницей Ариной Виоловой. Я уставилась на Майю. Ну и ну, пару минут назад Филипенко пела об образцовой семье, а оказывается, что Ника упоминала при ней о разводе.

— Не слишком-то мама была с тобой откровенна, — вдруг улыбнулась Вера, — только часть ее слов правда. Врачи и впрямь делали не очень радужные прогнозы относительно папиной жизни. Одни давали ему год, другие пару лет, но больше пяти не обещал никто. Говорили, что сердечно-сосудистая система у него изношена, как у столетнего старика. Мама, естественно, знала о состоянии его здоровья, поэтому и не шла на развод. Наследство получить хотела!

— Велика прибыль! — не выдержала я. — Сама

же говорила, что вы от получки до зарплаты еле тянули. Разве что квартира, но она не шикарная, а самая обычная.

Вера усмехнулась.

— Мама молодец, ей бы шпионом работать — никаких тайн не выдавала. Другая мигом подругам растрепала бы, а она словом не обмолвилась. Вот, я все гадаю, она отцу-то сообщила или и его вокруг пальца обвела?

Продолжая говорить, девушка приблизилась к тайнику, вынула из него сверкающие украшения, а затем лист бумаги.

— Вот, читайте! — заявила она.

— «Ярцофф Серж, он же Ярцев Сергей Викторович, гражданин Канады...» Что это? — изумилась Майя.

— У отца был дед, — устало пояснила Вера. — Мы о нем в семье не упоминали, но однажды к нам приехала дальняя папина родственница, выпила основательно и давай приставать к родителям с вопросами: «Где Сергей Викторович? Вы его не искали?» Меня из комнаты выставили, но я под дверью подслушала и ничего необычного не услышала. Ну ушел мужчина во время войны с немцами, так теперь такое поведение не как предательство расценивается, а называется актом борьбы с коммунизмом.

...Наутро, когда баба проспалась, Вера, пользуясь тем, что родители ушли по делам, вытрясла из мучившейся похмельем тетки правду.

Во время Великой Отечественной войны Сергей Викторович Ярцев служил полицаем на оккупированной территории и отступил вместе с немцами. Дальнейшая судьба его покрыта туманом.

Иметь близкого родственника со столь черной биографией в советские годы было опасно, поэтому Василий никогда не упоминал вслух о деде и даже после перестройки не изменил этому правилу. Болтливую родственницу Ярцев больше никогда в дом не приглашал. А после смерти родителей, желая сменить матрас на кровати, Вера обнаружила тайник, и в нем, на самом дне, под драгоценностями, лежало завещание.

— Дед-предатель отдал все свое имущество в равных долях оставшимся в живых наследникам, — говорила сейчас Вера звенящим голосом. — В бумаге все подробно расписано. В Канаде у Ярцева никого нет, а в России только мои мама и папа, оба получают по половине. Вот, видишь, указано — «делится между мужем, женой, исключая детей до 25 лет». Уж я не знаю как, но мама получила это завещание и нам с папой ничего не сказала. Обманула его. Я-то ладно, мне еще двадцати пяти нет, значит, ни на что претендовать я не могу. Вот откуда квартиры и брюлики! Она свою часть денег потратила. Теперь вопрос: кто наследует имущество папы?

— Ника и ты, — выпалила я.

— О! — подняла указательный палец Вера. — Вот и ответ, почему мать развод не оформляла — ждала его смерти. Вдова получит вторую часть нехилых денег.

— Я фигею без баяна, — прошептала Майя.

— Я тоже прибалдела, — кивнула Вера. — Сначала тайник обнаружила, драгоценности и документ. Потом нашла свидетельства на дом и квартиры. Но самое главное вот!

Жестом фокусника девушка выбросила на стол темно-бордовую книжицу. Я схватила паспорт и раскрыла его. «Мазаева Вероника Алексеевна».

— Ничего не понимаю! — с отчаянием взвизгнула Майя, через мое плечо изучавшая документ. — Фото Ники. Но она ведь не Мазаева!

Вера покосилась на Филипенко.

— Особого ума не надо, чтобы сообразить: мать собиралась удрать. Приготовила фальшивое удостоверение личности. Небось задумала недвижимость продать и ноги сделать от нас с папой.

Я повертела в руках паспорт. Когда увидела все эти документы на приобретение квартир, кучу украшений, я сразу поняла, куда Терешкина тратила огромные суммы, получаемые за торговлю детьми. Но наличие завещания внесло сумятицу в мои размышления. Неужели Никин доход законен? Впрочем, одно другому не помеха. Вполне вероятно, что жилплощадь и цацки куплены на объединенные капиталы. Вот только одна существенная, на мой взгляд, нестыковочка. Если Ника ради получения второй части наследства терпела от мужа побои, то за каким чертом она решила удрать? С Ярцевым ей стало невыносимо жить рядом до такой степени, что Терешкина наплевала на перспективу получить еще денег?

Из глубин памяти неожиданно выплыла картина. Мы с Никой сидим в небольшом кафе, официант приносит счет. Терешкина выжидательно смотрит в мою сторону, потом мямлит:

— И сколько стоит плохой кофе?

— Ерунда, — отвечаю я, вытаскивая кошелек, — кто звал в харчевню, тот и платит.

На лице Ники появляется выражение радости, смешанной с осуждением.

— Ты умрешь в нищете, — не выдерживает подруга. — Нельзя так транжирить деньги!

— Зачем зарабатывать их, если не тратить? — легкомысленно возражаю я.

— Вот станешь пенсионеркой, заплачешь! — Ника выхватила из моих рук портмоне. — Ну разве можно так купюры комкать? Имей в виду, деньги обидятся и уйдут навсегда. Надо сотни класть к сотням, тысячи в другое отделение.

Тонкие пальчики Ники начали осторожно разглаживать ассигнации, на лице ее появилось молитвенное выражение...

— Эй, Вилка! — закричала Майя. — Тебе плохо?

Я очнулась.

— Нет, все нормально.

— А мне гадко, — горько заявила Вера. — Мама постоянно жаловалась на бедность, даже сахар считала, вечно меня одеждой попрекала, зудела: «Неаккуратно носишь! Сапоги четыре года служат, а у тебя за один сезон развалились». А сама была владелицей квартир, бриллиантов... Ой, погодите!

Глаза Веры зажглись огнем, руки затеребили край кофты.

— Только сейчас до меня доперло, — забубнила она. — Мать ведь умерла, да?

— Ну конечно! — воскликнула Майя.

Я предпочла отмолчаться, поскольку пока не могла со стопроцентной уверенностью подтвердить факт кончины Терешкиной. Хотя... Фальшивый-то паспорт все еще лежал в тайнике! Но, может, у Ники два документа? А брюлики она что, оставила? Убежала, бросив накопленное? Это невозможно, она должна была все взять с собой. Неужели в «Оноре» все-таки погибла Ника? Нет, нет, она не могла иметь сексуальный контакт с двумя мужиками в один день. И еще гонорея. Это не про Терешкину, я очень хорошо знала Нику. Впрочем, если вспомнить только что прозвучавший рассказ Веры, становится понятно, что я не имела никакого понятия о характере хотя и не самой близкой, но все же подруги. Видела лишь верхнюю часть айсберга, а как известно, нижняя обычно намного больше.

— Мама умерла, папа тоже, других детей нет... — шептала Вера. — Я же наследница! Всего — квартир, украшений... Я богата! Я...

У девушки закончились слова. Громко зарыдав, она повернулась и побежала в сторону кухни.

— Веруся, — взвыла Майя, бросаясь следом, — сейчас сварю тебе какао! Оно успокаивает.

Я осталась одна посреди разгромленной спальни. Так кто погиб в отеле? Ника или Настя? Первая занималась продажей детей в секс-рабство, вторая пыталась найти гнездо преступников. Терешкина знала о гостинице «Оноре». Откуда? Прочитала в газете объявление о сдаваемых номерах и решила сделать отель своим, так сказать, офисом? Обычно в таких шалманах никакого фейс-контроля нет, но «Оноре» сильно отличается от ему подобных мест, туда впускают только проституток и постоянных клиентов. Под какую категорию подпадала Ника? Ну явно не под первую. Так кто мертв — Настя или Терешкина? Труп один, пропавших двое. Есть от чего сойти с ума! Ладно, сейчас еще раз изучу завещание и начну действовать. Но сначала съезжу домой, отвезу Стелле продукты и кое-что из одежды.

Глава 27

Девчушка встретила меня с тряпкой в руке.

— Ты чем занимаешься? — удивилась я.

— Порядок навожу. — Девочка откинула со лба волосы. — Пылищи тут — жуть! И полно грязного белья.

— Руки никак до хозяйства не доходят, — смутилась я, — работаю целыми днями.

— Кто с утра до ночи пашет, тот деньги имеет, — деловито заметила Стелла.

— Вообще-то я не жалуюсь на гонорары, — кивнула я. — А с тех пор, как перешла в другое издательство, зарабатываю больше. Или у меня траты сократились? Теперь я живу одна, а раньше деньги быстро растекались.

— Почему ты домработницу не заведешь? — поинтересовалась Стелла. — Можно через знакомых поискать, если агентству не доверяешь.

— Мне это в голову не пришло, — с удивлением ответила я, — вот сейчас ты сказала, и я впервые подумала: надо найти приличную женщину и доверить ей хозяйство.

Стелла швырнула тряпку в ведро.

— Пойди, посмотри кухню.

Понимая, что девочка жаждет похвал, я двинулась по коридору, готовясь, покривив душой, заявить, что все потрясающе. Подросток не способен идеально отмыть помещение, ведение домашнего хозяйства требует усердия, и надо иметь не только старательные руки, но и зоркий глаз, способный заметить пыль в самых укромных местах.

— Ну, — гордо спросила Стелла, — нравится?

Я потеряла дар речи, но потом без малейшей фальши ответила:

— Фантастика! Даже занавески накрахмалила!

Девочка кивнула.

— Да. Некрасиво, когда они как тряпки висят. Когда была жива мама, она всегда тюль будто замораживала! Зачем тебе домработница? Давай я займусь хозяйством.

— В твоем возрасте следует учиться, а не со шваброй гонять.

— Но ты мне не разрешаешь выходить на улицу, — заметила Стелла. — Оставила у себя, денег не берешь! Да и нет их у меня!

— То, что ты сидишь в квартире, явление временное, вот разберусь я с одним делом и займусь твоей судьбой, — сказала я. — У меня есть хороший знакомый — владелец издательства, в котором я сейчас печатаюсь, очень обеспеченный человек, с обширными связями, — и он непременно посоветует, как поступить, чтобы сутенер Стас никогда тебя не нашел. А пока тебе даже носа на улицу высовывать нельзя. Я сто раз убеждалась: если не хочешь встретить знакомых, непременно наткнешься на них. Понимаю, что ты считаешь себя посаженной за решетку, но мой приятель сейчас на ярмарке во Франкфурте. А как вернется, обязательно нам поможет, потерпи немного.

— Хороша тюрьма! — засмеялась Стелла. — С теликом, видиком и мороженым в холодильнике. Так любая сидеть согласится. Но я не привыкла жить задаром. Вот и помою квартиру.

— А я не приучена брать плату за гостеприимство. И как нам теперь быть? — усмехнулась я.

Стелла заморгала.

— Ладно! От скуки можно порядок навести? Скоро твой знакомый из Германии приедет?

— Через десять дней.

— Я точно офигею! Голова от телика съедет!

— Убирай, если тебя это развлечет, — согласилась я после недолгого колебания.

— Не волнуйся, — заверила Стелла, — я в шкафы не полезу.

— Да сколько угодно! — разрешила я. — Страшных тайн у меня нет. Правда, ты рискуешь упасть в обморок, открыв гардеробную. Там удивительный беспорядок. Каждый раз даю себе обещание: вот сегодня аккуратно повешу платье на плечики, но тут звонит телефон...

— Завтра ты лишишься чувств от офигенного порядка! — азартно воскликнула Стелла и, напевая, убежала.

Я разложила по местам продукты и позвонила Куприну.

— Вилка! — бывший муж обрадовался так, словно ему предложили пост самого главного мента в стране. — Как дела?

— Великолепно! — воскликнула я. — Скажи, если человек служил полицаем, а потом ушел к немцам, где могут быть о нем сведения?

— Это не ко мне, а скорей в архив Большого дома или Министерства обороны, — пояснил Олег. — А может, документы хранятся на месте, ну, в том городке, откуда этот человек сбежал.

— Насколько я помню, Серега Раков, твой знакомый, служит именно в ФСБ.

— Серега на пенсии, но я могу поискать другие контакты, — предложил Куприн. — На кого нужна справка?

— Ярцев Сергей Викторович, дед покойного Василия Ярцева. Последнее место жительства в Канаде, там его звали Серж Ярцофф.

— Зачем он тебе? — полюбопытствовал Олег. — Дядька, наверное, уже покойник.

— В самую точку — он скончался. Правда, не так давно.

— И зачем ты тогда его ищешь? — не успокаивался Олег.

— Если можешь, помоги, — начала злиться я, — а не хочешь, я сама справлюсь.

— Ох, и характер, — протянул Олег. — Слова поперек не скажи!

— Спокойной ночи! — рявнула я и выключила мобильный.

Слава богу, Олег не знает ни моего нового адреса, ни городского телефона, и от него теперь очень легко избавиться — простым нажатием кнопки на трубке. Смешно было надеяться, что после развода Куприн станет другим. Черного козла не отмыть добела! Но теперь Олег потерял право укорять меня в плохом характере.

Внезапно мне захотелось спать. Отчаянно зевая, я доползла до кровати, завела будильник на семь утра и рухнула под одеяло.

— Бр... бр... бр... фотографии... — донеслось словно из-под земли.

Я с трудом приоткрыла глаза и увидела Стеллу, у своей постели.

— Что случилось? — простонала я.

— Прости, — извинилась она, — не думала, что ты так рано спать ляжешь. Там на одной полке целая коробка фотографий, а в двух пакетах есть пустые альбомы. Можно я снимки аккуратно разложу?

— Делай с ними что хочешь, — пролепетала я и мгновенно заснула.

Громкий трезвон будильника вырвал меня из объятий Морфея, и я привычно хлопнула правой рукой по тумбочке. Противное дребезжание смолкло, на смену ему пришел более низкий звук, но не менее отвратительный. Пришлось сесть, и только тогда мне стало понятно: часы получили по голове и обиженно замолчали, зато в полный голос заливался телефон.

— Ну и кто там в семь утра? — не удержалась я от замечания, схватив трубку. — Говорите, не молчите.

— Ермакова беспокоит, — прошептали в ухе. — Уж прости, но у нас форс-мажор.

Мне стало холодно, по спине поползли мурашки.

— Ника объявилась?

— С ума сошла! Она же мертва!

— В чем тогда дело?

— Владелец гимназии, отец Тимы, хочет поговорить с тобой.

— Делать мне больше нечего! — фыркнула я. — У меня забот выше крыши и нет ни малейшего желания болтать попусту.

— Виола, милая, не отказывай. Николай Тимофеевич очень настойчив, и ему принадлежит учебное заведение.

— Но меня-то он не купил, — усмехнулась я.

— Вчера вечером звонил. Сам! Мне домой! — запричитала Ирина. — Представляешь? Я прямо дар речи потеряла, когда поняла, кто на другом конце провода. Мало мне прочих неприятностей, теперь еще и эта... Лично меня потревожил!

— А что удивительного в том, что он сам позвонил по телефону? — хихикнула я, враз потеряв все раздражение.

— Так обычно его помощник все дела решает, а здесь — без посредников!

— Скажи, что я уволилась.

— Ой, боюсь! Андреев меня из-под земли достанет. Отыщет, отроет. Сама ему объяви эту новость. Пожалуйста! Мне плохо, очень. Ноги трясутся, руки дрожат, голова болит, желудок отказывает...

— Ладно, — согласилась я, не дожидаясь, пока Ермакова перечислит все части своего немаленького организма. — И во сколько царь-батюшка аудиенцию назначил?

— В четырнадцать ноль-ноль в моем кабинете.

— Хорошо, — сдалась я, — буду без опоздания. Хотя я не понимаю интереса барина к моей персоне.

Не сказав «до свидания», Ермакова отсоединилась, я стала нашаривать тапки. Надеюсь, сотрудники конторы, занимающейся иностранными завещателями, приходят на службу, как и положено, к десяти.

Обычно во всех местах, так или иначе связанных с законом, скапливаются толпы людей. Никакие бумажки вам легко не оформят. Согласитесь: быстро попасть к кому нужно ни в паспортном столе, ни в нотариальной конторе не возможно, придется отстоять немалую очередь, чтобы наконец пообщаться с теткой, которая, великолепно сознавая собственную значимость, будет беседовать с вами сквозь сжатые зубы. Я уж и не упоминаю здесь про собес, где несчастные старики, честно проработавшие всю жизнь, падают в обмороки, ожидая, пока им начислят пенсию. А оформление машины в ГАИ? Ладно, не будем о печальном.

Ожидая увидеть толпу потных нервных людей, я вошла в просторный холл и изумилась. Вдоль стен стоят пустые кресла, повсюду картины и цветы, а за стойкой рецепшен сидит настоящая красавица.

— У вас выходной? — от неожиданности задала я идиотский вопрос.

— Все на рабочих местах, — улыбнулась «Василиса Прекрасная». — Кого вы ищете?

Я вытащила из сумочки блокнот.

— Зульфию Янусову.

— Пятый кабинет, — очаровательно улыбнулась девушка, — налево по коридору. Осторожно, не споткнитесь, там одна ступенька.

Обласканная сверх меры и оттого еще более встревоженная, я добралась до нужной комнаты и деликатно постучала.

— Входите, — крикнул кто-то.

В кабинете стояло два стола. Один абсолютно чистый, даже без телефонного аппарата и компьютера, а за другим, заваленным папками с бумагами, сидела девушка. Очень молодая, больше смахивающая на школьницу, чем на клерка солидного учреждения.

— Здрассти, — кивнула она. — Вы ко мне?

— Я ищу Зульфию, простите, не знаю отчества, Янусову.

— Магомедовна, — охотно подсказала девочка. — Но ее нет.

— А когда она вернется?

— Через две недели, вчера в отпуск уехала.

— Вот черт! — расстроилась я.

— Я Марина Викторовна, младший специалист, — солидно представилась юная служащая. — Может, сумею вам помочь?

— Речь идет о деле Василия Ярцева.

— Секундочку, — кивнула собеседница и схватила мышку. — Извините, но такого нет.

— Наверное, я не ввела вас в курс дела. Ярцев Сергей Викторович, гражданин Канады, оставил завещание на имя Василия, своего внука.

— Да, да, — закивала Марина Викторовна и внезапно покраснела. — А что случилось?

— Скажите, велика ли сумма наследства?

— На такой вопрос никто вам не ответит, это тайна.

— Не надо называть точную цифру. Просто скажите, она большая?

Марина Викторовна перестала улыбаться.

— А кто вы? Почему интересуетесь этими сведениями? Впрочем, кем бы вы ни были, про чужое завещание я ничего не скажу.

Я решила применить иную тактику.

— Понимаете, я вляпалась в совершенно идиотскую историю и теперь не пойму, как выпутаться. Разрешите представиться. Виола Тараканова, вот паспорт. Под псевдонимом Арина Виолова я пишу книги детективного жанра. Специально захватила одну, обратите внимание на фото на обложке.

— Похожа, — констатировала Марина. — Но только я ничего, кроме специальной литературы, не читаю. Учусь на юридическом, скоро защищаю диплом, подрабатываю помощницей у Янусовой. Если Зульфия Магомедовна даст мне хорошую характеристику, меня могут взять на постоянный оклад. Мне неприятности не нужны!

— Получилось совпадение, — настойчиво продолжала я. — Написала я книгу, придумала сюжет: жил-был некто Сергей Ярцев; во время Второй мировой войны он служил немцам и вместе с оккупантами покинул СССР; в России осталась его семья — предатель попросту бросил жену и ребенка. След Ярцева потерялся, о нем все забыли, и вот через огромное количество лет в Москву приходит запрос от адвокатов из Канады — оказывается, Сергей жил за океаном, скончался совсем недавно и завещал состояние внуку. Дальше разворачивается детективный сюжет, но он нам сейчас неинтересен. Не успела книга выйти, как в издательство обратился взбешенный Василий Ярцев. «Кто разрешил предавать огласке наши семейные тайны? — орал он. — Откуда писательница знает о них?» Страшный шум получился, теперь Ярцев требует компенсации. Поэтому я пришла узнать: было ли подобное завещание. Ярцев хочет за моральный ущерб огромные деньги, а у меня даже десятой части их нет.

Марина Викторовна вытаращила глаза.

— Первый раз о таком слышу.

— Вы просто не в курсе, — деликатно ответила я, — на писателей частенько подают в суд. Вот недавно случай был: одна писательница дала главной героине, весьма непривлекательной особе, имя Зузуля и фамилию Хренкопытова. Специально такую нелепую выдумала, потому что в книге женщина отвратительно себя ведет. И представляете, какой конфуз вышел?

— Нет, — с неприкрытым любопытством ответила сотрудница.

— На книжной ярмарке на ВВЦ, когда романистка подписывала свою новинку, к ней подошла женщина и сунула под нос паспорт, а в нем четко написано — Зузуля Хренкопытова.

— Вау! — развеселилась Марина. — Прикольно!

— Веселее не бывает, — кивнула я. — Так вот эта тетка с жутким именем стала вопить что-то типа: «Опозорили! Других Хренкопытовых на свете нет, теперь люди в меня пальцем тычут, уверены в моей подлости и низости! Короче, отстегивай деньги!»

— Не позавидуешь вам, — пожалела меня наивная Марина.

— Верно, — согласилась я. — А мне с Ярцевым «повезло»! Он утверждает, будто я назвала в книге точную сумму завещания. Я угадала случайно, написала: десять миллионов долларов. А на Ярцева сразу знакомые налетели и родственники, все просят поделиться, нарушили его сон и покой. Плати, кричит он, Арина Виолова, за ущерб, иначе тебе мало не покажется! Честно говоря, я в отчаянии!

Марина оглянулась на дверь.

— Ярцев врет!

— Да ну? — бурно обрадовалась я. — Нет наследства?

Девушка замялась, потом взяла со стола табличку «Не входить, идет совещание», открыла дверь, повесила предупреждение с внешней стороны и сказала:

— Вообще-то я не имею права болтать о делах.

— Понимаю, — грустно вздохнула я. — Но Ярцев, простите за непарламентское выражение, меня уже достал. Издательство умыло руки, защищать автора не собирается, а вчера вечером позвонил адвокат Василия и предложил: «Вы платите моему клиенту пособие — ежемесячно по десять тысяч долларов, и мы не поднимаем шума в прессе».

— Ну ваще! — забыв о статусе солидного юриста, воскликнула Марина. — За что же такие бабки отстегивать?

— Я уже сказала — это компенсация за нанесенный моральный ущерб, — напомнила я. — Ярцев уверен, что я разузнала его тайны и нарочно их опубликовала. Сто раз ему говорила: я выдумала историю про дедушку, про Канаду и завещание! Это чистое совпадение! Хотя, согласитесь, странно, ну отчего я точно сумму назвала — десять миллионов баксов? Сама удивляюсь! Может, податься в предсказательницы?

Марина набрала полную грудь воздуха, потом выдохнула и гневно воскликнула:

— Да врет он! Ничего такого нет, а так, смех один! Зульфия дико злилась — столько работы, а в результате пшик. Вы только меня не выдавайте! Сейчас все расскажу. Ненавижу таких людей, как Ярцев. Впрочем, я его не видела. Зато его жена! Не тетка — бульдозер. Ну ладно, значит, пришла она...

Глава 28

Зульфия была завалена работой, поэтому такую элементарную вещь, как запрос в адресный стол о месте прописки Ярцева, она поручила сделать Марине. Людей с такой фамилией в Москве нашлось, разумеется, немало, но после разговоров с ними стало понятно: родственником умершего старика является Василий. Сам наследник в контору явиться почему-то не мог, пришла его жена, бойкая дама по имени Вероника. Она предъявила справку. Судя по документу, у бедного Василия был целый букет тяжелых заболеваний, вследствие многочисленных операций у Ярцева нарушилась психика, а на днях ему отрезали ногу. Короче, он недееспособен.

— Что? — подскочила я, не веря собственным ушам. — Какую такую ногу?

— Сейчас точно не помню, — абсолютно серьезно ответила Марина. — То ли правую, то ли левую.

Я затрясла головой, пытаясь переварить информацию. Вообще-то у человека всего две ноги, лишиться можно либо правой, либо левой. Но Василий расчудесно ходил на своих двоих!

— Опекунство официально не было оформлено, — продолжала Марина, — но, учитывая то, что Вероника Терешкина тоже являлась наследницей, мы ей сообщили подробности. Ох, и намучились же мы с этим завещанием! Представляете, она материться начала. Приличная вроде женщина, не бомжиха, а позволила себе брань. Янусова даже охрану вызвала.

— Ника буянила? — изумилась я. — По какой причине?

— Скандалила Жанна.

— А это кто такая?

— Дочь Ярцева.

Вот тут я совсем растерялась.

— Произошла путаница. Да, действительно, у Василия есть дочь, но ее зовут Вера.

— Точно, — кивнула Марина, — от второго брака, но она не наследница, а я о первой женитьбе речь веду.

— У Василия до Ники имелась жена? — ахнула я.

Ну и ну! Столько лет мы общались с Терешкиной, а она ни разу и словом не обмолвилась об этом. Согласитесь, странно. Обычно женщины обожают ругать своих предшественниц.

Марина, не замечая моего изумления, продолжала рассказ:

— А иностранный дедушка оказался большим оригиналом. Он в Канаде давным-давно поселился, никаких отношений со своими близкими из России не поддерживал, не писал, не звонил им. Тот еще хмырь! Хотел прожить без забот!

Я кивала в такт словам девушки. Марина очень молода, она не застала советские времена и не знает, что коммунисты не поощряли контакты с теми, кто сумел вырваться из социалистического «рая» и поселился на «загнивающем» Западе. Может, Сергей и мечтал о встрече с родней, но, будучи бывшим полицаем, предателем, боялся напомнить о себе. С одной стороны, его близкие могли потерять хорошую работу и лишиться партийных билетов, с другой... На что мог рассчитывать человек, убежавший вместе с оккупантами? Только на презрение.

Но в одном Марина оказалась права. Характер у Сергея был, наверное, весьма конфликтный. Потому что он, осев в Канаде, не завел новой семьи, не произвел на свет детей, жил бобылем. Перед смертью Сергей составил завещание, в котором указал: все его имущество должно быть разделено в равных долях между наследниками в России. И сам объявил, кого считать родственниками: внуков, правнуков и их жен или мужей с детьми. Ярцев особо отметил, что свою долю должны получить все отпрыски, даже если их родители разведены. Предположим, у Сергея имелся дважды женатый внук, так вот, если в каждом браке у того были дочери, то они наследницы. Осчастливить следует всех, в ком течет хоть капля крови Сержа. «Пусть они молятся обо мне», — написал в бумаге Ярцев. Единственное ограничение было по возрасту: наследником мог стать лишь человек, переваливший 25-летний рубеж. Если же был кто-то помладше, его доля отходила родителям. Но! Вдруг все они молоды? Вот тогда, если нет никого старше их, так уж и быть, состояние отходит к неразумным детям.

Бумага была составлена и заверена по всем правилам, после кончины Ярцева его делами занялся адвокат. Московские клерки выяснили, что единственный наследник, Василий Ярцев, был женат дважды. Первая его супруга Екатерина скончалась в результате несчастного случая, но дочь Жанна жива. Марина отправила ей извещение с просьбой прийти в контору, но женщина никак не отреагировала. Поскольку благополучно завершить работу по завещанию Ярцева без Жанны было нельзя, Зульфия Магомедовна велела Марине съездить к наследнице домой.

— Вполне вероятно, что ее испугала официальная бумага, — предположила Янусова. — Растолкуй тетке, что к чему.

И Марина поехала к Жанне. Та оказалась на месте. Она впустила девушку и даже была с ней мила, приняв за потенциальную клиентку: дочь Ярцева от первого брака портниха, к ней часто приходят заказчики. Но, узнав, в чем дело, велела Марине уходить. Когда та попыталась продолжить разговор, Жанна принялась материться.

— Очень невоспитанная баба, — переживала Марина. — Орала и слюной плевалась: «Ничего мне от него не надо, Василий маму убил!» Я с трудом ей втолковала, что можно отказаться от наследства. Не желаете его получать — никто вас не заставит, нужно лишь официально оформить отказ.

— Жанна говорила, что отец убил мать? — переспросила я.

— Точно, — закивала Марина, — вроде он ее зарезал, чтобы на другой жениться.

— На Нике?

— Верно, — подтвердила девушка. — Жанну так понесло! Еле остановилась. Вообще-то я сама виновата. Сначала она прилично себя вела, спросила, что я шить хочу. Но когда узнала, что я не заказчица, удивилась и начала расспрашивать: «Кто наследство оставил? Почему? Сколько?» А я и брякни: «Все подробности вам Зульфия Магомедовна объявит, наследников не так уж мало: вы, вторая жена Василия Ника...» Договорить она мне не дала! Как завизжит: «Эта сука! Он из-за нее маму зарезал! Решил на любовнице жениться! Вон! Я ее убью! Уничтожу! Голову ей разнесу в клочья! Заколочу молотком до смерти!» Пришлось мне спешно уйти.

Марина перевела дух, а я быстро спросила:

— У вас же, наверное, сохранился адрес Жанны?

— Ну конечно, — ответила девушка.

— Дайте мне его, пожалуйста.

Марина поколебалась секунду, потом махнула рукой и полезла в компьютер.

— Вот, — сказала она через пять минут. — Но договорились — я ничего вам не сообщала!

— Из-за десяти миллионов долларов многие готовы пойти на все, — провокационно сказала я, пряча в сумку листок с координатами.

Марина захихикала.

— В этом вся и фишка. Василий вам врет! Какие миллионы гринов? Денег не было.

— Совсем?

— Ага, — кивнула девушка. — Ярцев скончался в доме для престарелых. Он, когда здоровье потерял, свой дом на жизнь в пансионе поменял. Продал особнячок, деньги положил в банк под проценты, а сам перебрался в хороший интернат. В принципе это правильно, одному куковать опасно, лучше под присмотром.

— Зачем же старик завещание писал? — растерялась я.

Студентка снова рассмеялась.

— Так ему казалось, что у него много чего хорошего осталось. Разбитая мебель, потрепанные книги, разрозненная посуда, несколько картин неизвестных художников, часы напольные. Богатство! Два чайника, три энциклопедии, кресло да ковер без рисунка. Список прилагается. Но денег ни копейки, еле-еле накоплений на его похороны хватило. Кстати, я не первый раз с таким сталкиваюсь. Дедушкам и бабушкам их старые вещи безумно ценными кажутся, вот они и расписывают в деталях: «Внуку Ване чашку для кофе, ту, что без блюдца, а другую, у которой ручка отбита, внученьке Маше». Иногда здесь такие сцены разыгрываются! Люди орать начинают: «На хрена мне ерунда убогая?»

— И вы занимаетесь распределением битых черепков? — изумилась я.

Марина выпрямилась.

— Бумага составлена правильно, закон соблюден, мы всего лишь исполнители воли усопшего. Если кто-то не желает получать завещанное, он может отказаться в установленном законом порядке или просто вышвырнуть кружки на помойку. Но мы обязаны соблюсти все условия завещания.

— Да, конечно, — согласилась я. — Завещать-то можно что угодно, хоть старые газеты, только в сознании наших людей слово «завещание» связано с огромными средствами. А уж если вас разыскивают заграничные родственники, то всем кажется, что у них стопроцентно миллионы долларов.

— Очень глупо! — фыркнула Марина. — В других странах много людей с малым достатком и малообеспеченных стариков, коротающих свой век в домах для престарелых, как Сергей Ярцев.

Выйдя из конторы, я села в машину и медленно поехала в сторону гимназии. Оставалось лишь удивляться гримасам судьбы.

Ладно, Сергей Ярцев прожил почти сто лет и стал к старости сентиментальным. Опять же, как правильно отметила Марина, пенсионеры склонны преувеличивать ценность своего имущества, помятая серебряная ложка кажется им невероятным раритетом. И не хочется, чтобы после твоего исчезновения с лица земли чужие, равнодушные люди отнесли на помойку много раз прочитанные тобой книги и любимые безделушки. Мотивация бывшего полицая мне понятна. Но почему так странно поступила Ника? Отчего скрыла от мужа и дочери факт наличия наследства? Я, грешным делом, подумала, что сумма очень велика и Терешкина, о которой в последние дни я выяснила много для меня нового, попросту обманула родственников.

До беседы со слишком болтливой для будущего юриста Мариной у меня в голове сложилась четкая картина. Терешкина занималась продажей детей в рабство, насобирала немалые деньги, приобрела недвижимость в разных местах, обеспечила себе, так сказать, спокойную старость и решила сбежать от мужа и дочери, которых, похоже, не особо любила. Заокеанское наследство она, долго не мучаясь, решила оставить себе. Василия она объявила безногим идиотом (за хорошие деньги, как ни прискорбно это признавать, у нас можно купить любые свидетельства и справки). Вот только дальнейшие усилия ей не понадобились — Ника узнала, какое «богатство» ей предстоит получить, и махнула на него рукой. Марина сообщила мне, что Янусова перед уходом в отпуск была крайне раздражена поведением Терешкиной и сказала помощнице: «Вернусь, и непременно возьмемся за наследников Ярцева. Надо, в конце концов, завершить эту бодягу. Не желают забирать завещанное, пусть пишут отказ».

Я притормозила на светофоре. Во всех моих на первый взгляд безукоризненных размышлениях есть «дыры». Если Ника, решив инсценировать собственную смерть, удрала из Москвы, почему она оставила в тайнике бумаги, подтверждающие ее право на собственность? По какой причине не прихватила ювелирные украшения? Еще и фальшивый паспорт «забыла»! Кроме того, выяснилось, что Ларсик преспокойно лежал за тумбой, а именно его отсутствие я сочла главным доказательством побега Терешкиной. Она никогда бы не бросила талисман, Ника по-детски верила во всемогущество плюшевого уродца. Значит, в «Оноре» убили Терешкину? Но почему тогда она оказалась в одежде Насти? Куда та подевалась? И как отнестись к выводам патологоанатомов — интимный контакт с двумя мужчинами за один день плюс плохо залеченная гонорея?

У меня закружилась голова. Значит, все-таки не Нику изуродовали молотком, а Настю. И где Терешкина? Она явно очень спешно, в панике, покинула город — оставила все с таким трудом нажитое имущество! Нет, необходимо еще раз встретиться с администратором гостиницы «Оноре» Галиной. Она явно в курсе дела, она нагло выдумывала невероятные истории про несуществующего хозяина своей квартиры Володю и так далее. Сейчас она, наверное, уже успокоилась, я ведь ушла и больше не тревожила нахальную лгунью.

Красный «глаз» светофора сменился на зеленый, я повернула направо. Очень трудно работать одной, приходится буквально разрываться на части. Как бы сейчас поступил на моем месте Куприн? Отдал бы приказ сотрудникам: «Лёня, проверь администратора отеля Галину. Пробей по базе, узнай всю ее подноготную: родилась, училась, привлекалась, ну и так далее. Костя займется Терешкиной, Юра выяснит подробности про первый брак Василия. Что за жена Екатерина и дочь Жанна? Кто зарезал супругу Ярцева? Отчего он никогда не упоминал о предыдущем браке?» А я совершенно одна, да еще вынуждена ехать в гимназию на непонятную встречу с отцом Тимофея. Ну зачем я пошла на поводу у Ермаковой?

С огромным трудом втиснув свою тачку между двумя дорогими иномарками, я вынула телефон. Глаза боятся, а руки делают, не стоит вешать нос, потихонечку разберемся. Вон Золушка же сумела отделить горох от пшена. Или какую там крупу смешала злая мачеха, чтобы падчерица не попала на бал? Впрочем, маленькой замарашке помогали птички. Где бы мне раздобыть стаю воробьев, готовых взять на себя часть моих забот?

Так куда податься сейчас — к Галине или Жанне? Поколебавшись, я сделала выбор в пользу последней. Допустим, администратор помогла осуществить убийство, но кто его задумал? У кого был мотив убить Терешкину? Пожалуй, у Жанны, учитывая, что она считает Нику виновницей смерти своей матери.

Тяжело вздохнув, я набрала номер и, услышав в трубке женский голос, спросила:

— Это Жанна?

— Да, слушаю.

— Мне посоветовали вас как замечательную портниху.

— Все верно, — без малейшего намека на скромность ответила женщина.

— Можно приехать?

— Не сейчас.

— А когда лучше? Понимаете, дело спешное.

— Часа в четыре вас устроит?

— Более чем, — обрадовалась я, — раньше и мне неудобно.

— Вот и договорились, записывайте адрес... — деловито сказала Жанна.

Получив еще раз координаты дочери Василия, я пошла в гимназию. Что там кричала Жанна, когда глупенькая Марина упомянула имя Ники? «Заколочу молотком до смерти»? Очень интересная фраза, учитывая, что в отеле «Оноре» обнаружили женщину, убитую при помощи данного инструмента.

— Господи, пришла! — обрадовалась Ермакова, увидев меня на пороге. — Ну спасибо!

— И где олигарх? — спросила я.

— Сейчас прибудет, — занервничала завуч. — Очень прошу...

Но узнать, о чем собралась в очередной раз просить Ирина, мне не удалось. Дверь в комнату распахнулась, на пороге появился мужчина, одетый в немодное и слишком дешевое для богатого человека пальто. Лицо вошедшего показалось мне знакомым.

— Я подам в суд! — забыв поздороваться, прокаркал он. — Надеюсь, вы сейчас же проведете расследование! Опросить следует весь девятый «А», это их рук дело!

— Уважаемый Кир... бир... ман... — попыталась остановить потного от гнева учителя Ермакова.

Я вспомнила, где видела его: в учительской, в свой первый приход в гимназию, когда попала на совещание, на котором этот преподаватель гневался, что дети не способны запомнить его имя. Как, кстати, оно звучит?

— Кир... тир... фирмир, — мучилась Ирина Сергеевна.

Брови учителя превратились в одну черную линию.

— Минуточку! — засуетилась завуч. — Уно моменто!

Суетливым движением Ермакова выдвинула ящик стола, порылась в нем, вытащила бумажку и торжественно прочитала:

— Уважаемый Кирбальмандык Турбинкасыбаршидович!

— Я Кирбальмандын. Просто отвратительно! — возмутился учитель. — Ладно учащиеся, они поголовно дураки, но вы, Карина Сергеевна!

— Ирина, — кротко поправила Ермакова, — вы ошиблись. Я никогда не была Кариной.

— Обиделись! — радостно отметил «Макаренко» с невыговариваемым именем. — Я специально произнес неверно. Понимаете теперь, какие я эмоции испытываю? Мое имя коверкают постоянно. Все!

Ермакова слегка покраснела и уставилась на листок.

— Э... э... кхм, кхм... Кирбальмандын Турбинкасыршидович...

— Турбинкасы*ба*ршидович! — взвился препод.

Ермакова утерла ладонью лоб.

— Лучше объясните, что случилось, — устало сказала она, — господин Бешмуркантыгданбас.

— Бешмуркантыгданба*й*, — зашипел учитель.

Я прикусила нижнюю губу. Интересно, есть ли на свете хоть один человек, способный произнести без запинки имя, отчество и фамилию историка?

— Девятиклассники мерзавцы! — воскликнул учитель. — Опозорили меня!

— Поподробнее, пожалуйста, и побыстрее, — рявкнула Ирина Сергеевна. — Времени мало, мы ждем спонсора.

— Вчера после занятий я вошел в метро, — начал излагать историк, — взялся за поручень и слышу: люди смеются. В первую секунду тихонечко хихикали, потом громче. Глядят в мою сторону и рогочут! Сначала я подумал, что в известке измазался.

Я кашлянула. «У вас вся спина белая», достойный повод для веселья, шутка Эллочки-людоедки.

— Но нет, — бубнил преподаватель, — плащ чистый, портфель в порядке, на лице никаких следов. Я перешел в другой вагон, встал у двери, никто вроде внимания на меня не обращает. Поднял руку, схватился за поручни — опять хохот. В голос все ржали! И только дома жена увидела... Сволочи!

— Да в чем дело? — вышла из себя Ермакова. — Короче, Склифосовский!

— Кирбальмандын Турбинкасыршидович! — вспыхнул учитель.

— Вроде Турбинкасы*ба*ршидович, — злорадно поправила Ермакова, глядя в бумажку с подсказкой. — Сами путаетесь, а от других требуете. Так что у вас случилось?

Историк молча поднял руки. Секунду мы с завучем молча смотрели на него, потом захохотали в голос. Несчастные дети, которым препод ставит колы за неправильно прознесенное имя, решили отомстить дураку. Они отрезали два куска меха (очевидно, испортили чью-то шубу) и аккуратно приклеили их под рукава плаща, к подмышкам. Пока дурак стоял в положении руки по швам, ничего было не заметно, но стоило ему поднять лапы...

— Всех засужу! Вас тоже к ответу потребую! — рассвирепел историк и вылетел из кабинета.

Дверь хлопнула и тут же распахнулась снова. На сей раз в кабинет вошел загорелый человек в дорогом костюме.

— Николай Тимофеевич! — заахала Ирина Сергеевна. — Я испаряюсь! Беседуйте спокойно!

Глава 29

— Вы замужем? — без всяких предисловий поинтересовался Андреев.

— Нет, — удивленная вопросом, ответила я.

— Десять тысяч долларов.

— За что?

— Оклад. Ежемесячно. Еда за наш счет. Без выходных. Проживание в доме. Постоянный контроль. Безопасность обеспечивает охрана, — отчеканил отец Тимы.

— Вы хотите нанять меня на работу?

— Да, — кивнул он. — За Тимофеем требуется постоянный присмотр. Жена дура. Развод, детей поделили, ей дочь, мне сын. Я очень занят, парень достал. Гувернантки бегут. Был тяжелый разговор. Хочет вас! Собирайтесь, машина у ворот, — рублеными фразами произнес спонсор.

— Спасибо, но у меня иные планы. Я временно замещала подругу и вовсе не собираюсь работать воспитателем, — попыталась я отбиться от чести прислуживать Тиме.

— Десять тысяч гринов. Ежемесячно.

— Оклад замечательный, однако я не согласна.

— Одиннадцать.

— Благодарю, но вынуждена отказаться.

— Двенадцать.

— Думаю, мы не сумеем договориться.

— Называй свою цифру!

— Поймите, я не гувернантка.

— Пятнадцать!

Пришлось встать.

— Спасибо, разговор окончен. Впрочем, могу дать вам совет: если хотите, чтобы мальчик вырос нормальным человеком, заберите его из этой гимназии и отправьте в нормальную школу, к обычным преподавателям.

— Тима хочет тебя! Поставил условие! Иначе не пойдет учиться!

— Увы, он останется без меня.

— Я покупаю все.

— Но здесь получился облом! — рявкнула я и, хлопнув дверью, вылетела в коридор.

Не знаю, каким образом Ирина Сергеевна будет утешать обиженного хозяина, но даже в случае крайней нужды я не пошла бы в дом к такому монстру. Одна манера говорить чего стоит — сплошь повелительное наклонение и приказной тон, никаких «пожалуйста» или «будьте любезны». Иногда от больших денег у людей сносит крышу.

Ровно в шестнадцать ноль-ноль я позвонила в дверь к Жанне и была впущена в просторную, очень уютную квартиру. Меня провели в большую комнату, усадили в мягкое кресло и спросили:

— Что хотите? Платье?

— Вы шьете все? — заинтересовалась я.

Жанна кивнула.

— Да, кроме шуб. Но если хотите, по поводу манто я отправлю вас к замечательному скорняку.

— Какой у вас манекен смешной, — улыбнулась я. — Сейчас таких уже не делают. Наверное, старинный?

— От мамы достался, — кивнула Жанна.

— Она тоже шьет?

— Мамочка умерла.

— Ох, простите!

— Ничего. Это не вчера случилось, много лет прошло, я тогда совсем маленькая была, — тихо уточнила портниха.

— Тяжело одной, — подхватила я, — великолепно вас понимаю.

— Не думаю, — грустно сказала Жанна. — Меня поймет лишь тот, кто в приюте рос.

— Вас отдали в детдом?

— Да, — кивнула Жанна.

— Ой, бедняжечка! Неужели отец отказался от вас?

Портниха отвернулась к окну.

— Впрочем, мой папа, — как ни в чем не бывало продолжала я, — тоже остался со мной. Маменька смылась, решив бросить новорожденную дочь. Мы так и не встретились, я ее ни разу не видела. Была, правда, одна очень странная история, прояснившая судьбу матери, но это произошло, когда я уже сама вышла замуж.

— Ваш отец благородный человек, — пробормотала Жанна.

— Ленинид, мой папа, очень скоро попал на зону, — хмыкнула я. — Вернее, он многократно туда садился. Меня воспитывала совершенно посторонняя женщина, к тому же алкоголичка. Правда, она была хорошим человеком, меня не обижала, но пила крепко, со всеми вытекающими отсюда последствиями.

— Повезло вам! — неожиданно воскликнула Жанна.

— Вы так считаете? — удивилась я.

— Лично мне очень хотелось бы увидеть своего отца на виселице! — вдруг заявила портниха и тут же переменила тему: — Что шьем? Вот журналы, я могу повторить любую модель.

— Если вы не любите отца, то вас не расстроит принесенное мной известие, — вздохнула я. — Ярцев умер.

Жанна вздрогнула.

— Кто?

— Василий Ярцев умер в СИЗО, — уточнила я. — Следствие по делу остановлено, осудить его не удалось.

— Ты кто? — спросила Жанна после небольшой паузы. — Чего приперлась? Платье шить?

— Нет, я просто боялась сразу рассказать вам правду про Василия, вот и прикинулась клиенткой. Хотела осторожно ввести вас в курс дела. Ярцев умер в камере.

— Сдох? — с радостью уточнила Жанна. — Вот это праздник! Ну спасибо, ну обрадовала, ну счастье! Стоп. Где он коньки отбросил?

— В следственном изоляторе.

— В тюрьме?

— Изолятор временного содержания не тюрьма, но в принципе вы правы: Ярцев провел последние дни за решеткой.

— Это надо обмыть. Сейчас коньяк принесу, — засуетилась Жанна. — Вот она, справедливость! Свершилось! Слушай, а за что его под замок сунули?

— Василий был задержан у трупа своей жены Ники с молотком в руке, — сказала я.

Жанна схватилась за сердце.

— И стерва откинулась?

— Вы, простите, о ком?

— Да об этой суке! — «уточнила» Жанна. — Василий маму убил, но тогда ему все с рук сошло. Плакал: «Прости, Катя», — но я-то знаю правду.

Я вздрогнула. Администратор отеля «Оноре» Галина вскользь упомянула, что Василий, стоя на коленях у тела Ники, бормотал: «Прости, Катюша». Правда, лгунья наговорила семь бочек неправды, но, похоже, невзначай сказала нечто важное.

— В этой самой комнате все случилось! — топнула ногой Жанна. — Мне десять лет было, маленькая вроде, но хорошо помню те события. Родители так ругались! Мама папу в неверности упрекала, а потом выяснилось: он действительно любовницу завел, Нику. Та забеременела и решила своему выродку папу отбить. Очень решительная стерва, не стала ждать, пока он сам с женой разберется, сюда приперлась.

— К вам домой? — не поверила я.

— Ну да, — кивнула Жанна. — Я ей дверь открыла. У нас тогда ремонт шел. Отец на работу ходил, а мама отпуск взяла и сама обои клеила. Вот здесь, у стены, стремянка стояла, а рядом кастрюля с клейстером. Очень неудобно в одиночку полотнище клеить, поэтому я ей помогала. Мамуля наверху лист пришлепывала, я низ направляла, и тут звонок...

Жанна побежала впустить непрошеного гостя. Девочка открыла дверь, не поглядев в глазок, и была сметена с дороги молодой, энергичной женщиной.

— Где твоя мать? — нагло поинтересовалась незнакомка.

— Обои клеит, — пискнул ребенок, — в большой комнате.

Тетка понеслась по коридору, Жанна притаилась в прихожей — ей отчего-то стало страшно. Из гостиной тем временем начали доноситься звуки нарастающего скандала.

— Хоть сдохни, а он мой будет! — проорала гостья, выскочив в конце концов в коридор. — Забудь Василия! Моему ребенку нужен отец!

Из гостиной слышались рыдания Екатерины. Хоть Жанна и была маленькой, да сообразила, что крикливая тетка сильно обидела ее мамочку. Девочка недолго думая выставила вперед ногу, скандалистка споткнулась и со всего размаха упала, ударившись лбом о скамеечку, на которую полагалось садиться, завязывая ботинки.

— Так тебе и надо! — воскликнула Жанна и опрометью бросилась в туалет.

Женщина вскочила, кинулась за ней, явно желая порвать негодницу на тряпки. Но малышка успела задвинуть щеколду.

Попинав крепко запертую дверь, тетка проорала:

— Ну погоди! Вот сдохнет твоя мать, ты в детском доме сгниешь. Крошки хлеба не принесу!

Потом в коридоре стало тихо. Перепуганная Жанна долго боялась выйти из убежища. Сколько времени она просидела на унитазе, никому не ведомо, но в конце концов она вдруг услышала голос отца:

— Катя, я приехал! Что за нужда была человека с работы выдергивать?

— Кобель поганый! — заголосила мама. — Переспал со всей Москвой! Уже домой прошмандовки являются...

— А ну перестань! — гаркнул Василий.

— Нике своей это скажи, — завизжала Екатерина, — она тут базар-вокзал устроила!

— Дура!

— Во, точно! А ты мерзавец! — не осталась в долгу мама.

— Идиотка! — еще выше поднял голос отец.

— Был бы ты генерал, звали бы меня генеральшей, — откликнулась Катя.

Раздался грохот, звон, треск, ругань... Жанна тряслась в туалете. Родители и раньше бурно выясняли отношения, но такой шторм случился впервые. Затем повисла зловещая тишина, несчастной девочке стало еще страшней.

— Помогите! — вдруг закричал папа. — Люди! Скорей! Врача! Катя! Катя! Очнись! Катюша, прости, прости, прости!

Из туалета Жанну выпустила соседка Серафима Ильинична. Тетя Сима увела девочку к себе и уложила спать. Только на следующий день ей сообщили правду: мама умерла, Жанне придется некоторое время пожить у чужих людей.

— Где папа? — растерянно спрашивала девочка. — Позовите его.

— Он очень занят, — отводила взгляд в сторону Серафима Ильинична.

Целый месяц Жанна провела в чужой квартире. Отец так и не появился. В конце концов неожиданно пришла полная тетка в строгом костюме и сказала:

— Собирайся, поедем.

— Куда? — спросила девочка.

— В хорошее место, где много детей. Тебе там

понравится, — попыталась улыбнуться дама. — Небось одной скучно?

Жанна вцепилась в тетю Симу.

— Не хочу, пусть меня мама заберет.

— Она умерла, — безжалостно напомнила мадам.

— Ох, не надо так резко, — испугалась соседка.

— Оттого что все сюсюкают, нам самим приходится сообщать детям правду, — взвилась баба. — Значит, так, Жанна. Ты уже большая, обязана знать обстоятельства. Твоя мама умерла. Родители поругались из-за любовницы твоего отца, мама обвинила его в неверности и кинулась на него с кулаками, а он оттолкнул ее. На беду, твоя мать напоролась на острый нож, которым нарезала обои. Клинок попал ей прямо в сердце, она скончалась до приезда «Скорой». Произошедшее признали несчастным случаем. Твой отец отпущен на волю.

Из всего сказанного Жанна вычленила лишь одно: отец ни в чем не виноват. Потому радостно спросила:

— А почему папуля меня не забирает?

Серафима и тетка переглянулись.

— Ну чего, объяснишь ей нежно? — прищурилась баба в костюме.

— Не могу, — прошептала соседка.

— Все вы такие — хотите хорошими быть, а нас осуждаете, — скривилась гостья и повернулась к Жанне: — Кто кого убил, не наше дело. Раз решено, так тому и быть. Но у твоего отца есть любовница, звать ее Вероникой, она беременна и никаких детей от первого брака признавать не желает. Отец заявление с отказом от тебя подписал, в детдом отправишься. Квартиру никто у тебя не отберет, вырастешь — вернешься. Вопросы есть? Собирайся! Ребенок должен знать правду, тебе уже десять, ты вполне взрослая...

Жанна замолчала.

— Да, досталось вам... — промямлила я.

— Всю жизнь их ненавижу! — звонко откликнулась она. — И вот теперь пришла расплата. Он и эту, значит, убил. Славно! Надеюсь, оба в аду горят! А ты кто? Зачем пришла мне радостную новость сообщить? Столько лет про этих сволочей ничего не слышала, а последнее время просто водопад сведений. Сначала из юридической конторы какая-то дура приперлась. С порога заявила: «Вам наследство по линии Василия Ярцева положено, обязательно явитесь для оформления бумаг». Маленькая, а нахальная, я ответила ей спокойно: «Спасибо, ничего мне от Ярцева не надо». Другая бы ушла, а эта поперла танком: «Вы обязаны! Приезжайте бумаги подписывать!» Ну и получила по наглой морде. Никому и ничего я не должна, в особенности парочке убийц моей несчастной мамы. В общем, дала я девчонке пинка под зад. Не успела ее вон отправить, парень приплюхал. Правда, в отличие от хамки хорошо воспитанный. Вошел, ботинки снял — педик, блин! — и говорит: «Я из передачи «Криминальная правда»...

Внезапно глаза Жанны потемнели.

— Ага, понятно. Ты тоже оттуда? Значит, решили меня порадовать. А Гоша где?

— Кто? — необдуманно спросила я.

— Гоша, так тот журналист представился, — пояснила Жанна. — Сказал, что снимает цикл передач про интересные дела прошлых лет. Начал расспрашивать про убийство мамы, что я видела и слышала.

— И вы рассказали?

— Ну да, — пожала плечами Жанна, — про труп, кровь...

— Вы же тогда находились в туалете. Откуда знаете детали?

Жанна поежилась.

— Тетя Сима живописала. Каждый вечер, как сказку, рассказывала: «Вбегаю в комнату — стены красные, пол бордовый... Катя лежит, нож в груди, Вася рядом сидит...» Тьфу!

Жанна помотала головой и цепко схватила меня за руку.

— Гоша заглядывал с месяц назад, пообещал, что сделает суперпередачу, назовет имена, фамилии. Прямо в эфире сообщит про Василия Ярцева, который по наущению Ники Терешкиной убил жену, сплавил дочь в приют и остался безнаказанным. И куда журналист подевался? Ты зачем пришла?

— Меня прислали предупредить о кончине Ярцева, — подтвердила я предположение Жанны. — Кстати, у вас есть сестра, Вера.

— Кто? — подпрыгнула Жанна.

— Дочь Василия от второго брака. Вас всего двое на белом свете осталось, и как ни крути, но отец у вас один был...

Жанна сжала губы тонкой линией.

— Нет, ничего общего с этим отродьем я иметь не хочу. Мерси за радостное сообщение! Так когда фильм выйдет?

— Думаю, Гоша вам позвонит, — промямлила я, — а почему вы назвали его педиком?

— Когда? — удивилась Жанна.

— Пару минут назад вы сказали: «Вошел, ботинки снял, педик, блин...»

Хозяйка усмехнулась.

— Аккуратный мальчик: усы, борода ухоженная, сильно мужским одеколоном пах. А когда обувь снял, я прямо чуть не засмеялась. У него носки прикольные оказались — розовые, в белых зайчиках. Ну какой парень такие нацепит? Ясное дело, гей.

Глава 30

На улице было прохладно, но мне стало жарко. Не застегивая куртку, я дошла до машины и села за руль. Задумалась.

Хорошо ли мы знаем своих приятелей? С Никой

Терешкиной я познакомилась, дай бог памяти, лет пятнадцать тому назад. В таком мегаполисе, как Москва, по размерам напоминающем целую страну, люди очень часто общаются либо только с коллегами по работе, либо с соседями. Естественно, ежедневно ездить пить чай к подружке из своего Теплого Стана в ее Митино не станешь. Если вы не сидите в одном офисе и не живете в близстоящих домах, ваше общение с друзьями сводится в основном к телефонным звонкам и визитам на день рождения. Вот с Никой у нас так и вышло. Мы встречались примерно раз в полгода, созванивались и в принципе были в курсе дел друг друга. Я знала, что у Терешкиной не простые отношения с Василием — Нику раздражали пассивность мужа, его полнейшее нежелание принимать решения и патологическая лень.

— Лет десять назад я ушла бы от него! — воскликнула подруга. — Но теперь... Кому он нужен? Погибнет ведь с голода. Да и коней на переправе не меняют.

Я лишь тихо вздыхала в ответ. Ни один супруг, как ни обидно это знать женщинам, не умер после ухода жены. Пожил некоторое время в грязи, питаясь лапшой быстрого приготовления, и нашел себе новую бабу. В нашем мире полно женщин, готовых тащить на своем горбу сожителя.

И вообще стенания Терешкиной я воспринимала как привычную песню. Ее брак с Василием, несмотря на отсутствие счастья, казался стабильным. Впрочем, что такое удачное замужество? Нам свойственно ныть и желать невероятного. Помните некогда популярную песенку про мечту девушки о суженом: «Чтоб не пил, не курил и цветы всегда дарил, чтоб зарплату отдавал, тещу мамой называл, чтоб в компании был не скучен и к футболу равнодушен, и к тому же чтобы он и красив был, и умен!» Может, и бродят где-то по свету подобные экземпляры, но мне они не попадались. Не видела я похожих на этот песенный идеал мужчин ни в своей жизни, ни в биографии знакомых. Обычно получается как в другой песне: «Выиграла в любви джек-пот, присмотрелась — идиот». Ох, милые мои, а и не надо присматриваться!

Так знаем ли мы своих близких? Вот я, например, провела много лет около Тамарочки, и что могу сказать о ней? Да только самое хорошее. Тома — надежный человек, она великолепная хозяйка, замечательная жена и мать, лучшая подруга на свете. В свое время Томуся сняла с моих плеч все бытовые заботы, а потому большую часть своей взрослой жизни госпожа Тараканова провела, катаясь как сыр в масле, — дома всегда был обед, царили чистота и красота. Мы разделили обязанности: я зарабатывала деньги, Тома вела хозяйство. Могу сообщить и массу бытовых деталей. Подруга не ест молочных продуктов, очень любит романтические комедии, ни за какие блага в мире не нацепит мини-юбку. Я была уверена в ней, как в себе, мне казалось, что она — мой оплот, моя крепость... И что получилось? Когда встал вопрос о разводе с Куприным, Тома сказала:

— Вилка, Олег и Семен неразлучны, если ты решила бросить мужа, то это не значит, что я должна последовать твоему примеру. У меня дети, им необходим отец. И если уж на то пошло, скажу: Куприну сейчас требуется поддержка. А ты сильная, справишься в одиночку.

Очень хорошо помню свои ощущения в тот момент. Упади на меня небо, я изумилась бы меньше. Когда возник выбор: я или семья, Томочка, не колеблясь, выбрала второе. Я попыталась втолковать подруге, что не бросаю мужа, что это он предал меня, но она не захотела разбираться в ситуации, осталась с Семеном и Олегом. В жизни подруги, ее супруга и моего бывшего мужа мало что изменилось, сногсшибательные перемены рухнули на меня. Это я убежала прочь с небольшой сумкой в руке и целый год не могла решиться позвонить Тамарочке — боялась, что разрыдаюсь, услыхав ее тихое «алло». Сейчас, правда, наши отношения вновь стали напоминать былую дружбу. Томуся даже сказала:

— Наверное, ты питаешься всякой дрянью. Я могу приехать, сварить тебе суп.

Но до этого дело пока не дошло, и я не уверена, что хочу видеть Тому на своей кухне. После моего ухода из семьи в голову мне полезли совсем уж нехорошие мысли. Томуська никогда не работала, у нее слабое здоровье, аллергия и прочие заморочки, деньги на жизнь добывала я. Ничем не брезговала — мыла полы, бегала по ученикам, уходила из дома в семь утра, возвращалась за полночь, таща в клювике конверт с купюрами. И ни разу Тома не сказала:

— Вилка, ты посиди месячишко дома, я тоже могу мыть полы.

Нет, она вела хозяйство и, жалея меня, говорила:

— Тебе нс следует много трудиться, нам мало надо.

Но никогда она не изъявила желания сама «встать к станку». Я была в нашем тандеме сильной, она — слабой и всячески подчеркивала это. Так знала ли я Тому? Вопрос остается открытым.

А знала ли я Терешкину? Ох, получается, что нет, хотя, выбирая ей букет на день рождения, никогда не приносила лилий — у Ники аллергия на сильно пахнущие цветы. Еще я привозила подруге шоколад и хорошо помнила, что она любит молочный с воздушным рисом. И что я выяснила в последние дни? Оказывается, Терешкина была членом банды деторговцев, на полученные деньги приобретала квартиры и драгоценности, хотела удрать от Василия и Веры. Уму непостижимо!

Ладно, предположим, Ярцев достал супругу за долгие годы брака. Но дочь? Да, Вера тяжело переживала подростковый возраст, в свое время Ника жаловалась на ее грубость и нетерпимость. Но со временем девушка изменилась, у нее начались романы с молодыми людьми, Вера перестала придираться к маме, больше не выклянчивала дорогую одежду и косметику. Мне казалось, что Ника вполне довольна судьбой. И тут такое! Надо было видеть, с какой гримасой Вера произносила «тынц, тынц, тынц», говоря об отце, который вечно смотрел телевизор.

Еще меньше я знала о Василии. Никогда он не упоминал о трагедии, случившейся с первой женой. Я вообще не слышала о его бывшей семье. Ну как Ярцев мог сдать дочь в детдом? А Ника... Разве красиво сводить счеты с ребенком? Да, десятилетняя Жанна подставила подножку Терешкиной, но ведь девочка была маленькой, следовало попытаться наладить с ней отношения, подружиться. Только Ника просто вычеркнула дочь от прежнего брака из биографии Василия. Охотно верю, что у каждого человека имеется свой скелет в шкафу, но в случае с Никой обнаружился целый склад костей, кладбище секретов.

Внезапно у меня сильно заболела голова, меня затошнило. С неба сыпался противный дождь, мне захотелось спать. Отчаянно зевая, я покатила в сторону дома. Сейчас полежу пару часов, а потом... Что, продолжу поиски? Кого? Я до сих пор так и не могу понять, кого убили в отеле «Оноре», Нику или Настю. Труп один, пропавших двое.

Ладно, хватит ныть. Следующий этап — повторный визит к Галине. Теперь-то я не дам маху, запру дверь изнутри, а ключ проглочу. Птичка не вылетит!

Когда я вошла в свой подъезд, в сумке затрясся мобильный.

— Милая, — заквохтал Куприн, — я узнал много интересного.

Сказать ему, чтобы никогда не смел обращаться ко мне «милая»? Я подавила растущее раздражение.

Спокойно, злиться можно лишь на близкого человека, Олег мне теперь посторонний.

— Василий Ярцев, — радостно продолжал Куприн, — попадал в поле нашего зрения. Правда, очень давно. Он был женат...

— На женщине по имени Екатерина, а Нику Терешкину имел в любовницах, — перебила я бывшего мужа. — Катя погибла, случайно напоровшись на нож, которым резала обои. Василия отпустили, эксперты доказали — случилось несчастье, никакого злого умысла. Хотя я бы на месте следователя почесала в затылке. Мотив-то был! Терешкина ждала ребенка, Ярцев постоянно собачился с женой. Но претензий к мужу погибшей не имелось. А он отправил свою дочь Жанну в детдом, расписался с Никой и зажил вполне счастливо. Если это вся нарытая тобой информация, то я уже ее знаю. Прости, у меня очень голова болит. Наверное, это реакция на смену погоды. Надо лечь в постель.

— Откуда ты узнала про Екатерину и Жанну? — изумился Олег.

— У женщин свои секреты. Давай считать, что пока счет десять—ноль в мою пользу, — буркнула я и отключила сотовый.

Вот оно, преимущество свободной женщины. Если бы до сих пор в моем паспорте стоял штамп о браке, Куприн мог устроить мне показательный скандал, заорать, придя вечером с работы:

— За каким лешим ты выключила мобильный? Что за дурацкое поведение?

И мне бы пришлось врать, блеять нечто типа:

— Батарейка села, я зарядку не нашла.

Ни под каким видом я не стала бы сообщать правду, глядя майору в глаза: «Да просто мне надоела дурацкая болтовня. Хотелось покоя, не было ни малейшего желания трепаться с тобой».

А сейчас без всякого опасения я нажала на кнопку и не ощущаю никакого неудобства. Куприн потерял право руководить мною! Пустячок, а приятно. Есть женщины-собаки, которым необходим хозяин, они будут подчиняться любому, кто возьмет в руки поводок, а есть женщины-кошки — те сами выбирают, с кем жить, и, как правило, сохраняют дистанцию. Я из последних. Хорошо хоть вовремя разобралась в себе, а то бы служила пуделем при Олеге. Чего уж удивляться по поводу того, что не знаю много о своих друзьях и приятелях, иногда в собственной душе полно темных закоулков...

Лифт не работал, мне пришлось подниматься пешком.

В прихожей царила хирургическая чистота.

— Правда, красиво? — потребовала одобрения Стелла, выходя к двери.

— Замечательно, — кивнула я и стала искать тапки.

— Я выбросила твои шлепки, — заявила девочка, — они очень старые и потертые.

Я молча пошла босиком в спальню и обнаружила, что моя кровать застелена, как койка курсанта. Покрывало натянуто без морщинки, подушка стоит треугольником, а на тумбочке аккуратной стопкой сложены детективы. Из гостиной доносилось ровное бормотание телевизора.

— Мне кажется или ты слушаешь немецкий канал? — изумилась я.

Стелла вздрогнула.

— Нет.

— Но я слышу всякие «дер», «дас»...

— А! — отмахнулась девочка. — Я тыкала пальцем в пульт и набрела на мультики. У тебя же «тарелка» есть.

Я кивнула и упала на одеяло. «А сейчас еще раз об авиационной катастрофе», — заявил диктор по-немецки.

— Что у них случилось? — машинально поинтересовалась я.

— Опять лайнер упал, — откликнулась Стелла. — Валятся, как груши! Никогда в самолет не сяду, хоть золотом меня осыпь.

В моей душе зашевелилось удивление. Что-то было не так, какая-то фальшь. Но подумать мне не удалось, девочка принялась отчитываться о проделанной работе.

— Я перемыла сервиз в шкафу.

— Спасибо, — зевнула я, надеясь, что она отстанет. Ан нет, Стелле хотелось услышать похвалу.

— В туалете начистила держалку для бумаги.

— Молодец.

— В ванной отполировала краны.

— Супер.

— Разложила фото.

— Я в восторге.

— Правда?

— Да, да. Давно хотела заняться снимками, но времени не хватало.

— Здоровски вышло! — подпрыгнула Стелла. — Ща покажу.

Я закрыла глаза и начала проваливаться в сон. Но задремать не удалось. Заскрипела кровать — ничтоже сумняшеся Стелла устроилась рядом, раскрыла толстый альбом и начала меня допрашивать:

— Это кто?

Я приоткрыла один глаз.

— Мой отец, Ленинид.

— Лицо знакомое, где-то я встречала его, — протянула Стелла. — Может, он к Стасу приезжал за девками?

— Навряд ли, — улыбнулась я. — У папеньки проблем с женским полом нет. Он актер, снимается в сериалах.

— Точно! Круто, у тебя знаменитый отец.

— Да, действительно, здорово, — вяло поддакнула я.

— А это что за девчонка? — не успокаивалась Стелла.

— Кристина. Моя...

Слова закончились. В принципе Кристя мне никто — дочь мужа Томы от первого брака. Правда, я всегда называла девочку племянницей.

— Твоя дочь? — удивилась Стелла.

— Нет, просто... э... потом как-нибудь расскажу.

— Ой, — обрадовалась Стелла, — вот ее я знаю! Такая ё-моё! Настька ее богомолом называла.

Я распахнула другой глаз и села. Палец Стеллы указывал на снимок, сделанный в позапрошлом году на даче у Ларисы Кругликовой. Пять женщин, держа в руках шампуры с нанизанными кусками мяса, весело улыбались в объектив. Слева Лара, потом я, в середине Ника, за ней Томочка и Оля Серегина.

— Кого ты имеешь в виду? — удивилась я. — И при чем тут монахи?

— Богомол — это насекомое, вроде кузнечика, — объяснила Стелла. — У него самка прям больная. Накидывается на мужиков, в смысле на богомолов, и съедает их. Представляешь? Он ее... того, а она его потом жрет!

— И при чем здесь фото? — недоумевала я.

Стелла хихикнула и показала на Терешкину.

— Вот эта богомол. Может с тремя мужиками за раз!

Сон мгновенно покинул меня.

— Ты знаешь Нику?

Стелла кивнула.

— Сто раз ее видела.

— Где?

— В «Оноре», в гостинице для шлюх.

— Ну-ка, расскажи!

Девочка потянулась.

— Она хуже любой б...и.

— Сделай одолжение, не ругайся.

— Так по-другому не сказать, — заморгала Стелла. — Я не в обиду, просто констатирую факт. Муха — это муха, корова — это корова, а... Извини, если обидела.

— Продолжай.

— А че?

Я сделала глубокий вздох. Ну почему, общаясь со Стеллой, я испытываю дискомфорт? Что не так? Но сейчас нет времени разбираться в собственных ощущениях.

— Сделай одолжение, расскажи все, что знаешь о Терешкиной, — попросила я девочку.

Глава 31

Кто такая проститутка? Женщина, которая получает деньги за торговлю собственным телом. Но тогда под данное определение попадает любая не желающая работать дама, живущая с нелюбимым, но обеспеченным мужем. Какая разница, пользуется ею один мужчина или их много, важен принцип. Если красотка спит с парнем за его квартиру, машину и кредитную карточку, то она тоже продажная баба, поскольку, извините за дурацкий каламбур, продалась за комфорт, не испытывая к партнеру никаких чувств, получая оргазм от его кошелька. И девушка, оказавшаяся на панели от безнадежности, дурочка, решившая, что стоять на дороге — это высокооплачиваемая работа, нравится мне намного больше, чем светская дама, меняющая супругов, хотя, в принципе, и ночная бабочка, и «львица» в брюликах — одного поля ягоды, обе существуют за счет спонсоров. Я никого не осуждаю, лишь называю вещи своими именами. Если женщина получает плату за секс, то она проститутка, и совершенно не важно, где происходит действие: на личной яхте, в шикарном загородном доме или на заднем сиденье ржавой машины. Нет любви, а есть расчет и желание получить бриллианты, автомобиль, положение в обществе или купюры на оплату койки в коммуналке. В любом случае она шлюха, и размер вознаграждения не делает ее королевой. Она получает миллион? Ладно, значит, это дорогая проститутка. Но чем она отличается от дешевой? Только количеством денег за «любовь».

Но есть определенная категория женщин, которые меняют мужиков, как перчатки, каждый день заводят нового кавалера, и никакие вознаграждения им не нужны. Здесь речь идет о чисто физиологической проблеме — самке необходим самец, и все тут! К сожалению, у многих семейных пар не совпадают сексуальные аппетиты, и чаще всего «обиженной» стороной является мужчина.

Впрочем, лично мне ситуация вполне понятна: представители противоположного пола сильнее физически, а работают они меньше. Муж ходит на службу, приносит домой деньги и со спокойной совестью падает вечером на диван у телика. А жена? У нее кроме служебных обязанностей есть куча бытовых: магазин, стирка, глажка, готовка, дети... Мало кто из нас, женщин, проводит часы у голубого экрана с бутылкой пива в руке. Отдохнувший после трудов праведных мужчина готов доказать второй половине свою любовь. Но она-то мечтает о тихом сне! Она абсолютно не хочет исполнять супружеский долг, который из-за усталости кажется ей тяжелой повинностью. Вот и получаются скандалы. Милые мои мужчины! Если вы хотите иметь дома страстную любовницу, освободите жену от части бытовых проблем, ей-богу, получите замечательный результат. А если вы станете злиться и дуться, только оттолкнете от себя жену. Увы, большинству мужиков такое решение проблемы не по нраву, они предпочитают иной путь — заводят любовниц.

Однако бывает и по-другому. Женщина хочет секса каждый день и желательно не один раз, а супруг просто не способен удовлетворить ее аппетит, и тогда страстная красавица начинает искать удовлетворения на стороне. И здесь мне придется открыть самую страшную мужскую тайну. Но для начала я вспомню анекдот, весьма популярный во Франции.

Два месье отправились на ипподром. «На какую лошадь поставишь?» — спросил один. «На девятый номер», — ответил другой. «Почему выбрал эту цифру?» — поинтересовался приятель. «Видишь ли, я столько раз делаю жену за ночь счастливой», — гордо ответил парижанин. «Тогда я положу деньги на двенадцатый, — засмеялся второй месье, — мы с женой столько раз делаем это». Проиграли оба, к финишу раньше всех прискакала лошадь с номером «1». «Не следовало нам выпендриваться, — грустно заметил первый месье, — лучше было честно признаться, что больше одного раза никак не получается».

Мужчины очень любят похвастаться своими достижениями в постели, но, столкнувшись с по-настоящему страстной особой, готовой всегда, везде, в любом месте и положении, пугаются и убегают. Большинство представителей сильного пола имеет очень скромные возможности. Стал бы Казанова столь известен, если б все мужики были способны на интимные подвиги? То-то и оно, что нет!

И еще один парадокс. Женщина, обладающая гипертрофированной сексуальностью, никогда не станет о ней распространяться, потому что мужчина, постоянно меняющий партнерш, вызывает восхищение, а дама, тасующая любовников, заслуживает жестокого порицания. Шлюха — самое ласковое слово, которое она услышит в свой адрес.

— У нас эту тетку все знали, — хихикала ничего

не подозревавшая о моих мыслях Стелла. — Мне ее Лола показала и сказала: «Ваще прям! В «Оноре» шляется регулярно, оттягивается в свободные дни. За пару часов несколько мужиков меняет. А ведь она замужем, не от голода на дороге стоит, у нее кольцо на пальце. Вот уж сучка! И не устает совсем, меня на втором клиенте тошнит, а Светка из-под дивизии счастливая вылезает».

— Ты, наверное, путаешь, — пробормотала я, — эту женщину зовут Ника, а не Света.

— У меня глаз — ватерпас, — обиделась Стелла. — Небось она в «Оноре» так представлялась, не хотела, чтоб ее вычислили.

— С ума сойти! — прошептала я. — Не могу поверить! Терешкина ходила в гостиницу с мужчинами?

— Угу, — кивнула девочка. — Два раза в неделю точно заглядывала. Наши вечно про нее сплетничали, обсуждали ее мужиков. Со Светкой такие кенты приходили! Не папики, а молодые, похоже, студенты. Она не за деньги, а за интерес трахалась. Ой, смехотища! Лолка болтала, как Светка у нее клиента переманила.

— Это как? — изумилась я.

И Стелла, смеясь, ввела меня в курс дела.

— Прошлым летом жара стояла, в «Оноре» окна пораскрывали. Лолка сняла мужика с хорошим лопатником, из командировочных, привела его в гостиницу, легли они в койку. Лолке потно, работать в лом, а клиент вполне приличный с виду, значит, по морде за плохое удовольствие не настучит. Ну Лола и расслабилась — лежит, в потолок глядит. Идиот старается, а ей все по барабану.

Вдруг из раскрытого из-за духоты окна раздался голос женщины, занимавшей соседний номер:

— Не останавливайся!

— Я больше не могу, — ответил хриплый баритон.

— Еще хочу!

— Хватит.

— Еще! — требовала дама.

— Ты меня затрахала.

— Зато ты меня нет!

— Света, я устал, — взмолился парень. — Жарко очень!

— Какая разница, холодно или жарко! — капризно протянула женщина. — Давай еще... ну, милый... Хочешь, я стриптиз станцую? Нет? А так нравится? Может, вот это? Эй, ты куда?

— Бегу отсюда, пока жив, — донеслось из соседнего номера. Потом послышался стук двери и тихий плач.

Лола вздохнула. Рядом, оказывается, устроилась неутомимая Света, и все этой бешеной нипочем, не берет ее ни зной, ни мороз.

Вдруг клиент замер.

— Кто в соседней комнате? — резко спросил он. — Чего она ревет?

— Есть тут одна, ей и десятка мужиков мало, — развеселилась Лола.

— Вот здорово! — воскликнул командировочный. Схватил одежду и был таков.

Лола пошла в душ. Деньги проститутка всегда берет вперед, потому материально она не пострадала. Когда ночная бабочка вышла из ванной, из комнаты Светы доносились счастливые женские стоны и радостные мужские крики. Похоже, они нашли друг друга. Лоле стало завидно, ведь она сама никогда не испытывала в постели ни малейшего удовольствия, а Света, похоже, заходилась в экстазе.

— Посмотреть ведь не на что, уже немолодая, страшная, на голове стог сена, а такой кайф получает, — удивлялась потом Лола. — И где она парней берет?

— Может, курсантов заманивает? — предположили другие проститутки. — Здесь же рядом академия, молодые парни всегда готовы...

Мне оставалось лишь удивляться, слушая Стеллу. Ника посещала «Оноре» с юношами?

— Скажи, — я наконец выдавила из себя вопрос, — в отеле есть администраторы, так?

— Ага, — закивала Стелла, — две бабы. Одна ничего, нормальная, а вторая, Галина, хуже человека-пингвина.

— Галина знакома со Светой? — нетерпеливо перебила я девочку.

— А то! Ее все видели, — сказала Стелла, — известная личность.

Внезапно мои виски будто стянуло ремнем.

— Прости, — прошептала я, — пойду приму душ, может, легче станет.

— Лучше кофе попей. Хочешь, сварю? — засуетилась Стелла.

— Мне вода помогает, — простонала я.

— Только дверь не запирай, — заботливо сказала Стелла. — Вдруг тебе плохо станет?

Я кивнула, пошла в ванную, открутила кран и уставилась на падающие струи. Уму непостижимо! Ника, оказывается, совсем не была верной женой. Вот почему Василий в прежние годы закатывал ей сцены ревности — Ярцев великолепно знал о темпераменте Терешкиной. Значит, он был не психом, а вполне нормальным мужчиной, который бесился от мысли, что его женушка способна сходить налево. Но почему они не развелись? Ладно Ника. Как я теперь понимаю, она крайне двуличная особа, и внешность Ники совершенно не совпадает с ее внутренним содержанием. Под обликом скромной, затрапезной тетки, замороченной семейной жизнью и работой, считающей каждую копейку, скрывалась Мессалина, обладающая богатством, добытым преступным путем. Нике было выгодно оставаться замужем. Но Василий-то почему терпел все? Он так любил Терешкину? Тогда почему убил ее?

Я поежилась. Очень просто, Ярцева достали ее постоянные измены, вот он и не выдержал. Значит, все же в «Оноре» погибла Ника. Она могла переспать с двумя парнями за короткий срок, и тогда плохо залеченная гонорея ложится в строку. Если ведешь беспорядочную половую жизнь, то рано или поздно подхватишь венерическую болячку. Но каким образом на Нике оказалась одежда Насти? Может, все-таки погибла Настя? И что еще интересного я узнаю про Терешкину?

Ладно, лучше залезу под душ и попытаюсь временно освободить голову от тяжелых раздумий... Я скинула халат и тут только заметила, что на крючке висит не очень свежее полотенце. Пришлось выйти из ванной, чистые банные принадлежности хранились в гардеробной.

Воду я не выключила, мои тапочки старательная Стелла выбросила, поэтому я пошлепала босиком. Но, сделав пару шагов, я замерла — из кухни доносился тихий голос Стеллы:

— Нет, пока ничего. Она и правда писательница. Ты права! Постараюсь. Во сколько? Где? В полночь? Йес, без проблем. Она заснет. Ну не волнуйся, не первый раз. Сейчас она в ванной, вода шумит. Думаю, обалдела. Нет, говорю же, не похожа. Все, договорились!

Я осторожно заглянула в кухню. Стелла стояла боком к двери, перед ней дымилась чашка, девочка сосредоточенно капала в нее что-то из маленького пузырька.

На цыпочках я вернулась в ванную, намочила полотенце, повесила его на никелированную трубу и выключила воду.

— Уже помылась? — крикнула из коридора Стелла.

— Да, — стараясь казаться веселой, ответила я и вышла наружу.

— Я заварила вкусный чай, — заулыбалась девочка. — Будешь?

— С удовольствием, — закивала я.

— Тогда пошли на кухню, — поторопила она.

Сев за стол, я попросила:

— Сделай одолжение, принеси из моей сумки детектив Устиновой.

— Айн момент! — пообещала Стелла и убежала.

Я быстро выплеснула содержимое чашки в раковину, вновь наполнила ее и уставилась на дверной проем.

— А книги там нет, — сообщила девочка, возвращаясь.

— Вот черт! Наверное, я оставила ее в машине.

— Хочешь, схожу во двор? — предложила Стелла.

— Нет, тебе не следует выходить из квартиры, — зевнула я, — да и читать мне расхотелось.

— Допивай и ложись скорей, — заботливо сказала гостья.

Я одним глотком осушила чашку.

— Твоя правда, спать дико хочется. Пойду на боковую, а ты, пожалуйста, помой посуду.

— Без проблем! — воскликнула Стелла и загремела ложками.

Я пошла себе, но на пару секунд притормозила в прихожей. Там на вешалке висела дешевая сумка девочки.

Спустя минут десять в мою спальню втекла черная тень.

— Вилка, дрыхнешь? — спросила она.

Я усиленно засопела, пытаясь изобразить ровное дыхание спящего человека.

— Эй, ау! — предприняла еще одну попытку Стелла и вновь не добилась ответа.

Сквозь чуть-чуть приоткрытые ресницы мне было видно, как тень покинула комнату. Выждав для верности десять минут, я встала, спокойно оделась и вышла из квартиры. Торопиться было некуда, пусть Стелла спокойно доедет туда, куда торопится.

Дом, к которому я подкатила около часа ночи, ничем не отличался от своих собратьев — простых кирпичных пятиэтажек, понатыканных в разных концах Москвы. Особо не смущаясь, я нажала на звонок. Никто не спешил открывать дверь. Чтобы ускорить события, я прижалась лицом к здоровенной щели возле замка и громко сказала:

— Вот сволочи, включили воду в ванной, а сами на дачу уперлись, наплевать им на соседей внизу, пусть людей заливает! Придется в милицию звонить, чтобы квартиру вскрыли!

Моментально раздались шаги и звонкий голос:

— Кто там?

— Безобразие! — завозмущалась я. — Посдавали свои квартиры, понапускали хрен знает кого! Воду выключи, зараза! И ремонт мне сделаешь!

— У нас сухо, — ответили из-за запертой двери.

— Хватит врать! С потолка льет!

— Это не наша вина.

— А чья? — заорала я. — Не хотишь пускать, не надо, ща ментов вызову! В МЧС позвоню!

— Пожалуйста, не ругайтесь, — попросила Стелла, распахивая дверь, — давайте... Ой, это ты? Но как...

— Потом поговорим, — бросила я, кидаясь внутрь. — Где она?

Слава богу, квартира оказалась маленькой. В крошечной кухне сидел стройный темноволосый парень с тонкими усиками и аккуратной бородкой, по виду аспирант или свежеиспеченный кандидат наук. Впечатление усиливали очки в тяжелой темно-коричневой оправе.

— Вы кто? — с хорошо разыгранным удивлением

поинтересовался он. — Соседка? Очевидно, труба лопнула, мы тут абсолютно ни при чем.

Я бесцеремонно плюхнулась на стул.

— Думаю, не стоит ломать комедию. Вы Настя? Привет вам от Ляли, тетя очень беспокоится о здоровье племянницы. Значит, в «Оноре» погибла Ника. Вот и найден ответ хотя бы на один вопрос.

— Я ей ничего не говорила, — зашептала Стелла, втискиваясь в кухню. — Чес слово! И за мной никто не шел, я проверяла. Ни машин не ехало, ни людей не топало. Ну как она адрес узнала?

— Тебя никто не ругает, — мягко перебил девочку псевдоюноша. — Хорошо, я Настя. А вы, надо полагать, писательница Арина Виолова?

— Трэшлитераторша к вашим услугам, — усмехнулась я.

— Никогда не считала детективы мусором, — пожала плечами Настя.

— Нет, как она сюда попала? — не успокаивалась Стелла.

— Деточка, — процедила я, — в другой раз, когда соберешься угостить человека большой дозой снотворного, никогда не стой боком к двери.

Стелла покраснела.

— Ты подглядывала за мной!

— А ты решила устроить гадость хозяйке дома, в котором обрела временный приют, — не осталась я в долгу.

Она сложила руки на груди.

— Ничего плохого я не сделала! Лекарство безвредное, просто сонное. Но как ты вычислила, куда я еду?

Я усмехнулась.

— У меня много друзей, они занимаются разным бизнесом. И есть среди них Юра Раскин, который продает всякие шпионские штучки: камеры наблюдения, «жучки» и так далее. Один раз я упомянула его магазин в своей книге. Честное слово, не ожидала такого эффекта: куча читателей решила, что им необходимо купить снаряжение, и рванула в лавку. В знак благодарности Юрка преподнес мне на день рождения подарок — суперскую и, думаю, очень дорогую вещь. Дай сюда твою сумку.

Стелла протянула матерчатую торбочку.

Я запустила руку внутрь и вытащила самую обычную шариковую ручку.

— Видишь?

— Ну... — округлила глаза девчонка.

— У тебя была такая?

— Не помню, — растерялась она.

— В том-то и штука, — кивнула я. — Вещица копеечная, никто не удивится, найдя ее у себя в портфеле или рюкзачке. Подобных ручек миллионы, я, например, постоянно утаскиваю их из магазинов — подпишу чек на кассе и машинально прихвачу. Но эта особенная, она передатчик. А приемник у меня. Смотри, коробочка с дисплеем, а на нем показан весь твой путь от моего дома до этой квартиры, указан ее адрес.

— Ничего себе! — подпрыгнула Стелла.

— Впечатляет, — кивнула Настя. — И еще раз подтверждает имеющиеся у меня о вас сведения: умна, хитра, притом безрассудна, подвергает себя ненужной опасности, часто увлекается, но талантлива и не продается за деньги.

— Скорей всего, никто мне ни разу не предложил хорошую цену, — засмеялась я. — Но вы мне тоже нравитесь! А Стелла — самоотверженная девочка. Сколько ей лет на самом деле? Благодаря малому росту она легко сходит за малышку.

— Мне четырнадцать, — тихо ответила девочка, — я уже говорила.

— Позволь тебе не поверить, — хмыкнула я. — Как и в то, что бабушка у тебя запойная пьяница, которая продала внучку сутенеру. Увы, случается подобное, но это не твой вариант. Ты прокололась!

— В чем? — удивилась Стелла.

— Тебе интересно? — прищурилась я.

— Да.

Глава 32

— Понимаешь, деточка, маленькие промахи складываются в большую ошибку. Ты безупречно разыграла сцену нашего знакомства, ловко воспользовалась брошенной мною фразой про Франкенштейна, и я почти поверила тебе. Но во время нашего разговора на детской площадке из твоей сумочки донесся тихий, но характерный звук — пришло смс-сообщение. Сначала я не насторожилась, нынче мобильный телефон перестал быть раритетной вещью, аппарат легко приобрести на рынке буквально за копейки. Но потом я удивилась. К чему пароль про Франкенштейна, когда можно сбросить на телефон пару слов, написать кодовую фразу, в конце концов, позвонить? Франкенштейн сильно смахивал на классическую ситуацию со славянским шкафом и шпионом, который живет этажом ниже[1]. Но я подумала, что ситуации бывают разные, и решила посмотреть, как будут развиваться события дальше. Тебе очень хотелось попасть ко мне домой. Ведь так? Повторю, сцена знакомства была разыграна безупречно: выклянчивание ста евро, рассказ о девочке, проданной бабушкой...

---

[1] Вилка вспоминает анекдот советских лет. ЦРУ долго готовило сотрудника для заброски в СССР. Мужчине сказали, что в одном доме его будет ждать тщательно законспирированный агент, паролем является фраза: «У вас продается славянский шкаф?» Церэушник прибыл на место, позвонил в дверь. Высунулся парень, выслушал пароль и недовольно заявил: «Внимательней надо быть! Ошибка вышла, шпион живет этажом ниже». (*Прим. автора.*)

Стелла опустила голову.

— Ее и правда продали, — тихо сказала Настя.

— Может, и так, — кивнула я, — но вот еще одна нестыковка. Девочку вроде держат на привязи, она не может уйти от Стаса, но имеет мобильный и преспокойно отбегает на детскую площадку, а затем и вовсе уходит со мной. Знаешь, я в курсе, как организуют притон с малолетними проститутками: детей там держат под замком. Очень часто им дают наркотики, чтобы ребенок и не помыслил о побеге, бьют малыша, желая сломить его волю, ни о каком свободном перемещении по улице и речи нет. Живут малолетние проститутки год, от силы полтора, а потом умирают от непосильной работы, инъекций и алкоголя. Стелла же выглядела вполне прилично, несмотря на заявление, что она давно пашет на Стаса.

Девочка исподлобья посмотрела на Настю.

— И последнее, — продолжила я. — Когда я вернулась домой, то в гостиной работал телевизор, немецкий канал. Я хорошо владею языком Гейне и, чтобы не терять навыки, включаю новости из Бонна. Очевидно, Стелла нажала на пульт и попала на программу, которую я смотрела накануне.

— Ну и что? — с вызовом спросила девочка. — Нельзя?

— Конечно, можно, — улыбнулась я. — Но диктор начал рассказывать об авиакатастрофе, я слышала не все его слова, вот и спросила: «Господи, что там случилось?» И Стелла спокойно ответила: «Самолет упал, они валятся, словно груши». И откуда девочка, воспитанная бабушкой-алкоголичкой, продавшей внучку за ящик водки, столь совершенно владеет немецким?

— В школе выучила, — попыталась отбиться Стелла.

— Нет, моя дорогая. Как ни жаль это констатировать, но в обычном муниципальном заведении язык преподают плохо, со школьными знаниями понять этнического немца сложно. Тут два варианта: либо у тебя была гувернантка — носитель языка, либо ты посещала частную гимназию. Думаю, бабушке-алкоголичке ни один из этих вариантов не по карману. Имелись еще мелкие детальки вроде твоей правильной литературной речи, иногда, правда, пересыпанной перлами сленга. Но девочка из низов общества так не разговаривает. Словарный запас выдавал ребенка, с которым хорошо занимались в детстве. Одно к одному, и сложилась картинка.

Настя кивнула.

— В принципе, все верно. У Стеллы было счастливое детство, потом родители развелись и разделили детей. Мальчика взял себе отец, девочку мама. Женщина не занималась дочерью, ей было не до ребенка — в ее жизни появились мужчины, алкоголь. С мужем она не встречалась, но алименты на Стеллу получала регулярно. Только девочку нужно было кормить, одевать, учить, то есть деньги уходили на ребенка, мамаше доставалось мало. Вот она и отдала дочь Нике, та пообещала устроить девочку...

— Замуж за хорошего человека в одну из арабских стран? — перебила я.

Настя кивнула.

— Именно так. Но давай о судьбе Стеллы поговорим позднее. Зачем ты влезла в историю, которая случилась в «Оноре»?

— Вроде случайно, — вздохнула я. — Могу рассказать в обмен на информацию от тебя.

— Хорошо, — кивнула Настя, — начинай.

— Может, Стелла сделает нам чай? — попросила я. — Только без снотворного!

Девочка покраснела, но, ничего не сказав, открыла один из кухонных шкафчиков...

Выслушав меня, Настя пробормотала:

— В твоем рассказе много интересного. И, кажется, я понимаю, кто и зачем убил Нику.

— Думаешь, она мертва?

— Стопроцентно, — кивнула Настя. — Знаешь, я не раз задавала себе вопрос, почему ее убили и кто. Прокололась в бизнесе? Убрали хозяева? Ладно, давай по порядку. Слушай внимательно. В Москве есть преступная группировка, занимающаяся продажей несовершеннолетних детей. Дело поставлено на широкую ногу, к педофилам отправляются не только маленькие бродяжки, дети алкоголиков и бомжей, но и малыши из вполне обеспеченных семей. История Стеллы — папа развелся с мамой, последняя начала пить и, теряя человеческий облик, вульгарно променяла ребенка на бутылки — не является исключительной. После развода женщина решила устроить свою судьбу с другим мужчиной, и дитя от первого брака превратилось в обузу... После развода бывшая супруга покончила с собой, пришлось отдать дочь в новую семью, но там уже имелись другие дети, и мачеха не пожелала видеть чужого ребенка... Вариантов много. Ясное дело, что «чистые» секс-рабы стоили дороже, и их, как правило, не отправляли в бордель. Малыши сначала обслуживали VIP-клиента и лишь потом, надоев ему, начинали опускаться все ниже и ниже. Чтобы выкорчевать преступный бизнес, требовалось раскрыть всю цепочку, начиная с «шестерок», таких, как завуч Ермакова, и заканчивая самим хозяином синдиката. А делом руководит очень осторожный человек, организация построена так, что низшее звено никогда не соприкасается с высшим. Если арестовать, допустим, ту же Ирину Сергеевну, то ничего путного она не расскажет.

— Ермакова до последнего времени была уверена, что они с Никой вдвоем ворочают делом, — перебила я Настю. — Ирина рекрутировала детей, а Ника осуществляла остальное.

Настя усмехнулась.

— Замечательная наивность. Ирина что, не понимала, какую огромную работу следует проделать, отправляя несовершеннолетнего за границу? Нет, там длинная цепочка, включавшая в себя нотариуса, выдававшего фальшивые доверенности от родителей, сотрудника медучреждения, оформлявшего историю болезни. «Чистых» детей вывозили легально, якобы на лечение — сопровождающий предъявлял в аэропорту бумаги, оформленные по всем правилам, а ребенок, одурманенный лекарствами, спал в инвалидном кресле. А потом, уже в «больнице», малыш «умирал». Кроме легального пути имелся и подпольный: дети шли караваном через одну из южных границ. Ну да это неинтересно. Так вот, Нику и Ермакову не арестовывали потому, что хотели обезглавить всю организацию. Когда вышли на Терешкину, за ней установили слежку и выяснили, что Ника два раза в неделю посещает отель «Оноре», заведение с более чем сомнительной репутацией. Начали внимательно приглядываться к гостинице и обнаружили, что в ней бывает два вида клиентов: парочки, которым охота провести пару часов вдали от посторонних глаз, и проститутки Стаса. А к Стасу, как оказалось, сбрасывали отработанный материал после педофилов. Мальчики и девочки, те, которые обслуживали VIP-клиентов в Москве, в конце концов оказывались у сутенера и доживали на шоссе. Дети к тому моменту становились законченными наркоманами и были готовы на все за дозу героина.

— Ужасно! — прошептала я.

Настя кивнула.

— Скажи спасибо, что не знаешь некоторых деталей. Лично я испытывала сильнейшее желание пристрелить Стаса. Но, увы, я не имела права на это. Я и так нарушила инструкцию, открывшись Стелле. А она, молодец, стала мне помогать. Стелла увидела, что ты сначала поболтала с Лолой, а потом направилась к Стасу. Девочка моментально пошла к проститутке и спросила: «Че это за чувырла тут толкается?» Лола, приветливая, но слегка глуповатая, рассказала правду: как познакомилась с Виолой в «Оноре», где та пыталась снять номер, потом отвела ее к старухе пообедать, затем новая подружка получила от Галины душ на голову и понеслась разбираться, а теперь вот сюда приперлась, Стас ей понадобился. Стелле не понравилось любопытство незнакомки, она стала подслушивать ее беседу со Стасом, услышала мое имя и тайком звякнула мне. Я насторожилась и велела втереться к тебе в доверие, узнать, кто ты и кем послана.

— Стелла мастерски справилась с задачей, — отметила я.

Настя нахмурилась.

— Во взрослых делах и спрос взрослый, а она наломала дров!

— Я? — испугалась девочка.

— Конечно, — кивнула Настя. — Ну зачем ты разболтала про окно с потайными шурупами да еще мой адрес дала? Вот уж подвела меня под монастырь!

— Для убедительности, — прошептала растерявшаяся девочка. — Я ее запутывала и убеждала, что дело такое... ну в общем... ну...

— Закончились слова? — сердито осведомилась Настя. — Для пущей убедительности ты сообщила настоящий адрес! Решила внушить доверие, выдав меня? Ну здорово!

— Тебя же там давно нет, — оправдывалась, чуть не плача, Стелла. — Я не сказала, где ты сейчас, и не думала, что Виола туда поедет.

— Лучше замолчи, — махнула рукой Настя. Потом посмотрела на притихшую помощницу и сменила тему: — А вообще Стелла молодец. Она единственная из всех, кто не клюнул на героин.

Девочка кивнула.

— Верно, моя мама сначала пила, а потом села на иглу, я видела, во что она превращается после дозы, и абсолютно не желала походить на нее. Я хитрая, изображала, что с радостью работаю на клиентов, ну, типа такая по натуре.

— Почему же ты не убежала от Стаса? — испытывая ужас, спросила я.

— И куда деваться? — вопросом на вопрос ответила Стелла. — К матери идти? Та уж небось в могиле. И потом, она меня снова продала бы. Может, тем же людям.

— В милицию! — гаркнула я.

Девочка засмеялась.

— Ох, ну и наивная ты, Виола. Да менты у Стаса обслуживаются, к ним девок на субботник гоняют!

— К отцу могла обратиться, — не успокаивалась я.

— Он меня предал, — горько сказала Стелла, — к себе не взял. Да и где его искать? Ни телефона, ни адреса нет. Ну убегу я от Стаса, пойду на вокзал, а там другой Стас. Я решила выждать, и тут Настя. Мы вместе работать начали.

Глубочайшее негодование охватило меня.

— Настя, ты заставила Стеллу быть проституткой! Вместо того чтобы вытащить девочку из капкана, использовала ее!

Молодая женщина спокойно выслушала мой упрек, потом сказала:

— Стелла уже обслуживала клиентов, когда я прибилась к Стасу.

— Настя меня не заставляла! — поспешила оправдать старшую подругу Стелла.

— Нельзя прикинуться проституткой, внедряясь к сутенеру, — жестко проговорила Настя, — ею придется быть на самом деле. Иначе ты ничего не узнаешь и погибнешь. Тебя живо раскусят и убьют.

— Верно, — подхватила Стелла. — У нас получилась замечательная пара — кое-что узнала я, кой-чего Настя, одной бы так удачно не сработать.

— От ваших слов мне делается страшно, — поежилась я. — Вы так спокойно говорите, словно занимаетесь рукоделием. Кружок экстремального вязания.

— Мы просто хотим, чтобы больше никто из детей не повторил путь Стеллы, — четко сказала Настя. — Ради общего блага можно задавить собственные эмоции. И хватит спорить, давай перейдем к делу. То, что Ника ходит в «Оноре», и то, что Стас использует этот же отель, настораживало. Я начала следить за парочкой. Не сразу, но мне стало понятно: Ника не знакома со Стасом, она приходит в гостиницу для того, чтобы провести время со случайными любовниками, называется Светланой Ивановой и числится там в постоянных клиентах. О Свете легенды ходили. Там неподалеку есть общежитие военной академии. Она из него кавалеров приводила, никогда с одним и тем же дважды не встречалась. То ли осторожничала, то ли прежний любовник ей как мужчина был уже неинтересен. Понимаешь?

— Нет, — честно признала я. — Чем дальше в лес, тем толще партизаны. Туман лишь сгущается. Ника была необузданна в сексуальном плане?

— Да, — кивнула Настя. — Болезнь такая есть — нимфомания, а в народе ее именуют бешенством матки. Визиты Терешкиной в «Оноре» никак не связаны со Стасом. Трудно поверить, но это случайность, жизнь порой выкидывает и не такие шутки. В общем, только я пришла к такому выводу, как Нику убили. Вновь возникли сомнения: может, я что-то упустила из вида? Вдруг между Терешкиной и кем-то из посетителей «Оноре» существовала тайная связь, а любовные свидания всего лишь прикрытие?

Настя на секунду замолчала, и я, воспользовавшись образовавшейся паузой, задала вопрос:

— Ты уверена, что в «Оноре» погибла Ника?

— Абсолютно, — кивнула Настя, — я знаю результаты экспертизы тела.

— Одно время я полагала, что мертва ты, — нехотя призналась я.

Настя помотала головой.

— Нет, правоохранительные органы не сомневались, что погибла Ника. У нас с Терешкиной довольно большая разница в возрасте, она рожала, я нет. Патологоанатом вмиг увидел бы разницу. Не буду вдаваться в подробности, но поверь, умерла именно Ника.

— Почему же на трупе была твоя одежда? — спросила я. — Лола в деталях описала прикид и сообщила, что ты всегда в нем работаешь.

— Стелла, принеси спецовку! — велела Настя.

Девочка мухой вылетела из кухни, а через пару секунд вернулась назад и потрясла вешалкой.

— Во!

Я уставилась на топик, короткую юбку и колготки цвета взбесившегося баклажана.

— Ничего не понимаю... Куприн читал мне протокол, там описаны эти вещи!

Настя хмыкнула.

— Меня учили замечательные профессионалы, не раз говорившие: «Никогда не следует ничего усложнять. Как правило, самые загадочные вещи имеют очень простое объяснение». Скажи, что люди считают сексуальной одеждой?

Я принялась жестикулировать.

— Ну... открытое, обтягивающее, короткое, вызывающего цвета!

— Верно, — согласилась Настя. — Могла ли Ника подцепить любвеобильного студента, подойдя к нему в образе строгой классной дамы — английский костюм, белый верх, черный низ?

— Нет, наверное, — прошептала я.

— О! — подняла вверх палец Настя. — Все просто, как гвоздь. Ника заходила в «Оноре», живо превращалась в развязную особу — переодевалась соответствующим образом — и вперед.

— Но как она заполучила твои шмотки? — не успокаивалась я.

Настя всплеснула руками.

— Ну ты даешь! Вот же моя одежда. Она никуда не делась, в милиции не побывала.

— Но на Нике...

— На ней был другой топик, — перебила меня Настя. — Погляди на девок — они же похожи до жути! Покупают шмотки на рынке и счастливы. Ты видела наряд Ники? Ну, тот, в котором ее убили?

— Нет, только слышала его описание, — признала я.

— Я знаю, как протоколы составляют, — хмыкнула Настя. — Менты идиоты, в деталях путаются. Смотри: на моем розовые цветочки, а на Никином, наверное, были другие, или завязки атласные, или чулки сиреневые... Ведь парни из отделения серого от синего не отличат!

— Ясно, — кивнула я.

— Ника приобрела одежонку там же, где все, — продолжала Настя, — поэтому ты и пришла в недоумение. А наличие в ее сумке презервативов и совершенно не подходящей училке красной губной помады объяснимо.

— Еще меня смутило твое исчезновение. По какой причине ты пропала?

Настя выставила из-под стола ногу — ступня была обмотана бинтами.

— Я уже говорила, что все сложности, как правило, просто объясняются. Я навернулась с лестницы, сломала три пальца, мне наложили гипс, я временно лишилась трудоспособности и получила у Стаса отпуск.

— Он его тебе дал?

— За свой счет, — засмеялась Настя. — А куда

ему деваться? Я его лучший кадр, на фоне девок из провинции столичная штучка, обслуживаю випов. Он велел через две недели возвращаться, вот я и сижу в своей квартире. На улицу в гриме выхожу, и соседи уверены, что тут парень живет, девку к себе водит. Меня то есть!

— Значит, Нику убил Василий, — мрачно констатировала я. — Выследил жену, приревновал и того... молотком.

— Да нет же! — воскликнула Настя.

— Но других-то подозреваемых нет. Или... Терешкину лишили жизни торговцы детьми! — осенило меня. — Она где-то оступилась! Привлекла к делу Ермакову, та выполняла часть работы за Нику. Наверное, такая вольность не понравилась боссу и...

— Тоже нет, — повторила Настя. — Смерть Ники никак не связана с ее преступной деятельностью, это я выяснила точно. Терешкину уничтожили по другим причинам.

Глава 33

— По каким? — воскликнула я. — Ну ничего не понимаю!

Настя побарабанила пальцами по столу.

— Я тоже пребывала в растерянности и задавала себе эти же вопросы. Зачем Нике изуродовали лицо и руки? Обычно так поступают, чтобы затруднить идентификацию трупа. Но в случае с Терешкиной получилась глупость несусветная. Приехавшие по вызову ребята из убойного отдела нашли сумку жертвы, а в ней паспорт. Эксперт в частном порядке сообщил: у него создалось мнение, что преступник не хотел ничего скрывать, он просто впал в ярость и бил мертвую уже женщину, почти потеряв рассудок.

— Василий в последнее время очень изменился, — кивнула я, — после болезни он принимал лекарства, побочным действием которых как раз и были немотивированные припадки гнева. Он даже не постеснялся вломить жене при коллегах — приехал к ней на работу и ударил ее.

— Все верно, — подтвердила Настя. — Думаю, он великолепно знал о сексуальной распущенности жены. Кстати, еще одно побочное действие лекарств, которые принимал Ярцев, — ослабление потенции. А теперь пойми его: к супруге он не приближается, а та, очень горячая штучка, ходит крайне довольная жизнью. И какой вывод должен был сделать Василий?

— Что жена завела любовника, — влезла в разговор Стелла. — Вот он и поехал ей морду бить! Выпил таблетки, взбесился и настучал по роже. Ему было наплевать на всех, кто рядом.

— Значит, убийца Василий? — затрясла я головой.

— Думала я, думала, — не обращая на меня внимания, продолжала Настя, — и вдруг сообразила. А что, если вопрос поставлен неверно? Вдруг хотели не только убить Нику, но и наказать Ярцева? Терешкина умрет, а за ее убийство посадят мужа. И сейчас я окончательно убедилась в своей правоте. Ты помогла!

— Я?

Настя кивнула.

— Смотри, все складывается. Ярцев дурак?

— Нет, он тугодум, но вполне адекватен.

— И зачем он взял свой молоток, причем приметный, с фамилией, написанной на обмотке ручки, и поперся в «Оноре»? Совсем уж глупость. Легче легкого подстроить «ограбление» в темном углу. И где газета? Та самая, в которой напечатали объявление. Ведь Вася якобы увидел отмеченное женой объявление и потерял голову. Но мы-то знаем: Ника часто ходит в отель, ей нет нужды искать рекламу в печатных изданиях. Знаешь, как было дело?

Я помотала головой. Стелла подперла кулаком щеку.

— Есть некто, хорошо знающий о прошлом Ярцева — о его жене Кате, погибшей во время ремонта. Таинственный убийца долго следил за Василием и сочинил пьесу, главную роль в которой отвел Нике. Преступнику известно, что Терешкина с регулярностью трамвая ходит в «Оноре», и он, желая осуществить план, вступает в сговор с портье Галиной. Уж и не знаю, предложил он ей денег или шантажировал ее. Галина в свое время работала в нотариальной конторе и получила квартиру в дар от одинокой женщины. Смею предположить, что дарственная была составлена самой Галей и ею же заверена, умирающая старуха и не предполагала, как она облагодетельствовала нотариуса. Думаю, если покопать в этом направлении, откроется немало интересного. То, что Галина постоянно лается с соседями, свидетельствует о тревожном ее состоянии — она боится, что правда выплывет наружу. Так вот. Убийца тщательно готовится. Он не хочет осечек, все должно пройти на «ура». Момента мести он дожидается долго, и наконец этот момент настал...

Хозяин гостиницы уезжает домой, за старшую остается Галина. Она сообщает постоянным клиентам — всем, кроме Ники, что в «Оноре» проверка из санэпидемстанции, и люди откладывают свой визит. Но Ника ничего не знает и приходит в отель. У нее удачный день: сначала она приводит одного парня, тот, позабавившись с дамой, передает ее приятелю. В самый разгар удовольствия в дверь стучит Галя и тихонько говорит, например, следующее:

— Мужчина, сделайте одолжение, помогите — кран сорвало в бойлерной, сил нет закрутить. Пока аварийка подъедет, все зальет. В отеле из мужчин нет никого, кроме вас, уж не откажите.

Неизвестно, такой ли именно повод придумала Галина, но молодой человек идет с администратором. Галя доводит парня до входной двери и шепчет:

— Мне тебя жалко стало, вот и вызвала. Убегай скорей, сюда ОМОН едет и налоговая с проверкой.

Парень моментально уносится, Галя тщательно запирает дверь. Из укрытия выходит убийца, он имеет при себе молоток, украденный у Василия. Дальнейшее понятно.

Убив Нику, преступник выходит на улицу и звонит Василию.

— Твоя жена сейчас в постели с любовником, — говорит он. — Посмотри, на столе в кухне газета лежит с обведенным объявлением, там адрес. Поторопись!

Ярцева, принимающего лекарства, легко вывести из себя. В голове у Василия темнеет, он кидается в «Оноре». Ехать недалеко, через четверть часа он входит в отель, и Галина сообщает ему номер, где находится тело Ники.

Ярцев распахивает незапертую дверь. Нет бы ему насторожиться и подумать, почему портье так легко «сдала» клиентку. Она что, не видела, как Ника пришла с мужиком? И еще: по какой причине блудливая жена не воспользовалась задвижкой? Василий в ярости готов прибить неверную супругу. Он вбегает в комнату и видит на полу женщину в луже крови, на теле лежит молоток. Ярцев падает на колени. Он уже один раз бывал в подобной ситуации, когда погибла Катерина, на него нахлынули воспоминания.

— Прости, Катя, — шепчет Василий, у которого начинается реактивный психоз, — прости! Прости, Катюша...

И тут появляется Галина.

Вот только неизвестно, Ярцев сам взял молоток или ушлая Галина подсунула ему орудие убийства в какой-то момент.

Василий впадает в ступор. Именно на такую реакцию и рассчитывал убийца. Галина не дает милиционерам показаний, она прикидывается больной, а охранник, проспавший все на свете (ему подсыпали снотворное), не хочет потерять хорошее место работы и поэтому заученно повторяет то, что подсказала ему администраторша.

Когда позже к Галине явилась некая дамочка с расспросами, та наговорила ей ерунды, но в потоке Галиного залихватского вранья мелькнула частичка правды. Заболтавшись, портье восклицает:

— Он говорил: «Прости, Катя!»

Виола удивлена и переспрашивает:

— Катя? Это точно?

Галина спохватывается:

— Что? Кто? Какая Катя? Ничего подобного я не говорила!

Но слова уже вылетели, их не поймать, и Виола невольно запоминает их...

— Почему же милиционеры не обратили внимания на целохонькую стойку рецепшен? — воскликнула я. — Это прямое доказательство вранья Галины!

Настя сцепила руки в замок.

— На «земле» работают простые парни, озабоченные процентом раскрываемости. А Василий сразу признался, сказал: «Я убил свою жену». На самом-то деле он имел в виду другое убийство — Кати, а не Ники, но ребята из отделения понимают Ярцева по-своему. Правда, спустя некоторое время Василий пытается внести ясность в ситуацию, сообщает о газете, украденном чемоданчике с инструментами, о телефонном звонке. Но кто ж ему поверит? Ярцева посадили в камеру и временно оставляют в покое. Василий умирает от сердечного приступа, не выдержав нервного напряжения. Знаешь, что мне кажется?

— Что? — мгновенно среагировала я.

— Думаю, много лет назад Ярцев таки убил Катерину, просто сумел выйти сухим из воды. Но когда ситуация почти повторилась, сломался. А теперь главный вопрос: кто знал про Катю? Кто ненавидел Василия, а заодно и Нику? Кто хотел отомстить?

— Жанна, — прошептала я, — дочь Ярцева от первого брака.

Настя встала, дохромала до плиты и включила чайник.

— Вообще-то не мое это дело, — тихо произнесла она, — я совсем иным занимаюсь. Но разве можно разрешить убийце остаться безнаказанным? Твой бывший муж порядочный человек?

— Взяток не берет, — ответила я, — в отношениях со мной оказался, правда, не на высоте, но по службе безупречен.

— Тогда звони прямо сейчас и договаривайся с ним о встрече. Естественно, без меня. Перескажи ему наш разговор, — приказала Настя.

Я бросила взгляд на часы.

— Уже поздно, лучше завтра.

— Нет, — решительно стукнула кулаком по столу Настя. — Сегодня обнаружили тело Галины. Наши спецы дело Терешкиной не расследуют, но, учитывая ряд обстоятельств, держат его на негласном контроле.

— Что? — ахнула я.

— Она умерла — утонула в реке. На берегу нашли ее платье, пустую бутылку из-под водки, остатки бутербродов. Пикник закончился неудачно.

— В последние дни сильно похолодало, и в мае, как правило, нормальные люди не купаются в открытом водоеме, — напряглась я.

— Вот-вот, — кивнула Настя. — Если же учесть то, что мы знаем... Плохое кино!

— Отвратительное, — согласилась я, хватаясь за мобильный. — Сейчас я договорюсь о встрече.

И Куприн явился.

За время, что мы не виделись, он сильно располнел.

— Небось ешь много, — не утерпела я, — и за давлением не следишь!

— Рядом нет человека, который беспокоился бы

о моем самочувствии. — Олег не упустил возможности прикинуться несчастным.

— У меня очень важное дело, — я моментально сменила тему, — извини, что помешала тебе отдыхать.

— Ничего, — кивнул Олег, — я привык к этому, начинай...

Утро я встретила у Куприна на работе, сидя около незнакомого парня из техотдела.

— Давай, Рома, — приказал Олег, — пошлем нашей красавице такое сообщение. «Добрый день, тебя беспокоит Виола Тараканова. Я вплотную занималась поисками убийцы Ники и набрела на очень интересную информацию, она связана с первым браком Василия, смертью его жены Кати и утоплением Галины. А главное — я имею на руках видеозапись из отеля «Оноре». Очевидно, бывшая с вами в сговоре администраторша забыла рассказать о круглосуточной съемке в номерах. Короче, гони миллион долларов. Деньги у тебя есть». Отправляй, Рома.

— Эй, погоди! — забеспокоилась я. — Слово «утопление» как-то неправильно звучит.

— Наплевать, — отмахнулся Олег.

— Попахивает протоколом, — не успокаивалась я.

По лицу Куприна пробежала легкая тень.

— Хочешь сказать, что я не знаю русского языка? — полез в бутылку бывший муж.

— Ага, — согласилась я, — ты никогда не умел пользоваться родной речью.

— А ты вечно делаешь неверные выводы! — обозлился Олег.

— На данном этапе я самостоятельно нашла убийцу.

— Да? Тогда назови нам его имя.

— Жанна, — изумилась я. — Хороший вопрос ты мне задал! Мы же ей сейчас сообщение отправляем. Кстати, как ты добыл ее адрес?

— Ерундовое дело, — бормотнул Олег. — Но еще не вечер, рано плясать под луной.

— Ты о чем?

— Пустяки. Рома, отослал?

— Как велели, — вяло ответил парень, — сообщение ушло.

— А если она не поверит туфте про шпионскую съемку? — нервничала я. — И не согласится на встречу? Как мы ее тогда поймаем? Все улики косвенные, ни одного твердого доказательства. При таком раскладе вам ни за что не получить ордер на ее арест. Даже если случится чудо, все равно хороший адвокат в три счета отмажет клиентку.

— Вот поэтому ее и следует взять с поличным, — фыркнул Олег. — В момент попытки убийства госпожи Виолы Таракановой, решившей погреть жадные ручонки. Никуда преступница не денется. Засомневается: вдруг пленка существует? И обязательно решит тебя кокнуть.

Я поежилась.

— Надеюсь, ты не задумал столь оригинальным способом избавиться от бывшей жены?

— Пришел ответ, — ожил Роман.

— Читай, — потер руки Олег.

— «Полный бред. При чем тут я? Давай встретимся и поговорим».

— Вот оно! — возликовал Олег. — Так, стучи: «У меня дома вечером, после двадцати».

Незамедлительно поступило новое письмо: «Есть встречное предложение: кафе «Рином». Улица Товарная, дом 7. Только там!»

— Странно, — забормотал Олег, — я думал, она ухватится за предложение приехать в квартиру. Там удобно пришить наглую Тараканову и представить дело несчастным случаем. Ладно, на место соглашаемся, а на времени настаиваем, нам лучше попозднее. Отсылай и открой карту!

Роман послушно защелкал мышкой.

— Товарная... Товарная... Ага, дом семь. — Олег вперился в экран компьютера. — Все понятно. Полюбуйся, Рома, где она ее шлепнуть собралась!

— А вот тут, в переулке, — меланхолично ответил компьютерщик. — Иначе до Товарной не дойти, а проезда туда нет. Виола оставит машину здесь и дальше отправится пёхом.

— И никакого кафе поблизости, — пропел Куприн. — Попалась, милашка!

— Есть ответ, — оживился Рома. — «ОК. Лучше в двадцать два».

— Замечательно! — обрадовался Олег. — В мае темнеет поздно, но в десять вечера уже сумерки, нам это на руку. Главное, теперь грамотно спланировать операцию.

— Я буду подсадной уткой? — не испытывая ни малейшей радости, поинтересовалась я.

— Ты останешься тут, — отрезал Олег.

— Но...

— Без разговоров!

— Может, я дома спрячусь?

— Нет!

— Почему?

— Убийца очень хитра. Вдруг у нее есть свой план? Нет уж, сиди у меня на работе! — гаркнул Олег.

— Однако...

— Будешь спорить, суну в камеру, — пошел вразнос бывший муж. — Ты плохо представляешь, с кем связалась!

— Жанна не произвела на меня ужасающего впечатления, — попыталась я привести Куприна в чувство.

Олег хмыкнул.

— Детский сад, штаны на лямках! Давай сюда мобильный!

— Зачем?

— Затем! Если убийца позвонит и захочет изменить место встречи, я представлюсь твоим пресс-секретарем и скажу, что писательница Виолова на съемках, освободится поздно вечером. Ну?

Я молча положила в протянутую ладонь свой сотовый. Стоит ли спорить с асфальтоукладчиком? Абсолютно бесполезное занятие. А Олег иногда очень напоминает этот агрегат.

Глава 34

Совершенно неожиданно сегодня утром вместо будильника включилось радио.

— Просыпайтесь, товарищи! — радостно заорало оно. — Хватит дрыхнуть, пора на работу!

Я села и, не успев открыть глаза, поразилась. Какие товарищи? Это слово давно исчезло из обихода. Веки разомкнулись, я изумилась еще больше. Где спальня? Отчего я нахожусь в чьем-то кабинете? И меня вытолкнуло в реальный мир вовсе не радио.

— Крепкий сон — признак кристально чистой совести, — вновь послышался сбоку хорошо знакомый голос. — Если человек так мирно дрыхнет в ментовке, надо его отпускать. Стопудово он ни в чем не виноват!

Я повернулась, увидела Олега и быстро ответила:

— Я от скуки прилегла.

— Хочешь посмотреть на себя, красивую? — засмеялся мой бывший муж. — Во! Лёша, ты где?

В кабинет вошла невысокая щуплая тетка, на голове которой торчали дыбом белокурые волосы. Лицо ее было покрыто аляповатым макияжем, а ноги, сильно обтянутые джинсами, искривлялись в самых неподходящих местах.

— Здрассти, — сказала незнакомка прокуренным басом, — очень рад встрече. Если будет возможность, подпишите моей теще книжечку, она ваша преданная фанатка.

— Это он меня изображал? — пришла я в негодование. — По-твоему, именно так я выгляжу?

— А чего? — прикинулся идиотом Олег. — Блондинка в джинсах. Главное дело — все сплясалось! Пойдешь смотреть на задержанную?

Я ринулась к двери, бывший муж ухватил меня за плечо.

— Стой! Сначала послушай. Мы оказались правы: и договоренность у убийцы с Галиной существовала, и она потом ее убила, и Нику пришила, и Василия специально впутала! Но есть маленькие шероховатости...

— Хочу увидеть Жанну, — потребовала я, — хватит трепаться!

— Ладно, — пожал плечами Олег, — на месте разберешься.

Мы миновали пару коридоров, вошли в небольшую комнату и остановились у большого стекла, через которое отлично просматривалось соседнее, в данный момент пустое помещение.

— Сейчас ее приведут, — сообщил Олег. — Можно, я пока задам тебе пару вопросов?

— Ну, начинай, — милостиво разрешила я.

— Василий убил жену Катю, — завел Куприн, — они поругались из-за визита беременной Ники. Екатерина кинулась на мужа с кулаками, Ярцев оттолкнул супругу, а та поскользнулась и упала на нож.

— Он что, торчал из пола лезвием вверх? — фыркнула я.

— Именно так, — неожиданно подтвердил Олег. — Резак должен быть очень острым, точить его трудно, и чтобы не затупить инструмент, Катя не клала его на стол, а ставила в небольшую подставочку — ручка находилась в стакане, а лезвие торчало наружу. Екатерина брала нож аккуратно и столь же осторожно помещала назад. Она вообще была очень хозяйственная. Я почитал старое дело. Тот же вопрос, о торчащем ноже, возник и у следователя, и он пришел к выводу — это случайное убийство. Вот только Василий скрыл, что изо всех сил толкнул жену. По его версии, она попятилась от него сама, споткнулась и упала...

Долгие годы Ярцев пытался забыть о смерти Кати, но ему это никак не удавалось. И когда воспоминания становились невыносимыми, он начинал упрекать Нику.

— Все из-за тебя! — шипел он на нее. — Пришла, устроила скандал!

— Я была беременна, — оправдывалась Ника. — И потом, ты обещал на мне жениться, обманул девочку. Ну-ка вспомни, сколько мне было лет? Всего ничего, я была еще ребенок!

Но Вася не успокаивался. Многим женатым мужчинам свойственно обвинять во всех своих грехах спутницу жизни. Фразу «Не обладай ты дурацким характером, я бы стал генералом (доктором наук, олигархом, великим актером и так далее)» представительницы слабого пола слышат часто. Одна женщина просто посмеивается в ответ, другая устраивает скандал. Ника принадлежала ко второй категории. В доме у Терешкиной легко разгорались локальные конфликты, и чем длиннее делался стаж семейной жизни, тем злее становилась Ника. Не о таком она мечтала, выходя замуж за Ярцева! Денег Василий не зарабатывал, легко впадал в гнев, попрекал Веронику каждой обновкой, вел себя, как свободный мужчина, — мог явиться домой в три часа ночи и на справедливые упреки жены агрессивно отвечал:

— Чего сидишь на диване? Спать давно пора!

А еще Ярцев был не в состоянии удовлетворить сексуальный аппетит слишком темпераментной Ники. Да он особо и не старался в постели, быстро получал удовольствие, отворачивался к стене и начинал храпеть. То, что Ника оставалась в слезах, его не волновало.

К Вере Василий относился не как к дочке, а как к соседской кошке, — не обижал ее, но практически не замечал. Желание поиграть с ребенком накатывало на него раз в год. И девочка сразу начинала раздражать отца — она пугалась, когда ее подбрасывали к потолку, не хотела гонять в футбол и плакала по каждому поводу.

— Даже ребенка нормального родить не сумела, — попрекал Ярцев Нику, — вместо сына хныксу подарила.

— Пол малыша определяет отец, — огрызалась жена.

— Может, вовсе не от меня девка, а ты натрахала ее хрен знает с кем! — вопил в ответ Василий. — Хотела замуж выйти, пристроиться желала!

— Вот уж убила бобра... — фыркала Терешкина.

И разгорался очередной скандал, в процессе которого пара затрещин непременно доставалась маленькой Вере. Просто так, для профилактики. Ника тоже никогда не уделяла внимание девочке, все помыслы Терешкиной занимала одна проблема: где добыть денег. Поэтому Верочка прошла крестный путь ребенка упорно работающей мамы: ясли — детсад — группа продленного дня в школе. И везде девочке было некомфортно. Ей не покупали красивых игрушек, дорогой одежды или вкусных конфет. Ника постоянно твердила дочери:

— Мы не богаты, надо экономить, собирать на черный день. Зачем тебе туфли? Уже есть одни. Сносишь, тогда и поговорим.

Дети бывают очень жестоки друг к другу, и над плохо одетой Верой одноклассники посмеивались. А наладить с ними отношения не получалось — Ника никогда не разрешала дочери звать домой гостей. Мать выдвигала привычный аргумент:

— Мы не богаты, надо экономить, собирать на

черный день. Ты еще попроси торт купить, когда до получки два дня осталось! Нечего развлекаться!

Вера жила в маленькой каморке, за гипсокартонной стеной, и никогда не могла выспаться как следует. Отец, особо не изводивший себя работой, постоянно смотрел телевизор — включал звук на полную мощность и балдел на диване. Кто-то мог бы позавидовать жизни Веры: родители не пили, не выгоняли дочь из дома, не били ее (редкие оплеухи не в счет), но девочке такое существование казалось безрадостным. К восьмому классу она возненавидела и Нику, и Василия всей душой.

Трудно сказать, почему постоянно лающаяся пара не разбежалась. Вероятно, их удерживали вместе бытовые мотивы. Ну разведутся они, и где жить? Квартира не шикарная, такую не разменять на две отдельные, максимум, что получится: однушка и комната в коммуналке. Ярцев был ленив, его вполне устраивало, что Ника ведет хозяйство, а та понимала: в нашей стране женщине необходимо иметь в паспорте штамп. Кстати, точно так же размышляют тысячи россиян, тащатся уныло по жизни, тихо презирая своих жен или мужей, но ничего не собираются менять. То, что человек создан для счастья, не приходит им в голову...

Олег замолчал и посмотрел на меня.

— Ну и что? — спросила я. — Ничего нового ты мне пока не сообщил. Я сама тебе рассказывала о двуличии Ники. Конечно, у каждого человека есть набор масок, но Терешкина переплюнула всех. Я считала ее вполне добропорядочной клушей, тянущей на своих плечах семью, мечтающей о новой шубке, верной женой, хорошей матерью и замечательной хозяйкой.

— Да уж... — скривился Куприн. — Остается только удивляться твоему умению разбираться в людях. Терешкина занималась преступным бизнесом, продавала детей педофилам, имела солидный капитал, скупала квартиры и ювелирные украшения, регулярно посещала «Оноре», где вовсю развлекалась с парнями, и исподволь подготавливала свой побег от «любимых» мужа и дочери. Помнишь, ты говорила мне, что Ника встретилась с Майей Филипенко на улице и была поражена прекрасным внешним видом старой знакомой?

— Ну да, — кивнула я. — С этого и начиналась вся история. Майка рассказала ей про своего любовника, а у Ники вдруг раскрылись глаза, она реально оценила себя и решила изменить свой облик — села на диету, сделала другую прическу... Эй, постой, она врала?

— Как всегда, ни слова правды, — хмыкнул Олег. — Майя тут ни при чем, не было той встречи. Нике просто требовалось объяснить окружающим, по какой причине она вдруг начала следить за собой. Жила халдой и вдруг постройнела, похорошела.

— Она собиралась сбежать! — осенило меня. — Готовилась к новой жизни!

— Верно, — сказал Олег. — Волосы легко перекрасить, цвет глаз можно изменить при помощи линз, но как быть с весом? Нике хотелось стать иной, оставить некрасивую Терешкину в прошлом. Знаешь, какую ошибку чаще всего допускают в отношении своих детей родители?

— Слишком опекают их? — предположила я. — Лишают возможности самостоятельно мыслить и принимать решения?

— Нет, — усмехнулся Олег. — Считают их маленькими! Два года — крошка, пять — крошка, десять — крошка, двадцать — крошка. А еще они полагают, что ребенка можно не стесняться, мол, ну что он, маленький, поймет? Дурачок совсем, существо неразумное. Ох, как горько бывают наказаны некоторые мамочки! И Ника — яркий пример...

— Послушай, — начала я злиться, — хватит пережевывать уже съеденное. Я давно выяснила — и, между прочим, совершенно самостоятельно — истинное лицо Терешкиной. Лучше скажи, где Жанна? Сколько нам тут еще торчать?

Едва я задала вопрос, как за стеклом появилось двое мужчин. Они устроились за столом, а через пару секунд в помещение ввели молодую женщину и усадили напротив них. Увы, Жанна села спиной к стеклу, за которым затаились мы с Куприным. Я видела лишь волосы, стянутые в хвост, да часть спины. И что-то было не так. Я заметила некую странность... Но не успела оценить, что именно меня насторожило, потому что один из ментов сказал:

— Давайте вернемся к объявлению в газете.

Жанна кивнула.

— Помнишь, я говорил тебе о возникших у меня вопросах? — оживился Олег. — Так вот! Меня сразу заинтересовало: кто же дал объявление, рекламу про «Оноре»? Хач точно нет. Кому пришла в голову эта идея? Ника великолепно знала месторасположение гостиницы, она там часто бывала, а потому не стала бы искать адрес в прессе. Поняла?

— Нет, — шепнула я, наблюдая, как Жанна хватает стакан с водой.

Очевидно, у преступницы пересохло горло, и она решила промочить его.

Олег с превосходством посмотрел на меня.

— Это же очень просто. Убийца решила подставить Василия. Но как отправить его в «Оноре»? Положить на стол газету с обведенным объявлением, а потом звякнуть ему и, приложив к трубке платок, сказать: «Ника сейчас с любовником. Не веришь, посмотри, в кухне лежит бесплатное издание с выделенным текстом». Преступница великолепно знала, как поступит Ярцев. И он ее не подвел. А какой козырь для милиции! Муж увидел газету, вмиг сообразил про измену и рванул туда, где веселилась жена. Вопросов менты не зададут, сразу арестуют Васю!

Жанна молча поставила стакан.

— Запираться глупо, — сказал мужчина.

— Подождите, Петр Сергеевич, — ожил второй.

— Хотите что-то сказать, Виктор? — спросил первый.

— Да, хочу начать разговор. Поправьте, если я ошибаюсь, — застрекотал Виктор. Затем повернулся к Жанне. — Вы переоделись в мужское платье и поехали давать объявление. Глупый шаг. Сейчас вас загримируют, вызовут служащую, которая принимает заказы, проведут опознание...

Жанна молчала.

— А как вы узнали про вторую жизнь Вероники Терешкиной? — резко переменил тему Петр Сергеевич.

— Случайно, — еле слышно, хриплым, то ли простывшим, то ли сорванным от крика голосом, ответила Жанна. — Я хотела пойти на вечеринку, а целых колготок нет, полезла в шкаф, порылась на полке, уронила ящик с бельем, а у него выпало дно. Под ним обнаружилось второе, а там документы на квартиры и дом... Я тогда методично обыскала все уголки... не один день потратила... нашла драгоценности... еще там лежала дарственная... На имя другой женщины. Паспорт тоже был в тайнике, на фамилию... не помню ее... на букву «М» начинается... Понимаете? Она готовилась удрать, бросить семью! Переписала имущество на свой новый паспорт... Я потом, после ее смерти, дарственную разорвала... А наследство! Из Канады!

— С ним-то что? — удивился Виктор. — Никакого богатства не было, лабуда на постном масле.

— Ну как вы не понимаете! — с отчаяньем воскликнула арестованная. — Ника никому из родственников и словом не обмолвилась о нем! И рядом с дарственной на квартиры еще одна лежала, с отказом от наследства в пользу той же тетки, на чье имя паспорт. Она после побега собиралась жить под этим именем.

— Ладно, с жилплощадью понятно, — кивнул Виктор. — Ника переоформила квадратные метры на свою новую фамилию, а вы, чтобы стать наследницей, уничтожили дарственную. Никто о документах не знал, вам это должно было сойти с рук. Но зачем вам волокита с наследством, которого фактически нет?

Жанна неожиданно засмеялась.

— Где уж вам понять эту хитрую змеищу, она все предусмотрела. А ну как кто заинтересуется, откуда у нее взялись деньги? Ответ есть: она получила их по завещанию.

— Ловко! — покачал головой Виктор. — Предприимчивая бабенка всех обманула! И родных, и юристов — принесла им бумагу об инвалидности мужа.

— Что-то странное, — забормотала я.

— Да? — вскинул брови Олег. — Что именно?

— Каким образом Жанна могла обыскивать квартиру Ники? И погоди... волосы... они у нее короткие... а у этой хвост... — ахнула я.

В ту же секунду Виктор встал и велел:

— Давайте поменяемся местами, а? Вы сидите под кондиционером, еще простудитесь.

Арестованная повиновалась. Я, приоткрыв рот, наблюдала, как она медленно обходит стол, устраивается напротив стекла, поднимает голову... На какое-то мгновение взгляд хитрых глаз уперся в мое лицо. Я, знавшая, что меня не видно из комнаты для допросов, невольно отшатнулась и заорала:

— Вера!

— Да, — подтвердил Олег. — Вот человек, придумавший и осуществивший все. Она ненавидела и мать, и отца, была в курсе того, что Василий, со злостью толкнув Катю, убил ее. Помнишь, я говорил тебе, что многие родители делают ошибку, обсуждая свои дела при ребенке, считая его несмышленышем? Ника и Вася часто ругались, бросали друг другу в лицо упреки, и Вера, сложив крупицы услышанных сведений, вычислила правду. Потом она случайно нашла тайник с документами, обнаружила драгоценности, и ненависть перелилась через край. Значит, та богата, но попрекает девочку куском хлеба. Вера спит в каморке, носит рубище, а у Ники несколько квартир и куча драгоценностей. Откуда ее богатство? Вера начинает следить за матерью и разнюхивает все. Стоит позавидовать ее предприимчивости, ее фантазии и организаторским способностям. Так, Вера сговорилась с Галиной, портье из «Оноре», пообещав ей за услуги одну из квартир. И еще. Дочь хорошо знала отца, понимала, какой тот испытает шок, когда вновь станет свидетелем убийства жены. Кровь, тело... Девушка понимала, что сильный стресс должен довести Василия до смерти. Вера рискнула и выиграла. Ей оставалось лишь «найти» при свидетелях документы на квартиры, драгоценности и рассказать всем про завещание. Никаких вопросов не возникнет, Вера будет на каждом углу говорить о родственнике из Канады, миллионере, осчастливившем бедняков из России, что объяснит наличие квартир. Дочь решила использовать идею матери.

— Она показала документы Филипенко, а потом уж и мне, — прошептала я, — была так убедительно растерянна...

— Тебя она использовала по полной программе, — хмыкнул Олег.

— Как?

— Кто сообщил в милицию о звонке Ники? Ну-ка, вспоминай! Терешкина перед смертью якобы схватилась за телефон, соединилась с тобой и зашептала... Текст помнишь?

Я напряглась.

— Ну, вроде... «Вилка, это Ника! Скорей, помоги, Василий меня убивает! У него молоток...» и так далее.

— И тебе ничего не показалось странным?

— Нет.

Олег вздохнул.

— Ты меня поражаешь. Порой ты разгадываешь невероятно сложные загадки, а иногда не видишь ничего на поверхности. Подумай! Если на тебя налетел муж с молотком, будет ли возможность позвонить, да еще в подробностях объяснять происходящее? Да нападающий мигом вырвет трубку, он просто не позволит тебе воспользоваться сотовым!

— А кто же тогда звонил?

— Вера! Ей был нужен свидетель, который подтвердит: Нику убивал Василий. У матери и дочери очень похожи голоса.

— Верно, — прошептала я. — Кстати! Вспомнила! Пару дней назад я разговаривала по телефону с Верой и в первый момент чуть не упала в обморок — подумала, что мне ответила Ника!

— На это и был расчет, — кивнул Олег. — Она и Майе Филипенко звякнула. Помнишь, та удивлялась, что Ника у нее спрашивала про гостиницу, где номера сдают не на дни, а на часы? Вера отлично подготовилась. У Ники был план побега, а у дочки — сценарий убийства родителей.

— И как только она не побоялась, что Майя перезвонит Нике? Выразит недоумение...

Олег развел руками.

— Рисковала, конечно, но вначале, похоже, ей сам сатана помогал. Все сходило ей с рук. Вера пошла ва-банк, в любой момент дело могло, образно говоря, зарулить в кювет. Василий бы посмотрел на объявление и никуда не поехал, не захотел бы ловить жену на месте преступления... Ты бы сообразила, что в телефоне звучит голос не Ники... Майя, выслушав просьбу про гостиницу, перезвонила бы через какое-то время подруге и выразила недоумение... Много чего могло случиться, но, повторюсь, дьявол пришел девушке на помощь, ее план осуществился. Но на то он и черт, чтобы в самом конце подставить человеку подножку.

Майя Филипенко обнаружила пропажу тигренка Ларсика и связалась с тобой. Хорошо, что она не обратилась к Вере, иначе Майю ждала бы судьба Галины. Но Филипенко не хотела лишний раз травмировать девушку, которая потеряла сразу и мать, и отца, собственная доброта и спасла Майю, но погубила Веру. Потому что в дело вломилась госпожа Тараканова.

Глава 35

Последние слова Олег произнес с иронией, но я не обратила внимания на интонацию Куприна, не спросила: «Чего ты ехидничаешь?» У меня имелись более интересные вопросы.

— Вера тщательно продумала убийство Ники, хотела получить собранные ею материальные ценности. Но почему же она изуродовала тело молотком? Это же нелогично, так поступают, если хотят скрыть личность жертвы. А Вере, наоборот, требовалось, чтобы никто не сомневался в кончине метери.

Олег потер затылок, и я хотела по привычке спросить, мерил ли он утром давление, но вовремя прикусила язык. Мы теперь бывшие супруги, и я вовсе не обязана беспокоиться о здоровье Куприна.

— Ты таблетки пил? — помимо воли у меня все же вырвался вопрос. — Или опять забыл?

Олег ткнул пальцем в стекло.

— Тише, она сейчас как раз отвечает на твой вопрос о молотке.

Я затаила дыхание, а Вера с абсолютно спокойным лицом говорила страшные вещи.

Вера побоялась нанять киллера, решила обойтись собственными силами. Как я и предполагала, Галина сначала вызвала под благовидным предлогом из номера любовника Терешкиной и напугала парня якобы предстоящим приездом налоговиков. Молодой человек убежал, и тогда в номер вошла Вера, прихватившая с собой молоток из отцовских инструментов с ручкой, на которой написана его фамилия. Убив Нику, девушка испытала приступ ярости. Лютая ненависть к матери, всю жизнь обманывавшей дочь, имевшей много денег, но не желавшей потратить хоть копейку на ребенка, затуманила мозг, и Вера стала молотить уже бездыханное тело.

— Медик, производивший вскрытие Терешкиной, — зашептал параллельно с рассказом Веры Олег, — предположил, что убийца имел тесный контакт с покойной. Так и сказал: «Ребята, ищите в семье».

— Но почему? — изумилась я.

— Чистая психология. Наемный киллер не испытывает ненависти к жертве, он просто выполняет работу и получает за нее деньги. Другой вопрос, что профессионала трудно поймать, любитель же быстро оказывается за решеткой. А в случае с Терешкиной все указывало на немотивированную ярость — Ника уже была мертва, а молоток все опускался на лицо несчастной. Значит, поработал кто-то, сильно ненавидевший Нику. Убийца явно имел к жертве личный счет.

— Понятно, — прошептала я.

— Слышишь? — толкнул меня Куприн. — Она рассказывает про Ларсика!

— Я ненавидела его! — с горящими глазами вещала Вера. — Он был матери дороже всех! Меня она вечно из спальни выгоняла, а Ларсика держала на тумбочке. Она его гладила! Целовала! Называла любимым!

— Вы ревновали мать к плюшевому тигренку? — удивился Виктор.

— Сволочной звереныш! — стукнула ладонью по столу Вера. — Я хотела его убить. Вернувшись из «Оноре» домой, я пошла в спальню к матери — посмотреть, как там все для себя устроить, — и увидела его. Он сидел, улыбался!

— Игрушка смеялась? — с сомнением поинтересовался Виктор.

— Да! — завизжала Вера. — Рожи корчила... Я ее ножницами... Как следует! Все, кончилось время Ларсика! Я швырнула его в бачок для грязного белья... А потом... ну... потом...

— Пришли в себя и поняли, что кто-нибудь может спросить про талисман Ники, — продолжил за нее Виктор. — Вы его спрятали, постарались починить, но не получилось. И тогда вы вдруг сообразили: пусть Ларсик станет еще одним свидетельством вспышки ярости Василия. Можно же сказать, что на игрушку, потеряв от злости разум, налетел отец, изуродовал ее, а вы нашли останки тигренка на полу и в память о маме реставрировали.

— Именно так она и поступила, — зашептала я. — Выдала нам с Майей эту версию, а еще в тот день много грязи вылила на родителей. Я тогда удивилась: ну зачем Вера говорит гадости? А теперь понимаю: она себя оправдывала, убеждала, что поступила правильно. Скажи, когда ты понял, что убийца — дочь Ники?

Куприн пожал плечами.

— Ирина Сергеевна Ермакова, находясь в состоянии нервного стресса, не выдержала и рассказала тебе правду об их с Никой бизнесе. Как ты думаешь, почему она так поступила?

— Терешкина сказала, что ее временно заменит подруга, назвала меня писательницей. Ой, я, наверное, очень глупо выглядела в школе, нацепив парик и размалевав лицо.

— Ничего, — успокоил Олег, — зато остальные учителя не поняли, кто у них работает классной дамой. Так с какой стати Ирина Сергеевна разоткровенничалась?

— Она была в жутком страхе. Ну как же, ее шантажировали, некто заявил, что знает правду о торговле детьми, и требовал денег.

— Правильно, — согласился Куприн. — Но Терешкина никому не рассказывала об участии Ирины в деле. Хитрая Ника наняла Ермакову выполнять за себя черновую работу. Сама-то она не беседовала с родителями, желавшими продать детей, нет, этим занималась наивная Ирина Сергеевна, до последнего предполагавшая, что она устраивает детское счастье. В каком-то смысле ее можно понять: стать супругой очень обеспеченного человека намного лучше, чем жить с мамой-алкоголичкой и с ее новым мужем.

— Ермакова тупая? — не выдержала я.

— Похоже на то, — кивнул Олег.

— Она притворяется!

— Да нет, — не согласился Куприн, — иначе б не разболтала тебе свою тайну. Просто редкостная дура и жадина. А теперь подумай: Ника мертва, она не способна на шантаж, да и покойникам не нужны деньги. Заправилы торговли детьми ничего не знают о Ермаковой, люди, которые продавали собственных дочерей и сыновей, побоятся шантажировать завуча. Так кто требовал деньги? Вера! Она следила за матерью и выяснила все ее тайны.

— А может, это Жанна, — из чистого упрямства заявила я. — Она тоже могла покопаться в биографии Ники.

— Нет, — замотал головой бывший муж. — Ты забыла об одном факте. Почему Жанна стала откровенничать с тобой?

— Она приняла меня за сотрудницу телеканала, которая собирается снимать фильм о преступлениях прошлых лет.

— А почему вдруг Жанне это пришло в голову?

— К ней приходил некий Жора или Гоша, расспрашивал про Васю и Катю, просил поделиться воспоминаниями детства... Ой!

— Что? — улыбнулся Куприн. — Сообразила?

— Да. Жанна обозвала этого Гошу геем: у юноши на ногах были дикие для парня носки — розовые, с белыми зайчиками. Ни один мужчина не натянет такие, разве что представитель сексменьшинства.

— Даже для гомосексуалиста такое чересчур, — возразил Олег. — Просто Вера совершила ошибку. Думаю, она ходила за Никой хвостом, переодевшись в парня, и к Жанне явилась в том же образе.

— Лучший способ спрятаться в толпе — прикинуться представителем другого пола, — согласилась я, вспомнив Настю, которая сидела передо мной в образе молодого мужчины. — Для большинства женщин такой трюк легко выполним, надо лишь иметь стройную фигуру.

— И к Жанне, чтобы выяснить некоторые подробности смерти Кати, Вера явилась загримированной, вот только про носки она забыла. Преступники «сгорают» именно на деталях, прокалываются на ерунде. Еще вопросы есть?

— Совсем мелкие. По ходу дела я выяснила, что Василий как-то раз приезжал в гимназию, в день, когда не было Ники, и приставал к уборщице Лене, симпатичной молодой девушке. Как-то не вяжется такое поведение с ревностью к Нике и яростью, которая вспыхнула в Ярцеве, когда он увидел объявление в газете.

— Ты плохо знаешь мужчин, — возразил Олег. — Парень может постоянно изменять жене, но весть о ее неверности любого приведет в негодование. Что же касается Лены, то Василий сделал ей другое предложение: попросил последить за Никой. Ярцева интересовало, не приходят ли в школу для беседы с Никой посторонние люди: мужчины, женщины, старики, старухи... Наверное, он начал о чем-то догадываться. Увы, правду мы уже так и не узнаем — Ярцев умер, а Лена не согласилась подглядывать за классной дамой. Еще вопросы?

— Одежда Ники.

— А с ней что? — искренне удивился Олег.

— Ну не ходила же она по улице в мини-юбке,

топике и немыслимых колготках! Это был наряд для ловли курсантов.

— Естественно, — согласился Куприн. — А что тебя смущает?

— Где ее нормальная одежда? Ника должна была переодеваться!

— Ничего странного, — ответил бывший муж. — Она приезжала в «Оноре», вешала учительские шмотки в шкаф, вытаскивала из пакета наряд проститутки, и вперед!

— Так вещи в отеле? — подскочила я.

— Ну, — кивнул Куприн, — висели там.

На минуту меня охватило негодование, парализовавшее голосовые связки, потом способность говорить вернулась.

— Я же просила тебя прочитать перечень вещей Ники! А ты сообщил: топик, юбка, туфли со стразами, фиолетовые чулки. Ни словом не обмолвился про содержимое шкафа. Почему?

Олег моргнул.

— Милая, твой упрек несправедлив. Каков вопрос — таков ответ. Ты поинтересовалась: «Что за прикид был на Нике?» Именно на ней! Я и прочитал описание. Вот если б ты заявила: «Расскажи о всей одежде, обнаруженной в номере», тогда другое дело. Но ты ни звуком не обмолвилась про шкаф.

У меня снова пропал дар речи. Значит, я мучилась несостыковками, сомневалась, кто погиб: Настя или Ника, а ответ на вопрос покачивался на вешалках! Да Олег издевается надо мной!

— Я и не думал издеваться над тобой, — улыбнулся бывший муж, будто прочитав мои мысли. — Моя работа предполагает конкретный ответ на четко поставленный вопрос. Согласись, вещи на теле и шмотки в номере — это не совсем одно и то же.

— Я вовсе не говорила про одежду на трупе, попросила прочитать список вещей и хотела узнать, прихватила ли Ника с собой Ларсика.

— Нет, — уперся Куприн, — у меня замечательная память. Я никогда ничего не забываю, не теряю. Это у тебя талант запутывать простое дело. Ладно, не будем заниматься ерундой. Пусть с одеждой вышла накладка, а в остальном тебе все понятно?

Я поборола желание выдрать у Олега клок волос и мрачно поинтересовалась:

— Зачем все же Ника отправила меня в гимназию? Ирина не хотела отпускать Терешкину, боялась гнева директора? Но ведь Ника не собиралась возвращаться. У нее был план исчезновения. Ермаковой она рассказывала про отлет в Екатеринбург, но, думаю, она решила бежать совсем в другую сторону.

Олег развел руками.

— Терешкина мертва, ответа, куда она намылилась, никто не узнает. Но я предполагаю, что она просто хотела усыпить бдительность окружающих. Дескать, все нормально, уехала к родственникам и погибла. В первую очередь Терешкина желала убедить в своей кончине хозяев организации, торгующей детьми. Твое появление в гимназии должно было доказать им: Ника погибла случайно, она собиралась вернуться на работу, даже нашла себе временную замену. Человек, который задумал скрыться, не станет заморачиваться поисками временной классной дамы. У Ники случилась неприятность — отец мальчика Рыбакова шел по следу, вот она и решила выйти из игры, но, перед тем как исчезнуть, надумала оттянуться по полной программе и пришла в «Оноре».

Ну что ж, найдены ответы на все вопросы. Хотя нет, кое-что не выяснилось. Ситуация с отелем, в котором каждый месяц происходит убийство. Хозяин гостиницы не скрывает от гостей информацию о криминальной ситуации, более того, клиенты помогают в расследовании милиции и, о радость, преступника довольно быстро ловят. Вот только его не арестовывают. Почему? Я бессильна найти ответ. По какой причине правоохранительные органы не привлекают к ответственности ни хозяина, ни преступника? Надо спросить у Олега, он знает правду, но у меня нет сейчас никаких сил! Наверное, надо ехать домой, лечь в постель, заснуть. Но вместо того, чтобы встать, я молча уставилась на Веру, которая, не подозревая о том, что за ней наблюдает подруга убитой матери и фактически убитого отца, продолжала монотонно восклицать:

— Ненавижу! Ненавижу! Она столько денег имела! А он! Целый день телик смотрел...

— Вот такой хеппи-энд для Дездемоны, — неожиданно сказал Олег.

— Ты о ком? — удивилась я.

Бывший муж пожал плечами.

— О Вере.

— Нашел Дездемону! — возмутилась я. — Ты когда-нибудь читал Шекспира? У него молодая, преданная супругу женщина. «Она его за муки полюбила, а он ее за состраданье к ним». Отелло стал жертвой интригана, а Дездемона ни в чем не виновата! И никакого хеппи-энда там нет!

Куприн посмотрел на меня.

— В твоей ситуации может случиться хеппи-энд. Все зависит от тебя. Дездемоне следовало быть пошустрее, не сидеть мямлей.

— Ага, превратиться в такую, как Вера! Ты на это намекал, говоря про несчастную жену Отелло? Вот уж странное понимание трагедии Шекспира!

Олег тяжело вздохнул:

— Наверное, я не умею складно излагать собственные мысли, уж прости меня, тупого мента! Не писатель, как некоторые, но твердо знаю: свою судьбу каждый выбирает сам! И у истории про Дездемону мог быть хеппи-энд, и Вера могла не натворить того, что сделала. Даже если обстоятельства против тебя, то борись с ними, не сдавайся, твердо верь: все будет хорошо, и никогда не совершай подлости, рано или поздно она бумерангом вернется к тому, кто ее швырнул.

ЭПИЛОГ

Добрая Майя Филипенко носит Вере в следственный изолятор передачи.

— У нее никого нет, — поясняет подруга покойной Терешкиной, — она одна на белом свете. Ника бы очень расстроилась, узнай она о том, что я бросила Веру.

Думаю, Ника еще больше бы расстроилась, успей она понять, кто опустил ей на голову молоток! Но я не стала произносить этих слов вслух. В конце концов, Майя — взрослый человек и сама принимает решения. А у меня нет ни малейшего желания встречаться с безжалостной убийцей.

Проститутки Стаса по-прежнему стоят на точке. Пару раз, проезжая мимо, я видела Лолу, но более ни разу с ней не беседовала. Не встречалась я и с Настей. Думаю, Ляля, то есть Елена Петровна, была счастлива узнать, что ее племянница жива и здорова. Ирина Сергеевна Ермакова арестована, банда торговцев детьми раскрыта, хотя я не знаю, удалось ли соответствующим службам добраться до главного организатора, мне этого не сообщили. Вот о судьбе Стеллы я знаю — команда Куприна нашла ее отца, и девочка теперь живет вместе с братом и мачехой, и последняя, слава богу, оказалась нормальной женщиной.

Родная мать Стеллы, как, впрочем, и родительница несчастного Володи Рыбакова, арестованы. Увы, судьба мальчика неизвестна. Подросток исчез, и пока отец не сумел найти его. И что можно добавить к вышесказанному? Люди, не бросайте своих детей? Вот только послушают ли меня те, кому мешают собственные сыновья и дочери...

Баба Таня по-прежнему кормит милиционеров, уголовников и проституток вкусными обедами, но я не посещаю ее «ресторан». Гостиница «Оноре» закрылась, однако через пару месяцев в том же помещении заработал новый отель под незатейливым названием «Незабудка».

В конце декабря я отправилась по магазинам в поисках подарков. Говорят, что время — лучший лекарь, вот и в отношении меня оно послужило замечательным невропатологом — впервые за долгое время я пойду в гости к Семену, Томочке, Олегу, Кристине и Никите. Это не значит, что я решила вернуться к ним. Но не зря русские люди сложили пословицу про худой мир и добрую ссору, я целиком и полностью согласна с народной мудростью, вот почему и рыскала сейчас по огромному универмагу, выбирая то, что обрадует тех, кто ждет меня сегодня к ужину.

Внезапно чьи-то пахнущие духами руки закрыли мне глаза, а веселый голосок прочирикал:

— Угадай, кто это?

Сначала я испугалась, но незнакомка колокольчиком прозвенела:

— Неужели забыла?

— Нет, конечно, — на всякий случай ответила я, успокаиваясь.

Если человек задумал нанести вам вред, он не станет весело хихикать и одновременно громко чавкать жвачкой.

— Ну и как меня зовут? — настаивала незнакомка.

— Лена, — наобум ответила я.

Тоненькие пальчики разжались.

— Ошиблась, — засмеялась девушка.

Я обернулась и увидела... Валю Красноносову, ученицу той самой элитной гимназии, где верховодила Ирина Сергеевна Ермакова.

— Замечательно выглядишь, — улыбнулась я. — И такая загорелая! Ездила куда-то отдыхать?

Валя хитро усмехнулась.

— Не! Это крем такой, мажешь им лицо и шею, и получается, будто на солнце побывала. Можно все тело обвозюкать, но зимой вроде незачем. А мы твою книгу читали!

— Какую, солнышко? — спросила я.

Девочка погрозила мне пальцем.

— Последнюю, которая на днях вышла. Там ты про нашу гимназию написала, да? Ты же в нашем классе в парике сидела, в очках, но потом, после того как Ирину арестовали и менты пришли, все правду узнали. Прикольный у тебя детектив получился. Да! Мы вора поймали!

— Какого? — удивилась я.

Валя ухмыльнулась.

— Ну, того, который по карманам шарил в гардеробе, и все на меня думали. А мы с Тимой в пальто подвесились — лапы в рукава сунули и в одежде затаились. И схватили крысу.

— Здорово, — обрадовалась я, — теперь подозрения с тебя сняты?

— Ага, — весело засмеялась Валя. — Знаешь, кто он?

— В смысле вор?

— Угу. Кир... бым... дын... — начала запинаться Валя, — быр... дыр... Тима! Как зовут тырщика кошельков?

Стоявший у прилавка спиной к нам парень повернулся, и я с изумлением узнала Тимофея, сына владельца гимназии. Мальчик сильно вырос, и на его лице не осталось ни малейших следов прыщей.

— Хоть пристрели, не выговорю, — ответил он, — вроде Кирбындажидбум Рамашикарбамедович. Да какая разница? Ой, здрассти... Ты ща совсем другая, без парика симпотнее!

— Спасибо, — кивнула я, — мне в таком виде тоже больше нравится. А как же вы ухитрились вора поймать?

Тима с Валей переглянулись.

— Да просто, — ответил мальчик.

— Говорила ведь, — подхватила девочка, — мы в пальто висели. А он в раздевалку вошел во время урока и давай в куртках шуровать.

— И мы его — хап!

— Во смех был! Он орать стал, что имеет сведения о теракте. Вроде школьники в карманах взрывчатку приносят.

— Только сам при этом чужой раскрытый кошелек в клешне держал!

— Никак бы не подумал, что учитель может бабки тырить, — подвел итог Тима.

Я невольно вздохнула. К сожалению, никто точно не узнет, что у другого человека на дне души. Порой бывает, что окружающие тебя люди способны на самые неожиданные поступки.

— Пошли, — скомандовала Валя и посмотрела на меня. — Мы вообще-то за подарками пришли.

— Вы теперь дружите? — улыбнулась я.

Валя слегка покраснела, а Тима, обняв ее за плечи, гордо сказал:

— У нас любовь! И если кому-то это не нравится, придется перетоптаться.

Взявшись за руки, парочка исчезла в весело гомонящей толпе, выбиравшей новогодние подарки. Я медленно пошла вдоль прилавков.

Вот уж точно: ни при каких обстоятельствах не следует отчаиваться и восклицать: «У меня все в жизни плохо!» Пройдет совсем немного времени, и ситуация изменится, взойдет солнце, черное станет белым. Когда одна дверь, ведущая к счастью, захлопывается, непременно открывается другая. Надо лишь перестать тупо смотреть на закрытую створку, и тогда увидишь другой, совершенно свободный вход. А еще надо иметь терпение, потому что все приходит в свое время для тех, кто умеет ждать.

Загадка от Дарьи Донцовой!

Дорогие мои читатели! Несмотря на свой ум и сообразительность, Виола Тараканова не сумела разгадать простую загадку: в одном отеле каждый месяц происходит убийство. Но, несмотря на, казалось бы, плохую репутацию, гостиница не страдает от отсутствия клиентов. Никого не пугает перспектива стать участником расследования. Хозяин гостиницы не скрывает неприятность, он сразу вызывает милицию и даже привлекает гостей к поискам убийцы. И вот что интересно! Преступника быстро находят, но не арестовывают. Милиция понимает, что в этой истории замешан владелец отеля, но и он не несет наказания! Почему? Я предлагаю вам самим разгадать эту загадку.

Жду ваших звонков по телефону (495) 967-90-77 до 27 ноября 2007 года. Правильный ответ вы сможете прочитать в моей следующей книге «Метро до Африки», а также в газете «ЖИЗНЬ за всю неделю» от 28 ноября 2007 года.

Ответ на загадку из книги «Ангел на метле»

Адвокат Нины Суржиковой произнес на суде речь: «Мой клиент не виновен. Подзащитный преступил закон помимо своей воли, его принудили участвовать в воровстве, он даже не знал, что совершает гадкий поступок, и поэтому не может нести наказание!» А после выступления положил перед судьей на стол фото вора. Нина Суржикова была беременна. Говоря: «Мой клиент не виновен», адвокат защищал ее еще не родившегося сына, а фотография представляла собой снимок УЗИ. Судья пожалел будущую мать и дал ей условный срок.

Метро до Африки

главы из нового романа

Глава 1

Враги приходят и уходят, а друзья остаются. Иногда можно десять лет не вспоминать про человека, но потом он вдруг тебе позвонит, и ты сразу переносишься на много лет назад, превращаешься в беззаботную девицу и начинаешь совершать глупости...

Нынешний июньский денек я решила провести в Ложкине, и на то имелись веские причины. Во-первых, сегодня пятница, следовательно, уже после трех часов дня караваны машин с дачниками потянутся по шоссе и на дорогах возникнут километровые пробки, а во-вторых, на дворе стоит солнечная, теплая, совершенно не по-московски погожая погода, и глупо не воспользоваться улыбкой природы.

Вдыхая аромат цветущей сирени, я прошла через сад и плюхнулась на раскладушку, предусмотрительно поставленную в самом глухом уголке. Здесь меня никто не тронет, можно преспокойно читать книгу и грызть орешки кешью. Увы, я обожаю вредную еду. Говорят, что люди, которые правильно питаются и не имеют дурных привычек, живут дольше, но мне отчего-то кажется, что существование тех, кто лопает вкусное и позволяет себе некоторые излишества, например, курит, неизмеримо приятнее. Впрочем, лично у меня просто не хватает силы воли отказаться от вредных привычек, скажем, завязать с курением.

Я наклонилась, чтобы вытащить из-под раскладушки пепельницу и пачку сигарет...

Если в большой семье есть только один любитель табака, его участь незавидна. Мне запрещено вносить курево в столовую, кухню, гостиную, библиотеку, баню... Легче сказать, где госпоже Васильевой позволено сидеть с сигаретой. Коротко говоря, нигде. Если я попытаюсь предаться невинной забаве в своей спальне, стоя у раскрытого окна, то непременно услышу чей-нибудь недовольный голос, доносящийся из расположенной на первом этаже гостиной:

— Откуда дымом несет? Ирка, тащи огнетушитель! Горим! Пожар!

Ну и так далее. Поэтому курить я предпочитаю в саду или в собственной машине. И вот что интересно: если Зайка или Аркадий случайно унюхают аромат табака в салоне моего — подчеркиваю, моего! — автомобиля, они мигом закатывают истерику, не забывая добавить:

— Мы желаем тебе добра, ведь даже младенец знает, что курение вызывает рак легких.

Спорить с детьми столь же бесполезно, как вычерпывать дуршлагом океан. Конечно, на язык так и просятся справедливые возражения типа: «Посмотрите вокруг, понюхайте московский воздух, этот жуткий коктейль из автомобильных выхлопов, выбросов предприятий и ядовитых испарений от строек! Неужели сигарета самый страшный зверь в такой ситуации?» Но я молчу. Мне просто не хочется раздувать скандал.

Впрочем, минуты радости бывают у всех. И вот сейчас, когда ни в доме, ни на участке никого нет — домашние разъехались по делам, а Ирка с Иваном отправились на рынок, — я со смаком затянусь...

Не успела я чиркнуть зажигалкой, как раздался

звонок телефона. Пришлось временно изменить планы и взять трубку.

— Дашка! — завизжал чей-то голос. — Клево! Это же ты?

У меня отнюдь не редкое имя. Крикните в метро: «Даша!» — и непременно отзовется пять-шесть женщин. Вот назови меня родители Физдипёклой, тут уж сомнений не было бы — обращаются именно ко мне, а с «Дашкой» возможны разные варианты. Поэтому я осторожно ответила:

— Васильева слушает.

Но тут же про себя усмехнулась: согласитесь, людей с такой фамилией тоже немало.

— Как официально! — еще громче заорали из трубки. — Хорошо хоть дворецкий к телефону не подошел. Слышь, у тебя есть мажордом?

— Простите, с кем я разговариваю? — спросила я.

— Не узнала? — огорчилась звонившая.

— Извините, порой меня подводит память, — почему-то я начала оправдываться. — Да и со слухом... э-э... у меня не особо... То есть, конечно, слышу, но порой...

— Вот народ! — возмутилась незнакомка. — Лучших друзей забывают! Стоит на пару дней исчезнуть, и все! Тебя беспокоит Дина.

— Кто? — я пришла в еще большее изумление.

— Корундова! — рявкнули мне в ухо.

Я легла на раскладушку. Все понятно: женщина ошиблась номером, ей нужна другая Даша Васильева. Никакой Дины Корундовой я не знаю. Надо сейчас же сказать об этом даме, которая продолжает возмущаться моей плохой памятью.

— Видите ли, — завела я, стараясь сохранить дружелюбный тон, — очевидно, вы не очень аккуратно нажимали на кнопки, вот и...

Договорить не удалось — меня перебили:

— Умереть не встать! Склероз прогрессирует, но его еще можно остановить. Лекарства пить не пробовала? Каждый день появляются новые препараты — наука несется вперед в бешеном темпе!

— Короче, вы ошиблись номером! — теперь рявкнула я. — До свидания. Мы незнакомы.

— Ага, — не смутилась собеседница, — еще скажи, что не училась в группе сто семь и никогда не списывала задачи по логике у Петьки Распутина!

Я вздрогнула. Действительно, номер моей студенческой группы был именно сто семь, и в наше, будущих преподавателей иностранного языка и переводчиков, расписание зачем-то включили такой непонятный предмет, как логика. Я, помнится, ходила сдавать его семнадцать раз. Теоретическая часть была мною вызубрена назубок, разбудите ночью, и отчеканю нужную главу, проблемы были с решением задач. Честно говоря, они казались мне идиотскими. «Все птицы умеют летать, пингвин птица, следовательно, он легко поднимется в воздух. В чем ошибочность данного заключения?» Неужели не понятно? Пингвин ни за какие коврижки не сможет взлететь, потому что у него практически нет крыльев! Но преподаватель, услышав абсолютно верный, на мой взгляд, ответ, тут же поставил в ведомости «неуд». Приблизительно то же самое происходило при следующих попытках. Слава богу, Петька Распутин сжалился надо мной и на семнадцатую пересдачу мы пошли вместе...

— Ну, просветлело в башке? — засмеялась незнакомка. — Давай начнем сначала. Я Дина Емельянова, твоя бывшая одногрупница...

— Емеля! — заорала я, вспомнив прозвище.

— Дотумкала наконец, — обрадовалась Динка. — Уж как я искала твой телефон! Еле-еле нарыла. Шифруешься почище Билла Гейтса, хотя с твоим невероятным богатством это понятно. Небось народ звонит безостановочно и бабки откусить хочет. Слышь, Дашк, у меня к тебе просьба...

Я вздохнула. Понятно, Емельяновой понадобились рубли, ей не хватает на квартиру или автомобиль. Ну с какой еще просьбой может обратиться человек, с которым последний раз я разговаривала сто лет назад? Долгие годы Дина не звонила мне, и я начисто забыла про знакомую юношеских лет. И сейчас Емеля на меня смертельно обидится, потому что услышит отказ. Дело в том, что деньги в нашей семье принадлежат Аркадию и Машс, именно такое завещание оставил барон Макмайер[1]. Девочка пока не имеет права распоряжаться основной долей своего капитала, сначала Маша должна достичь совершеннолетия, поэтому финансами единолично заправляет Кеша. Ясное дело, мы спокойно тратим средства на одежду, еду и всякие нужды, имеем кредитные карточки и не стесняемся в расходах. Но стоит мне заныть: «Давай дадим N в долг денег на машину», — как Аркадий жестко отвечает:

— Нет. Сейчас не прежние времена, можно взять кредит в банке. Клянчить у знакомых нет необходимости.

Если же я настаиваю, наш адвокат говорит:

— Вспомни Малышкиных. Они вернули нам нехилые бабки, полученные на ремонт дачи? А Галина Андреева?.. Попросила пару тысяч долларов на три дня и вот уже шесть лет несет их назад. А все ты! Вынудила меня съездить в банк, и что получилось?

Крыть мне нечем, остается только молчать.

— Надеюсь, не откажешь мне, — ныла сейчас Динка.

— Сын Дегтярева отделывает новый дом, — ре-

---

[1] История получения наследства описана в книге Дарьи Донцовой «Крутые наследнички» и «За всеми зайцами». Издательство «Эксмо».

шительно сказала я, — все средства уходят туда, нам пришлось потуже затянуть пояса.

— Кто такой Дегтярев? — изумилась Дина. — И при чем тут его сын?

Я опять вздохнула. Ну как объяснить ситуацию Емеле? В двух словах всю свою жизнь не перескажешь.

— Непременно приходи, — продолжала Динка, — Андрюха будет ждать.

— Куда идти и зачем? — изумилась я.

Воцарилась тишина, потом подруга студенческих лет осторожно поинтересовалась:

— Я что, не сказала?

— Нет.

Из трубки послышался протяжный стон.

— Кажется, у меня крышу повело, — призналась Дина, — накануне презентации полно хлопот. Мой брат гениальный художник! Помнишь Андрея?

— Извини, я ничего не знала о твоих близких родственниках, — честно призналась я.

— Вообще-то он мне двоюродный, но мы ближе, чем двойняшки, — уточнила Дина.

— А-а-а, — протянула я, так и не вспомнив Андрея.

— Андрюха завтра представляет публике эпическое полотно «Русь Великая», — зачастила Емеля. — Очень прошу, приди на презентацию, твое имя заявлено в списке гостей, а журналисты клюют на знаменитостей.

Последняя фраза полностью прояснила дело. Москва огромна, по размеру территории она сравнима с небольшим европейским государством, но одновременно — вот парадокс! — и очень мала. Если вы возьмете подшивку глянцевых журналов за месяц и пересчитаете тех, о ком постоянно пишет пресса, то не наберете и ста человек. Борзописцы обожают сообщать подробности только о богатых и знаменитых, другие люди их не интересуют. Если у газетчиков будет выбор: поместить материал о том, как певичка N сломала один из своих дорогостоящих гелевых ногтей, или напечатать заметку о геройском поступке никому не известного фермера Петрова, который спас во время пожара сто детдомовских детей, то можно не сомневаться — выбор сделают в пользу поп-звезды. Ясное дело, испорченный ноготь гораздо важнее. И потом, в конце статьи можно дать адрес салона, где звезда сделала маникюр, и получить определенную мзду за рекламу. Одним словом, если вы не медийное лицо, шансов увидеть свою фамилию на страницах изданий просто нет. Поэтому большинство малоизвестных деятелей культуры устраивают презентации собственных произведений.

Думаете, тусовка созывается ради показа народу картины, скульптуры или книги? Да, такое бывает, но... обычно дело затевается для журналистов. Удачная презентация непременно включает в себя банкет: если не потратитесь на выпивку с закуской, благосклонных статей о себе вам не видать. А еще полагается раздать подарки. Так, ничего ценного. Содержимое пакетика, который вам всучат при выходе, зависит от профессии главного действующего лица. Издательства дарят книги, художественная галерея — открытки, консервный завод — банки с зеленым горошком... Пустячок, а приятно и в хозяйстве пригодится. Однако хорошего буфета и сувениров мало, бесспорно удавшимся мероприятие делает присутствие так называемых випов, или, говоря по-русски, особо важных персон: политиков, артистов, писателей, спортсменов. Випы делятся на две категории: тусовщики, жизнь которых состоит из посещений различных мероприятий, и те, кто выходит в свет крайне редко. Появление на вашем мероприятии последних приманивает огромное количество людей с камерами и диктофонами.

Каждый день почта доставляет к нам в Ложкино ворох приглашений, но конверты отправляются нераспечатанными в мусорную корзину. Зачем мне шляться по вечеринкам? Чтобы увидеть собственное фото в журнале? Ну уж нет, на снимках чаще всего я выгляжу жутко, а возможность поесть на дармовщинку меня не прельщает. Честно говоря, не понимаю, отчего журналисты пытаются взять у меня интервью, — я не пишу романов, не снимаюсь в кино и никогда не полезу петь на сцену, потому что медведь не только наступил мне на ухо, он сел на него целиком.

— Очень прошу, — ныла Динка, — ну что тебе стоит!

— Хорошо, — неохотно пообещала я, — присылай приглашение. Если оно успеет прийти, то я приеду.

Последняя моя фраза была не чем иным, как вежливым отказом, и Динка поняла это.

— Погоди минутку, — велела она.

В трубке зашуршало, зачавкало, захрустело, потом неожиданно раздался другой голос:

— Привет, Дашуль. Думаю, ты меня не узнала, поэтому представлюсь сразу — Таисия Волкова.

— Тася! — обрадовалась я. — Господи, я так рада снова тебя слышать! Как дела?

— Отлично! — воскликнула Таиска. — А твои? Кеша небось совсем большой?

— Уже почти старый, — засмеялась я. — Давно женат, двое детей...

Тася принялась ахать и расспрашивать меня. В отличие от Динки она делала это с искренним интересом. Волкова замечательный человек, из той редкой породы людей, которые всегда кидаются на выручку, забывая о собственных проблемах. Мне она в свое время здорово помогла. Когда маленький Аркадий начал терять в весе и у него появились кашель и слабость — симптомы, свидетельствовавшие о серьезном заболевании, — я повела его в детскую поликлинику. Врач с бухты-барахты ляпнула:

— У него рак легких, вот вам, мамаша, направление к онкологу.

Мало того, что горе-доктор поставила диагноз без всяких анализов, так еще и сообщила его при Аркашке. Несмотря на малый возраст, тот живо понял, что к чему, и дико перепугался.

Уж и не знаю, чем бы все завершилось, но об этом услышала Тася и начала активно действовать. Волкова нашла отличного доктора, который пришел в ужас, узнав о диагнозе, поставленном коллегой, и воскликнул:

— На онкологию это не похоже! У ребенка, вероятно, аллергия, бронхит и начинающийся гастрит. Ничего приятного в данном «букете» нет, но мы справимся.

И через пару месяцев Аркашка начал поправляться в прямом и переносном смысле слова, а я на всю жизнь сохранила благодарность Тасе.

Кстати, у нее есть еще одна замечательная черта. Она появлялась в вашей жизни словно добрая фея, взмахивала волшебной палочкой, улаживала любые проблемы и исчезала. В близкие друзья Тася не набивалась, она просто подставляла плечо в трудную минуту, и все. Я было попыталась отблагодарить ее, позвала Волкову к себе на чай, но она ответила:

— Не ерунди, тебе сейчас не до гостей, лучше лечи мальчишку, а деньги, отложенные на торт, потрать ему на игрушки. Потом как-нибудь почаевничаем, жизнь длинная, еще представится случай.

Но мне так и не удалось отблагодарить Таисию.

После окончания института наши пути разошлись и более никогда не пересекались.

— Дашута, очень прошу, — сказала Тася, — сделай одолжение, приди к Андрею на презентацию. Ей-богу, мне это очень надо.

— Если речь идет о тебе, — живо отозвалась я, — то без вопросов. Говори, куда и когда являться.

— Ну спасибо! — с явным облегчением воскликнула она. — Завтра, в семнадцать ноль-ноль, галерея Мусы Джинибекова. Сейчас объясню, как проехать...

Глава 2

Без пятнадцати пять я припарковала свою машину около галереи и посмотрела в зеркало, чтобы проверить, не стекла ли с ресниц тушь и не размазалась ли губная помада. Так и есть, под глазами красуются черные круги, губы бледные, зато подбородок покрыт розовыми пятнами. Ну почему у меня всегда беда с макияжем? Каким образом другие женщины ухитряются выглядеть роскошно даже в самом конце мероприятия и по какой причине я еще до его начала превращаюсь в чучело?

Не найдя ответа на этот вопрос, я полезла в сумку и пришла в ужас: косметичка осталась дома. Думаю, большинство женщин поймет меня. Забыть в ванной губную помаду — настоящая трагедия даже в обычный день, а уж если вам предстоит присутствовать на тусовке, то масштаб несчастья оценить невозможно.

В отчаянии я огляделась по сторонам и увидела большой торговый центр. Из врожденной пунктуальности я всегда приезжаю на мероприятия точно в указанный срок и попадаю в идиотское положение: никто, кроме госпожи Васильевой, вовремя не является, и мне приходится с дурацкой улыбкой на лице шляться по пустому залу, мешая официантам наводить последний блеск на фуршетные столы. Оказавшись несколько раз в подобной ситуации, я изменила манеру поведения. Нет, приезжаю-то я все равно заранее, но не спешу на место встречи, а тихо сижу в машине, дожидаюсь, когда пройдет минут тридцать-сорок, и только потом чинно вступаю в зал. Но сегодня дурацкая привычка выручила меня — возможно, успею купить косметику и привести себя в порядок.

Ярко освещенный зал с витринами, уставленными флаконами и тюбиками, был у самого входа. Я приблизилась к одной из откровенно скучающих продавщиц и спросила:

— Где можно купить губную помаду?

Девица встрепенулась и указала на большой стенд:

— Выбирайте любую, тут вся гамма.

Приободрившись, я подошла к пластиковым ячейкам и прочитала название фирмы: «Квинк»[1].

Легкое сомнение царапнуло душу — я никогда не слышала этого названия.

— Простите, — снова обратилась я к консультанту, — а кто производит косметику?

— Франция! — гордо ответила девчонка. — Берите, не волнуйтесь, помада замечательного качества.

Я стала без особого энтузиазма изучать тестеры. Франция большая, и на ее территории много фабрик, производящих замечательные духи и прочую парфюмерию с косметикой. Я знаю все великие французские бренды, но вот «Квинк»... Ей-богу, ничего не слышала о такой фирме, хотя частенько бываю в Париже. Впрочем, есть в стране трех мушкетеров секреты, известные лишь своим. В глубине одной из узких улочек старого Парижа спрятана

---

[1] Название выдумано автором, любое совпадение случайно.

лаборатория «Оржев». Ее продукцию вы не найдете в универмагах, потому что она поставляется только в клиники или продается врачам-косметологам. Скромные баночки, бутылочки и ампулы стоят очень дорого, но зато вы платите за содержимое, а не за хрустальный флакон, куда налит обычный лосьон. Коренные француженки редко пользуются раскрученными марками. Обитая в столице моды, они не хотят переплачивать за упаковку и за рекламные кампании, поэтому приобретают продукцию лабораторий, которые делают свое дело без особой шумихи. Основной потребитель средств, представленных, так сказать, в глянце, — подростки и наивные иностранки, искренне полагающие, что лучше раскрученных имен ничего нет.

— «Квинк» просто не раскручен, — словно подслушав мои мысли, заявила продавщица.

Но я продолжала колебаться. Лицо-то у меня одно, второго, если я его испорчу, не дадут...

— Суперская косметика, — соблазняла меня девушка.

Я глянула на бейджик продавщицы и спросила:

— Скажите, Алена, «Квинк» давно на российском рынке?

— Они только начали осваивать Россию, но вообще-то фирма уже отметила сорокалетие. Хотите почитать буклет?

— Спасибо, не надо. Дайте вон ту помаду, розовую, — решилась я и, получив тюбик, аккуратно намазала губы.

Следует признать, помада легла ровно и ничем противным не пахла.

— Крем прибыл? — завопил с порога женский голос.

Я отвела взгляд от зеркала и увидела тетку, более всего напоминающую мешок с арбузами. Растрепанная голова лежала прямо на квадратных плечах. Никаких плавных изгибов у дамы не имелось — сразу же от белого лакового пояса начиналась попа, при взгляде на которую тут же становилось понятно, отчего врачи называют данное место «таз». У вошедшей был именно он — здоровенный, круглый аксессуар для замачивания белья.

— Здрасте, Татьяна Сергеевна, — расцвела Алена. Очевидно, дама была тут постоянной выгодной клиенткой.

— Давай без церемоний, — отмахнулась посетительница. — Где чудо-крем?

— Вот, — Алена выставила на прилавок две ярко-розовые банки.

— Так мало? — возмутилась дама.

— Есть еще.

— Сколько?

— Ну... ящик... В нем, наверное, упаковок двадцать.

— Неси все! — приказала тетка.

Алена шмыгнула в подсобное помещение, я, заинтригованная происходящим, не утерпела и обратилась к вошедшей:

— Простите, а чем так замечателен этот крем?

Татьяна Сергеевна всплеснула руками:

— Вы не слышали?

— Нет.

— О нем все журналы писали!

— Увы, я не читаю глянец, — призналась я. — Не потому, что презираю его, просто времени нет.

— А зря! — покачала головой женщина. — Ладно, так и быть, расскажу. Фирма «Квинк» придумала восхитительную новинку... Что у нас, женщин, самое большое? Я имею в виду в организме?

— Душа, наверное, — предположила я. — Или ум, хотя мужчины считают иначе.

Дамочка с жалостью посмотрела на меня.

— Вот уж ум нам совсем ни к чему. Замуж выходить надо, а не диссертации писать. Самое большое у нас, у баб, — задница. Слишком жирная!

— Это у кого как, — хихикнула я. — Лично мне приходится покупать джинсы в детском отделе.

Татьяна Сергеевна склонила голову и уставилась на меня.

— Верно, выглядите вы недокормышем, некрасиво. Слава богу, у меня есть попа, и я ею довольна. Дженифер Лопес отдыхает! Я могу гордиться собственной задницей, но вот грудь... Увы, всего лишь второй размер.

— Другим и первого не досталось, — протянула я, мельком посмотрев на себя в зеркало.

— Некрасивый бюст мешает удачному замужеству, — вздохнула собеседница. — Столько попыток делала, и все мимо! Понимаете?

Я кивнула. Большинство женщин по непонятной для меня причине спешат надеть на шею ярмо брака. Лично я многократно бегала в загс, но потом поняла, что лучше одиночества ничего нет. А вот Татьяна, видимо, принадлежит к другой категории.

— Если нарастить вверху, — бойко вещала она, — тут же женихи набегут.

Может, оно и так, с сомнением прокомментировала я мысленно, но армия потенциальных супругов с той же скоростью унесется прочь, если поймет, что к шикарной груди ничего, кроме шикарной же попы, не прилагается.

— Вставлять силикон мне страшно, — поежилась невеста-соискательница, — говорят, имплантаты взрываются в самолетах. Спасибо фирме «Квинк»! Вот оно, спасение, — крем «попа-грудь».

— Простите? — не поняла я.

— «Попа-грудь», — повторила Татьяна. — Мажешь им, так сказать, булки внизу, и жир из них перетекает в верхний этаж. Задница худеет, бюст полнеет. Сказка!

— Что-то мне не верится в это, — пробормотала я. — Как же крем действует?

— Очень просто! — оживилась собеседница. — Накладываешь крем на седалище и ждешь эффекта.

— Жировой запас поползет вверх?

— Да.

— Надо будет стоять вниз головой? — растерялась я.

— Зачем? — напряглась Татьяна.

— Но по закону всемирного тяготения любое тело стремится вниз, — сказала я, — жир не исключение, вверх он только при помощи насоса может подняться. Хотя я не особо разбираюсь в физике. В химии, кстати, тоже.

— Ничего качать не надо, — пояснила запыхавшаяся Алена, втаскивая в зал ящик, — все очень просто. Крем разогревает целлюлит, а тот, спасаясь от жары, бежит в грудь.

— Не уверена, что целлюлитный бюст — это красиво, — промямлила я.

— Грудь будет выглядеть шикарно, — заверила Татьяна.

— Все равно не понимаю, каким образом часть филея может переместится к шее, — уперлась я.

Продавщица и покупательница переглянулись.

— Ну просто поползет, — не очень убедительным тоном сказала Алена, — медленно, но верно.

— А если он в районе талии осядет? — поежилась я. — Представляете катастрофу? Снизу ушло, до верха не добрело, а посередине образовался «бублик». Начнется жуткая проблема с одеждой!

Татьяна фыркнула и отвернулась.

— Ну не знаю... — протянула Алена. — Может, конечно, всякое случиться, только на этот крем очередь стоит. Будете брать?

Я не успела ей ответить, потому что в сумочке зазвонил мобильный.

— Послушай, — зачастила Зайка, — мы с Тёмой стоим у плитки, скажи, какую брать: зеленую или синюю?

— Куда вы ее класть собираетесь? — разумно поинтересовалась я.

— Без разницы! — отбрила Ольга. — Назови цвет.

— Послушай, но это же глупо, — попыталась я сопротивляться. — Вдруг Теме не понравится мой выбор? Думаю, решение должен принимать хозяин. Кто, в конце концов, будет любоваться на кафель?

— С чего ты взяла, что речь идет о покрытии для стен? — изумилась Зайка. — Мы пытаемся выбрать электроплиту.

— Ты же сказала «плитку»...

— Ну! А как ее надо было назвать?

— Плита, — ответила я.

— Еще скажи очаг или кострище! — обозлилась Ольга. — Тема хочет двухконфорочную, а это натуральная плитка.

Я вздохнула. Ну какого черта взялась спорить с Зайкой?

— Теперь технику делают разноцветной, — тараторила Ольга, — вот мы и мучаемся. Красный очень агрессивный, так?

— Да, — покорно ответила я.

— Оранжевый цвет тупой!

— Да.

— Белый слишком традиционный.

— Да, — тупо твердила я.

— Черный — мрачный.

— Да.

— Розовый — идиотский.

— Да.

— И что остается?

— Да, — привычно заявила я, — да, да, да...

— Что «да»? — разъярилась Зайка. — Какие цвета я не назвала?

— Ну... синий и зеленый, — опомнилась я.

— Так какую плитку брать? — недовольно произнесла Ольга. — Сама я не хочу ему советовать.

— Почему? — осторожно осведомилась я.

— Не желаю, чтобы следующие десять лет Тема попрекал меня неправильно выбранным колером, — заявила Ольга. — Придется тебе брать ответственность на себя.

— С какой стати? — возмутилась я.

— Дегтярев на совещании, Кеша в суде, Машка в клинике, Оксана на операции. Осталась только ты, вот и решай.

Представляете, в каком положении я оказалась? Теперь, если что, в течение десяти лет Тема будет попрекать меня «неправильно выбранным колером». Надо срочно что-то предпринять!

— К сожалению, я сейчас занята, — завела я, — нахожусь в... э-э...

Фантазия иссякла. Увы, я не работаю и не могу, как все, соврать, что сижу на совещании.

— Интересное дело! — возмутилась Зайка, и тут продавщица Алена заорала так, словно потолок торгового центра обрушился на ее голову:

— Так вы берете бюстопопный крем? Осталось всего две банки.

Я прикрыла ладонью трубку и прошипела:

— Тише, не вопите.

Но поздно! Чуткие уши Зайки уже услышали вопль Алены.

— Так ты в магазине! — пришла в негодование Ольга. — В косметике! Неужели не стыдно? Мы мучаемся на стройрынке, прыгаем возле плитки, а ты нам даже помочь не хочешь! Отложи сейчас же румяна и подумай о серьезной проблеме: синяя или зеленая?

— Я даже смотреть на румяна не собиралась! Мне предлагают купить некий крем, но, похоже, тут очередной обман. Представляешь, производители обещают, что при регулярном его использовании жировой запас нижнего этажа переползет вверх и превратит нулевой размер бюста в пятый, — опрометчиво разоткровенничалась я.

В трубке повисла тишина, потом Зайка взвизгнула:

— А если поподробнее?

Страшно довольная тем, что она забыла о плите, я начала рассказывать про косметическое средство.

— Бери сколько дадут, — занервничала Зайка. — Похоже, это замечательная вещь.

— Покупаете? — вновь заголосила Алена.

— Да, да, — закивала я, — возьму. Несите.

— Ты в джинсах? — неожиданно спросила Зайка.

— Нет, в платье.

— Каком? — Ольга проявила странное любопытство.

— В красном, его Кеша из Парижа привез, — не почуяв подвоха, сообщила я.

— Тема, Дашута велит брать красную, — незамедлительно отреагировала Зайка. — Она только что сказала: красную и никакую другую.

У меня отвисла челюсть.

— С вас три тысячи рублей, — сообщила Алена.

— Так дорого?

— Из попы в грудь задешево не добраться, — отрезала продавщица. — Средство молекулярное, значит, стоит того. Вы только подумайте, что силикон вставлять намного дороже, и вам сразу станет легче! Впрочем, я настаивать не буду. Уже говорила — у нас на этот крем очередь стоит, вы мне просто понравились, потому я и предложила.

Я молча достала из кошелька кредитку, очень хорошо понимая, что стала жертвой надувательства. Но явиться домой без чудо-средства нельзя, Заюшка тогда попросту загрызет меня — Ольга верит рекламе...

В зал, где брат Дины презентовал свою картину «Русь Великая», я вошла через час после назначенного времени и сразу угодила в лапы людей с диктофонами.

— Газета «Желтуха», — кинулась ко мне женщина лет сорока, держа наперевес фотоаппарат. — Вы же Дарья Васильева, так? Почему вы пришли на презентацию?

— Посмотреть на эпическое полотно господина Корундова, — смиренно ответила я. — Зачем же еще?

Но корреспондентке, похоже, не нужны были ответы, ей хотелось задать вопросы, что она и сделала.

— Вы без сопровождающего? Плохие отношения в семье? Сколько стоит ваша сумка? Назовите марку автомобиля, на котором прибыли. Правда ли, что у вас дома живут верблюд и пони? Кто за ними ухаживает? Какое количество денег вы еженедельно тратите на брильянты? Вас с Корундовым связывают интимные отношения?

— Нет, — быстро сказала я, съежившись под лавиной вопросов, — я даже незнакома с Андреем.

— Врете! — радостно отметила журналистка. — Если не водите дружбу, то откуда знаете имя художника?

— Я никогда не пила чая вместе с Пушкиным, но знаю, что он — Александр Сергеевич, — огрызнулась я.

— Ага, ага, — закивала тетка. — Так у вас был роман с Корундовым?

Я прищурилась.

— После моей свадьбы с Пушкиным! Я изменяла поэту с художником!

— Прикольно, — кивнула баба с фотоаппаратом и, пару раз поморгав вспышкой, исчезла.

Я стала продираться сквозь довольно густую толпу к стене, на которой висела картина — виновница торжества.

Обращение к читателям

***Дорогие мои**, я очень люблю вас, но, увы, не имею возможности сказать о своих чувствах лично каждому читателю. В издательство «Эксмо» на имя Дарьи Донцовой ежедневно приходят письма. Я не способна ответить на все послания, их слишком много, но обязательно внимательно изучаю почту и заметила, что мои читатели, как правило, либо просят у Дарьи Донцовой новый кулинарный рецепт, либо хотят получить совет. Но как поговорить с каждым из вас? Поломав голову, сотрудники «Эксмо» нашли выход из трудной ситуации. Теперь в каждой моей книге будет мини-журнал, где я буду отвечать на вопросы и подтверждать получение ваших писем. Не скрою, мне очень приятно читать такие теплые строки.*

Совет № раз
Рецепт «Пальчики оближешь»

Омлет с вишней

Что нужно:

0,5 кг вишни (можно использовать замороженную),
400 г муки,
1,5 стакана молока,
3 яйца,
5 ст. ложек сахара,
немного сливочного масла,
соль по вкусу.

Что делать:

Муку размешать с молоком, добавить яйца, соль и замесить тесто. Оно должно быть негустое, как сметана. Половину полученного теста влить в разогретую, смазанную маслом сковороду. Сверху положить слой вишни без косточек, посыпать сахаром и залить оставшимся тестом. Запекать в духовке при средней температуре в течение 40 минут.

Приятного аппетита!

Совет № два

Красивая шея – это просто

Если хотите придать коже шеи гладкость и эластичность, приготовьте маску: смешайте 1 ст. ложку растительного масла со 100 г теплого картофельного пюре, нанесите на кожу и накройте полотенцем на 10 – 15 минут. Остывшую массу смойте прохладной водой.

Чтобы предотвратить образование преждевременных морщин в области шеи, всегда держите прямо спину и не ходите с опущенной головой. Если хотите избежать появления ранних морщин на шее, никогда не спите на высокой подушке. Желательно вообще отказаться от подушки и спать на ровной поверхности.

Письма читателей

Дорогие мои, писательнице Дарье Донцовой приходит много писем, в них читатели сообщают о своих проблемах, просят совета. Я по мере сил и возможностей стараюсь ответить всем. Но есть в почте особые послания, прочитав которые понимаю, что живу не зря, надо работать еще больше, такие письма вдохновляют, окрыляют и очень, очень, очень радуют. Пишите мне, пожалуйста, чаще.

Здравствуйте, уважаемая и всеми любимая Дарья Донцова!

Пишет Вам из Уфы Ваша почитательница и читательница Надежда. Надеюсь, что это письмо будет хоть кем-то прочитано. Я не любитель писать письма, а вот читать книги обожаю с детства, люблю приобретать книги, благо что это теперь не дефицит, но далеко не всякая книга попадает мне на книжную полку. С ироническим детективом я познакомилась благодаря Хмелевской, я прочла все, что выпускалось издательствами. Но, прочитав все, поняла, что мне не хватает подобных книг, и почти три года назад мне подруга посоветовала Ваши романы, к тому времени их уже было, наверное, больше десяти, я сразу купила все, что были на тот момент, и потом докупала по списку (в книгах), чтобы не пропустить ни одной.

Ваши книги на тот момент жизни мне очень пригодились, я готовилась к операции (женские проблемы) и очень трусила, ведь я никогда ничем не болела, даже простуда – редкий гость. В больницу взяла четыре книги, все были «проглочены», и вообще я прочитываю каждую книгу за одну ночь и жду появления новой, куплю и в предвкушении жду свободного времени для чтения.

Спасибо Вам за неисчерпаемый оптимизм, юмор, иронию, все это про нас. Конечно, с такими историями, переплетами я не сталкивалась, и даже слегка завидно, что все самое интересное – и мимо меня, так хоть прочесть.

Я приобрела все, что выпущено издательством «Эксмо» в твердом переплете, и Вашу биографию, и кулинарную книгу, а статьи вырезаю и вкладываю в книги, я Вас очень люблю, и мне, конечно, 102 года не прожить, а жаль: сколько же я не прочту книг Дарьи Донцовой.

Желаю Дарье обещанных долгих лет жизни и жду ежемесячных новинок.

С уважением, Надежда

Здравствуйте, уважаемая Дарья Аркадьевна!

Пишут Вам две сестры Татьяна и Эллина! Мы прочитали почти всю серию книг про Виолу Тараканову и Ивана Подушкина. Нам очень понравились книги: «Инстинкт Бабы-Яги», «Зимнее лето весны» и «Микстура от косоглазия». Благодарим Вас за то, что Вы пишете такие замечательные, интересные, веселые детективы.

Но есть небольшая проблема. Мы живем в деревне далеко от города. И поэтому достать книгу для нас очень трудно. Но когда мы достаем Вашу книгу, мы очень рады и благодарим Вас за то, что Вы пишете так великолепно!

До встречи!
Татьяна и Эллина

СОДЕРЖАНИЕ

Донцова Д. А.

Д 67 Хеппи-энд для Дездемоны: Роман. Метро до Африки: Главы из нового романа. Советы от безумной оптимистки Дарьи Донцовой: Советы / Дарья Донцова. — М.: Эксмо, 2007. — 384 с. — (Иронический детектив).

Ну конечно, как же я, Виола Тараканова, могу отказать кому-то в просьбе! В мои планы совсем не входило менять профессию — мне и моей писательской работы хватает! — а все же согласилась подменить подругу. И оказалась вместо Ники Терешкиной... классной дамой в частной гимназии. Да только потрудиться на педагогической ниве практически не удалось, пришлось заняться любимым делом — расследованием преступления. А как же иначе, если убита подруга, та самая Ника?! Да еще так страшно! Ничего себе выступил ее муженек... Хотя, может, и не она погибла, а проститутка Настя. Но тогда где же Терешкина? И при чем здесь продажный секс? Ой, что-то у меня концы с концами не сходятся...

УДК 82-3
ББК 84(2Рос-Рус)6-4

ISBN 978-5-699-24230-6

Оформление серии *В. Щербакова*

Литературно-художественное издание

Дарья Донцова

ХЕППИ-ЭНД ДЛЯ ДЕЗДЕМОНЫ

Ответственный редактор *О. Рубис*
Редакторы *Т. Семенова, И. Шведова*
Художественный редактор *В. Щербаков*
Художник *В. Остапенко*
Технический редактор *Н. Носова*
Компьютерная верстка *А. Пучкова*
Корректор *З. Харитонова*

ООО «Издательство «Эксмо»
127299, Москва, ул. Клары Цеткин, д. 18/5. Тел. 411-68-86, 956-39-21.
Home page: **www.eksmo.ru** E-mail: **info@eksmo.ru**

Подписано в печать 02.10.2007.
Формат 84x108 $^{1}/_{32}$. Гарнитура «Таймс». Печать офсетная.
Бумага тип. Усл. печ. л. 20,16.
Тираж 80100 экз. Заказ 1794

Отпечатано в полном соответствии
с качеством предоставленных диапозитивов
в ОАО «Можайский полиграфический комбинат».
143200, г. Можайск, ул. Мира, 93.